The Heian Cultural Revival in Edo:

Reading the *Jūban Mushi-awase* scrolls in the Honolulu Museum of Art's Lane Collection

江戸の王朝文化復興

ホノルル美術館所蔵レイン文庫『十番虫合絵巻』を読む

盛田帝子／ロバート・ヒューイ◉編

盛田帝子／松本大／飯倉洋一◉校注・訳

◉Editors
Robert Huey, Teiko Morita

◉Translation and Notes
Robert Huey
Andre Haag
Tanya Barnett
Francesca Pizarro
Hilson Reidpath

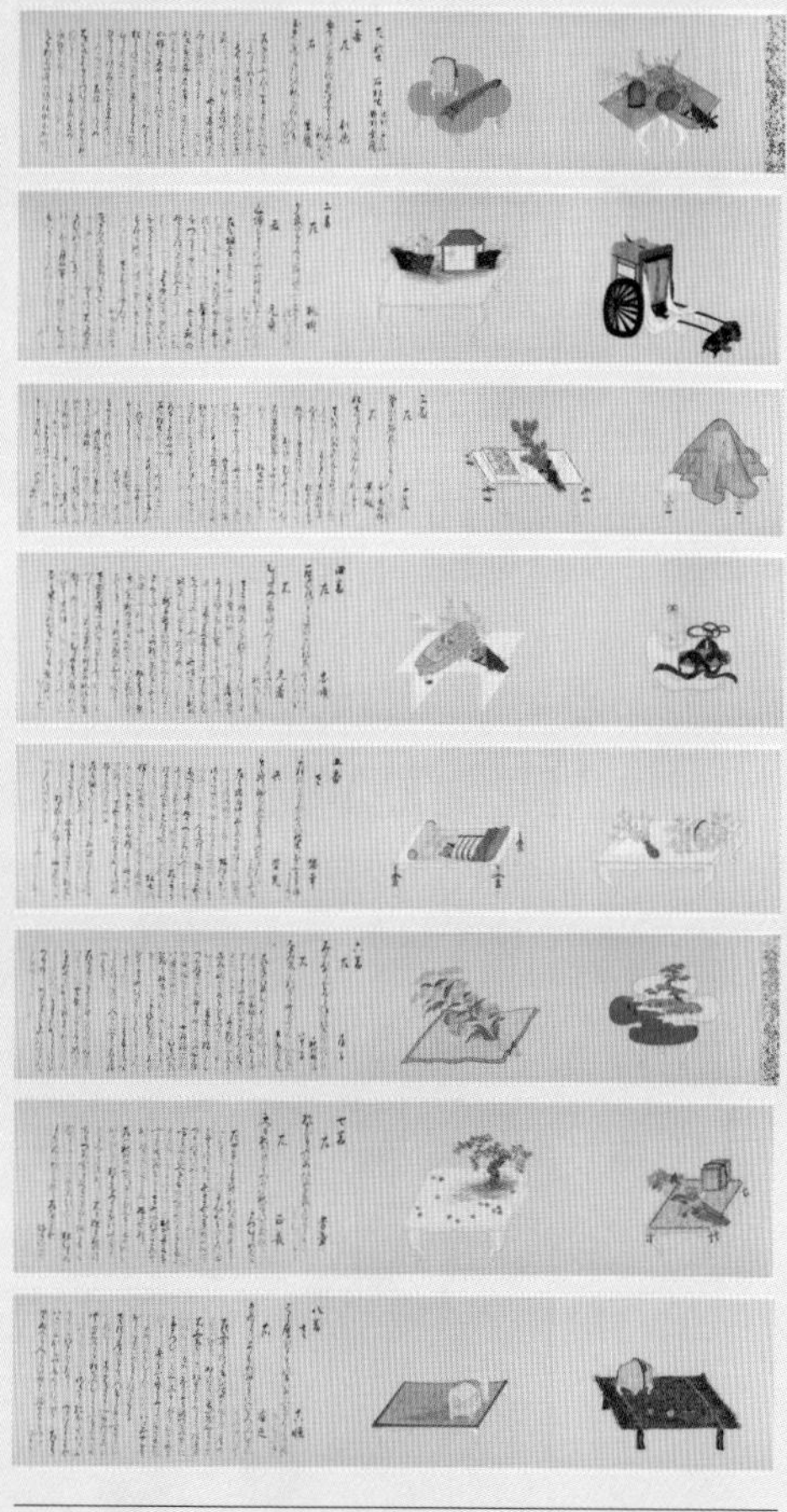

文学通信

『十番虫合絵巻』サイトのご案内

https://juban-mushi-awase.dhii.jp/

ホノルル美術館所蔵レイン文庫『十番虫合絵巻』の画像を IIIF（トリプルアイエフ :International Image Interoperability Framework）、本文、現代語訳、英訳を TEI（Text Encoding Initiative）に準拠して公開しています。

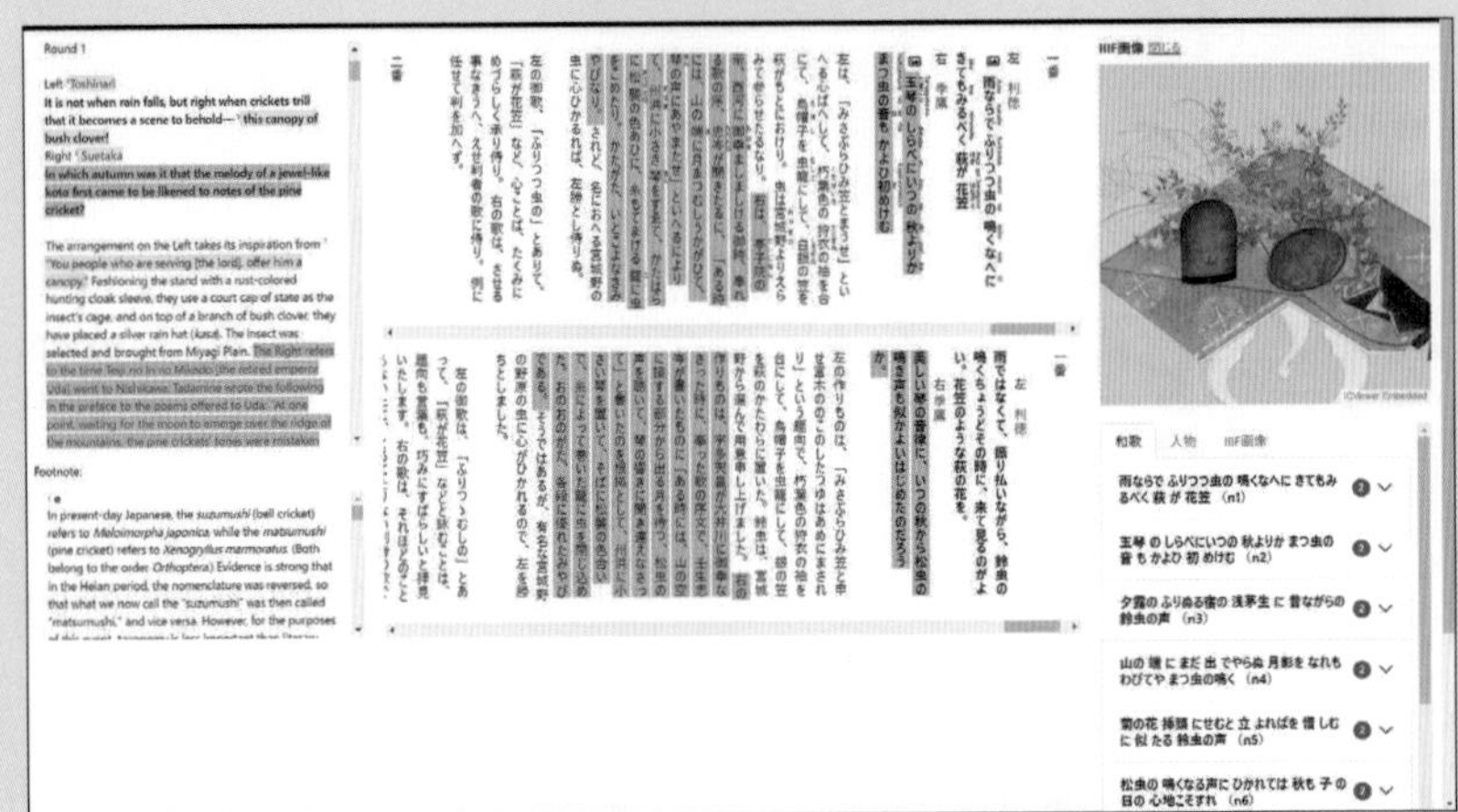

『十番虫合絵巻』サイトの TEI ビューワ（開発段階）

『十番虫合絵巻』サイトのトップページ（開発段階）

目次

Ⅱ　論考・コラム

III 付録

まえがき

盛田帝子

十八世紀後半の日本では、天皇を擁する京都でも、将軍を擁する江戸でも、尚古主義・好古主義が流行した。京都では、安永八年（一七七九）に践祚した光格天皇が権威の復興をめざして、多くの朝儀や神事を再興・復古し（藤田覚『光格天皇――自身を後にし天下万民を先とし――』ミネルヴァ書房、二〇一八年）、江戸では、八代将軍徳川吉宗の次男で、服飾や雅楽、古典文学や有職故実に造詣の深かった田安宗武が、明和二年（一七六五）に王朝儀式の復元を意識した物合「梅合」を再興した。宗武没後の安永・天明期の江戸では、堂上歌壇と関わりを持ち、『源氏物語』をはじめとする王朝文学に造詣の深い三島景雄（みしまかげお）や賀茂季鷹（かものすえたか）などが安永八年（一七七九）「扇合」、「前栽合」などの物合を次々に再興するが、王朝文化に憧れた彼らが、業平に仮託された男が都を思いながら「名にし負はばいざ言問はむ都鳥わが思ふ人はありやなしやと」（『伊勢物語』第九段）と詠んだ隅田川のほとりで再興したのが、本書で紹介する「十番虫合」という物合である。

「十番虫合」の催しについては、一九八四年の安藤菊二「三島自寛の『十番虫合』はしがき」（『江戸の和学者』青裳堂書店）を皮切りに、拙稿を含め、いくつかの研究論文で触れられており、日本国内では八点の所在が知られていた（本書所収、盛田帝子「解題――古典知の凝縮された『十番虫合絵巻』の魅力」を参照）。ある時、ホノルル美術館のスタッフでリサーチ・

アソシエイトの南清恵氏から、ホノルル美術館のリチャード・レインコレクション（本書所収、南清恵「ホノルル美術館所蔵リチャード・レイン・コレクション」参照）の中に「十番虫合」に関する絵巻があるので、見てほしいという連絡を受けた。その連絡を受けて、二〇二〇年二月一八日、リチャード・レイン旧蔵の『十番虫合絵巻』を閲覧・調査すると、日本国内では、これまで最善本とされていた東京の大東急記念文庫所蔵本に引けを取らない、あるいは、それ以上の典籍であることが理解された。ホノルル美術館所蔵『十番虫合絵巻』は、「十番虫合」に出座していた三島景雄が記録し編修した絵巻物だったのである（拙稿「十八世紀の物合復興と『十番虫合絵巻』」大東急記念文庫『かがみ』第五二号、二〇二二年三月）。

私が閲覧する少し前の二〇一九年から、ハワイ大学マノア校のロバート・ヒューイ氏は、大学院生たちとともに、この『十番虫合絵巻』を、授業の教材として読み始めていた（本書所収、南清恵「『十番虫合絵巻』がハワイの教育にもたらしたもの」参照）。私が調査をしていた二〇二〇年二月二一日、ヒューイ氏と大学院生たちがホノルル美術館に来館。『十番虫合絵巻』の原本を前に、私は彼らに、『十番虫合絵巻』の解説を行った。強い関心と旺盛な知識欲に溢れる学生たちは、次々に私に質問を浴びせてくる。私はその熱意に大きな感銘を受け、また『十番虫合絵巻』という原本そのものの魅力が、彼らの熱意の根源になっていることを確信した。

日米問わずに見る者を魅了する『十番虫合絵巻』を、一緒に共同研究できないかと思った私は、その後、ヒューイ氏に連絡を取り、オンライン会議での話し合いを経て、私が代表を務める二〇二〇年～二三年度科学研究費助成事業・国際共同研究加速基金（国際共同研究強化（B））「十八―十九世紀の日本における古典復興に関する国際的研究」の一環として、オンライン上でホノルル美術館所蔵『十番虫合絵巻』の解読を中心とする国際共同研究会を行うことが決定した。日本国内では科研メンバーの盛田帝子（代表者）・飯倉洋一（研究分担者）・永崎研宣（同）・松本大（同）・山本嘉孝（研究協力者）・有澤知世（同）の各氏、海外では科研の国際研究協力者であるロバート・ヒューイ氏とハワイ大学の大学院生たち、同じく科研の国際研究協力者であるカリフォルニア大学バークレー校（ＵＣＢ）のジョナサン・ズウィッカー氏と同大学の大学院生たち、さらにホノルル美術館の南清恵氏も参加して、二〇二一年四月二四日、第一回の研究会が開催された。研究会は、時差を考慮して日本時間土曜日の午前十時～午後一時に行い、その後、ほぼ毎月一回のペースで、十三回にわたって国際共同研究会が行われた。

第一回は、私がホノルル美術館所蔵『十番虫合絵巻』の概要について発表した。日本側六名、ハワイ側六名、ＵＣＢ四名の計一六名が参加した。第二回は、虫合のイベントの経緯を記した跋文の注釈を私が発表するとともに、ズウィッカー氏が「いにしへ手ぶり考べきたより――文化頃前後の文芸交流と歴史意識」（Devices for Thinking About the Past:Literary Sociability and Historical Consciousness Around the Bunka Era）と題して、文化年間頃の江戸戯作者たちの好古志向について多彩な資料を駆使して発表した。第三回～第十三回は、基本的に一回ごとに一番ずつ読み進めた。跋文および一、三、五、七、十番を盛田が、二、四、六、八番を松本大氏が、九番を飯倉洋一氏が担当した。第七回のみは注釈発表を休み、諸本調査報告や打ち合わせを行った。

研究会の前半は、担当者が日本語で作成した翻刻・現代語訳・注釈（叩き台となる資料）を元に発表し、質疑応答と意見交換を行った。前半の司会は飯倉氏が担当した。後半は、ヒューイ氏を中心にハワイチームで検討した同じ番の英訳と注釈を検討した。後半の司会は山本氏が担当した。ヒューイ氏が、本書の「はじめに」で記しているように、この国際共同研究会は、想像以上の成果を上げた。毎回、活発で忌憚のない、楽しい議論が戦わされ、そしてワクワクするような論が展開された。特にヒューイ氏は日本の研究者が思いもよらない視点から、しばしば驚くような指摘をされた。また、南氏は、注釈に必要なホノルル美術館所蔵の絵図情報を臨機応変に紹介して下さった。国際研究会ならではの面白さと刺激があった。日本チームと海外チームの議論を繋ぐのに大きな役割を果たしたのは、米国で、高校・大学時代を過ごし、英語に堪能な山本氏と、ハワイ生活の長い南氏だった。

研究会での議論の記録は有澤氏が担当した。この記録のおかげで、研究会での議論を、注釈に容易に反映することができた。また、第七回からは中古文学専攻の瓦井裕子氏が参加し、和歌研究者の立場から貴重な発言を数多く行った。第十二回からは新たに研究分担者として加わった加藤弓枝氏も参加した。ハワイ大学からは、ピエールカルロ・トンマージ氏も途中から参加し、鋭い質問をもらった。

国際共同研究会で『十番虫合絵巻』すべてを読み終えた後、二〇二三年二月二七日から、飯倉氏・松本氏・盛田の三名で、対面で注釈検討会を行い、注釈原稿を作成した。検討会は全十三回におよび、毎回二時間から長いときで六時間というハードなものだった。対面検討会の段階で、新たに『十番虫合絵巻』の和歌と、江戸期の類題和歌集との関係についての重要性が浮かびあがった。そのことを踏まえ、松本氏が類題和歌集所収和歌一覧を作成した。

本書は、このような足掛け三年の国際共同研究会・注釈検討会の成果を、日本語版（Ⅰ本文編、Ⅱ論考・コラム、Ⅲ付録）と英語版（Ⅰ本文編、Ⅱ論文・エッセイ・コラム）として同時に出版するものである。

日本語版の**Ⅰ 本文編**の影印は、国際共同研究会で解読してきたホノルル美術館所蔵『十番虫合絵巻』を使用させていただいた。写真は、ホノルル美術館デジタルイメージエディターのスコット・クボ氏が撮影したものである。校訂本文・現代語訳・注釈は、研究会の議論・成果を踏まえた上で、校訂本文およびその凡例を松本氏が、現代語訳を飯倉氏・松本氏・盛田が、注釈を飯倉氏・松本氏・盛田が担当した。これまでの研究史を踏まえた上で、盛田が『十番虫合絵巻』の解題を執筆し、ホノルル美術館で長年にわたってリチャード・レインコレクションの目録化に携わっている南氏にコレクションについての解説を書いていただいた。

日本語版の**Ⅱ 論考・コラム**について。英語で寄せられたターニャ・バーネット氏、ロバート・ヒューイ氏、フランチェスカ・ピザーロ氏、ヒルソン・リードパス氏、ジョナサン・ズウィッカー氏、アンドレ・ヘーグ氏の文章については、飯倉氏が日本語訳し、執筆者本人のチェックを経て、ヒューイ氏が最終チェックをした。寄稿文の内容については、ヒューイ氏の「はじめに」に触れられているので、詳しくはそちらをご覧いただきたい。バーネット氏、ピザーロ氏、リードパス氏、ヘーグ氏は、近世文学の専門家ではないにも関わらず、常に意欲的に研究会に参加して、さまざまな疑問を投げかけ、議論を盛り上げてくださった。彼らの寄稿文からも、常に自らの視点で対象に真摯に向き合い、考察して下さっていたことが浮かび上がってくる。日本語を母国語としない彼らが、江戸時代の雅語で書かれたテキストの解読に、長い間積極的に参加してくださったことに深く感謝している。同様に、「隅田川」をテーマに前近代と近代の風景を論じたズウィッカー氏の論考には大きな刺激を受けた。

歌合や物合の歴史の中に、「十番虫合」はどのように位置づけられるだろうか。その前提となる近世までの物合・歌合の概要について、加藤弓枝氏に「物合と歌合」と題して書いていただいた。

「十番虫合」が催された安永・天明期は、狂歌作者たちの物合も盛んに行われた。有澤知世「知識人たちの遊びと考証――十八世紀末から十九世紀初頭の江戸に注目して」は、どちらも知的遊戯の場である点に注目し、戯作者を含めた江戸の雅俗両層の人々の遊び心や好古志向について説いたものである。

本文の読みと文学的背景に関わる論考としては、瓦井裕子「『十番虫合』と『源氏物語』」および山本嘉孝「『十番虫合絵巻』と漢文脈――草虫詩から花鳥画まで」が挙げられる。瓦井氏は、十番の作り物の千蔭判詞に疑問を感じたことを発端に考察を深め、山本氏は、虫の羽音を声として認識して哀れさを感じることや、虫のいる場面を美しく描くことに漢文脈の可能性を見る。

松本氏は「近世期の『源氏物語』本文と千蔭」と題して、「十番虫合」の作り物判者である加藤千蔭が『源氏物語』本文をどう取り扱ったかを論じている。

『十番虫合絵巻』には洲浜を描いた彩色画があるが、研究会に美術史の専門家が参加していなかったため、絵師は誰かという問題を含め、美術史学的に考察する困難に直面した。門脇むつみ氏に助言を仰いだが、助言のみならず「美術史研究から見た『十番虫合絵巻』の造り物」と題して興味深い貴重な論考を寄せていただいたのは大きな喜びである。

日本語版の**Ⅲ 付録**として、「人物解題」と「翻刻と校異」を付けた。「人物解題」は、「十番虫合」に参加した人々の解説を、注釈原稿を元に有澤氏がまとめた。「翻刻と校異」は、原文に忠実な翻刻を松本氏が作成し、他本との校異を盛田が作成した。

英文版の詳細については、ヒューイ氏の「はじめに」を参照していただきたいが、Ⅰ本文編には、国際共同研究会の議論・成果を踏まえた上で、ヒューイ氏とハワイ大学のメンバーによる英訳と注釈が掲載されている。

さて、本科研（国際共同研究加速基金（国際共同研究強化（B））20kk0006）においては、研究分担者の永崎研宣氏が中心となって、『十番虫合絵巻』のテキストデータをTEI（Text Encoding Initiative）ガイドラインに準拠して広く世界に提供するための事業を、国際共同研究会と並行して推進してきた。その成果として、現在、WEB上で『十番虫合絵巻』の本文、現代語訳、英訳が、TEI（Text Encoding Initiative）に準拠して公開されている（https://juban-mushi-awase.dhii.jp/）。永崎氏の指導の下、京都産業大学研究補助員（京都女子大学博士後期課程）の藤原静香氏が本文などのデータ入力に尽力したが、代表者として Digital Representation of A Match of Crickets in Ten Rounds of Verse and Image': Text Encoding and Viewer Implementation for Japanese Poetry Match と題して TEI conference2023 2023/9/7（国際学会）で成果を発表した。

また、同じ二〇二三年九月に、飯倉氏・松本氏・加藤氏・有澤氏・瓦井氏・盛田は、ホノルル美術館で本書を出版する前の最終確認のための原本調査を行った。すでに研究会での議論を経ていたが、やはり、時間をかけて原本を見たからこそ初めてわかる絵の精巧さに気づいた。まさに今、羽を広げている鳴いている鈴虫や松虫など、描かれている虫は、ひとつとして同じ様子で描かれているものはなく、「十番虫合」の現場を写し取るかのような手法に驚いた。

研究会でテキストの読みを深めていたからこそ気づいたとも言えるだろう。そして九月一五日にはハワイ大学マノア校の図書館において、『十番虫合絵巻』をめぐるワークショップが開催され、ヒューイ氏、盛田、松本氏、ヒルソン氏、南氏が研究成果を発表した。聴講者の中には研究者以外にも図書館や美術館・在ホノルル日本国総領事館の方がいらして、活発な質疑応答が続いた。本科研の開始時期がコロナ禍と重なり、長らくオンラインで国際共同研究を行ってきたが、メンバーが直接顔を合わせて議論するのは初めてのことであり、研究成果出版に向けての充実した試みとなった。

以上、国際共同研究会の振り返りを中心に記してきたが、参加してくださったすべての方々に、改めて心から感謝するとともに、読者の方々に、研究会のきっかけとなったホノルル美術館所蔵『十番虫合絵巻』のことばと絵から、十八世紀後半の日本で、京都の王朝文化にあこがれる江戸の人々が、時空間を越えて、王朝文学からどのように古典知を抽出し、何を再創造しようとしたのか、作品のもつ生命力に触れていただければ幸いである。また、参加者各位の熱意の結集である本書を、日英両方の言語で報告するという試みが、世界の日本文学研究に一石を投じることができれば、望外の喜びである。

最後に本書の編集作業に関して、特に飯倉洋一氏と文学通信の西内友美氏に多大なご尽力をいただいたことに感謝申し上げます。

※本研究はJSPS科研費JP20KK0006の助成を受けたものです。

はじめに（英語版）

ロバート・ヒューイ

訳者注：歌を読む前に、まず「跋文」に目を通すことをお勧めする。この「跋文」は、情景をうまく描写し、読者が状況をよりよく理解するのに役立つ。

時は一七八二年、天明二年。光格（こうかく）天皇は在位二年目、徳川家治（いえはる）は将軍在位二十二年目である。両者とも大きな試練に直面していた。十年にわたる局地的な災害の後、この年に始まった全国的な飢饉は数年間続き、大きな経済的・政治的混乱を引き起こした。しかし、一七八二年八月、文学の夕べを楽しむために木母寺（もくぼじ）に集まった人々は、このような事態に影響されていないように見えた。

現代の東京、隅田川の東岸、より名高い浅草の浅草寺の向かいにある木母寺は、梅若丸の終焉の地として有名であり、現在も祀られている。十五世紀初頭の能「隅田川」に登場する梅若丸は、京都の女性の子供だったが、奴隷商人に誘拐された。取り乱した母親は梅若丸を探し、ついに隅田川のほとりで梅若丸に追いついた。しかし、残念ながら遅すぎた。彼は病に倒れ、奴隷商人たちは彼を見殺しにしたのだ。彼女が到着したのは、彼の墓前で葬儀が執り行われるちょうどその時だった。彼女は幽霊となった彼の姿を一瞬だけ見たが、最後にはその痕跡さえも消えてしまった。この悲劇的な物語は江戸の人々の想像力をかき立て、梅若丸は絵画や錦絵を通じて一種のポップヒーローとなった。しかし、一七八二年八月に木母寺に集まった人々は、このドラマチックな物語に関心を払ってはいない。

それどころか、夕涼みがてら寺の縁側に集まり、酒を飲み、萩の花を楽しみ、秋のさかりの虫の鳴き声、とりわけ鈴虫や松虫の鳴き声を楽しんでいる。中国では古来より、秋の虫の鳴き声は寂しさや年の暮れなどを表す詩的な表現としてよく用いられてきた（本書所収、ヒルソン・リードパス「数々の虫（cricket）の声」参照）。この二つのコオロギの正確な昆虫学的同定は時代とともに変化しているが、文学的見地から重要なのはその名前である。鈴虫の「鈴」は、小さな鈴のことで、中に球が入っていて、それが鳴り響く音の元になっている。鈴虫の鳴き声はそんな鈴の音に似ている。松虫の「まつ」は、二つの単語の掛詞である――松虫の「松」は、松の木の「松」と、誰かを慕う「待つ」である。松虫の鳴き声はより短く、より鋭く、詩歌ではしばしば憧れや主張、あるいは警告の叫びとして捉えられる。

加藤千蔭（一七三六―一八〇八）と賀茂季鷹（一七五四―一八四一）という二人の有名な和歌の師匠を筆頭に、江戸の町の指導者、かなり地位の高い「武士」、医者、そしてその実体がよくわからない二人の女性、その雰囲気と、八〇〇年以上前の類似の文学的行事である天禄三年（九七二）の「規子内親王前栽歌合」に触発され、彼らは歌合を開催することに決めた。▼1 左と右の二つのチーム（方）に分かれ、鈴虫と松虫の文学性を一番ずつ競うのだ。歌の判は季鷹が行ったが、それぞれの歌の良し悪しについてはグループで話し合っていたことは明らかで、季鷹が独断的に判定したわけではない。

そして、それぞれの歌を説明するための洲浜（このプロジェクトで、私たちはそれらを“Arrangements”と呼ぶ）を作り、その洲浜も優劣を審査した（本書所収、フランチェスカ・ピザーロ「物たちのうた」参照）。洲浜は平安時代の文学的表現を典拠とすることも多く、その典拠が洲浜によってどのように表現されているかが判定基準のひとつとなった。そして、現代人が美しい料理の皿を手にした時と同じように、そのイメージを写真に収める必要性を感じた彼らは、才能ある絵師に、この歌合に参加した書家で国学者でもある三島景雄（別名、三島自寛、一七二七—一八一二）が歌と判を丁寧に記録した巻物に洲浜を描かせた。

実際、この催しのどこまでが事前に計画されたもので、どこまでが当座的なものだったのかはわからない。おそらく、酒と歌がすべての始まりだったのだろう。いずれにせよ、かなり手の込んだ洲浜をすぐに作ることはできなかっただろうし、画家たちもスケッチや練習なしに仕事を完成させることはできなかっただろう。さらに、少なくとも一人の出場者は、この日のために仙台から鈴虫を運んできている。おそらく、洲浜はチームメンバーがイメージし、デザインし、職人に任せたのだろう。それにしても、アレンジには文学史の知識がかなり感じられるし、判詞には古い作品からの長い引用が含まれている。その一方で、判詞には事実誤認も散見され、参加者たちの議論の中には、手元の資料よりも記憶に頼ったものもあったようだ。

実際、この催しは、平安時代の宮廷的な価値観や活動の復活を目指す、数年にわたって開催された同様の一連の活動の一部であった（本書所収の盛田帝子の解題、あるいは盛田の論文・著書を参照）[2]。当時の日本の経済状況が危ういものであったことを考えると、それは控えめに言ってもエリート主義的なものであった。実際、参加者の一人である土井利徳（一七四八—一八一三）は、仙台から鈴虫を輸入した張本人であるが、領民から、領内の問題を無視し、茶道や詩歌の催しなど、軽薄と思われる活動に参加しているとして、正式に苦情を申し立てられた大名であった。

しかし、この平安の復興には政治的な意味合いがなかったわけではない。その主催者である千蔭、季鷹、景雄は、国学者である賀茂真淵（一六九七—一七六九）に直接的または間接的に師事していた。彼らは日本の古えを復興しようと努力していたが、それは腐敗した徳川幕府と日本の危機に対処する無能さに対する暗黙の批判であった（本書所収、ターニャ・バーネット「ノスタルジアの歌学——国学と「十番虫合」」参照）。天皇を中心とした古い政治体制を復活させることは、それから一世紀も経たないうちに明治維新が成し遂げられた方法そのものであることが判明した。しかし、一七八二年に木母寺に集まった一団は、そのような革命や、ましてや帝国主義など念頭になかったように感じられる。

私たちハワイ大学のチームは、特に私以外の全員が近代文学の専門家であるにもかかわらず、なぜこのプロジェクトに興味を持ったのだろうか？　ハワイ大学の大学院生と教員は、ホノルル美術館でボランティアとしてレーン・コレクションの目録作りを手伝っていた。ある日、レーン・コレクションのリサーチ・アソシエイトである南清恵さんが、「十番虫合」を構成する二巻の巻物を私たちに見せてくれた（本書所収、南清恵『十番虫合絵巻』がハワイの教育にもたらしたもの」参照）。私たちは何も知らないうちから、台紙の豊かさ、絵の生き生きとした細部、そして（ほとんど読めなかったが）和歌や判詞に魅了された。そして、二十枚ものセット絵画のどこかに虫が一匹ずつ描かれているという奇妙さ……。学生の一人、ヒルソン・リードパスは、〝これで何かしなければ！〟と言った。私たちは、もし美術館が巻物を展示することがあれば、何か看板を掲げられるように、テキストを書き写し、翻訳してみるのは立派な仕事だと考えた。日本のくずし字の読み方を学び、日本の伝統的な和歌を読んだ経験を生かして、見たこともない、注釈もない詩を解釈することが、現実的な方法だと考えたのだ。

私たちは、自分たちが何に巻き込まれているのか知らなかった！　ある日の午後、六人で三時間以上かけて歌一首を解読しようとしたことを覚えている！　大学院生には大学院生の仕事があるので、私たちの壮大な計画が実現する見込みがないことは明らかだったが、グループの大半は、それがいかに珍しい機会であるかという理由だけで、できる限り続けようとした。

そんな折、この時代の江戸の歌道活動全般について研究している盛田帝子博士が、レーン文庫の存在を知った。彼女は、千蔭・季鷹グループでこの歌合や他の物合を研究しており、このレーン・コレクション所蔵品の存在を知ったばかりだった。彼女はホノルルに飛んだが、幸運なことに、彼女がホノルル美術館に巻物を見に来た日に、私たちの学生チームと教授陣の都合がついた。その二時間で、彼女が虫歌合の背景について話してくれたことすべてが、私たち自身の熱意をさらに刺激し、それが盛田教授に活力を与えた。彼女は、それが草稿ではなく、非常に高い品質の紙と装飾が施された巻物のセットであり、間違いなく非常に高い地位の人物に贈るために注意深く描かれ、書かれた清書稿であることを確信していた。彼女は日本に戻り、国際共同プロジェクトの資金を得て、令和三年（二〇二一）初頭から私たちはずっと一緒に仕事をしてきた。パンデミックはある意味で幸運だった。私たちは毎月Zoomで会うことになり、メールや一、二回の面会だけでは実現できなかった、真の意味で継続的なコラボレーションが実現したのだ。

このコラボレーションは、関係者全員にとって刺激的な経験となった。もちろん、UHのチームは、日本の研究者たちが丹念なリサーチとアプローチを私たちと共有することで、計り知れないほどの学びを得た。同時に、私たちもいくつかの重要な見解を提供し、プロジェクトに幅広い視点をもたらした。私たちは、場合によっては日本の研究者たちとは異なるアプローチをとったとしても、私たち自身の注釈を加えるよう、励まされた。したがって、英訳は日本語の原文と日本チームが提供した学術的注釈の「単なる」翻訳ではなく、私たち自身の学術的研究の成果でもある（本書所収、アンドレ・ヘーグ『『十番虫合絵巻』の英訳によって失われたもの、そして発見されたものについて」参照）。さらに、このプロジェクトに南清恵さんが参加してくれたことも収穫だった。彼女がレーン・コレクションのデータベースを掘り起こし、研究チームが遭遇した疑問の解決に役立つエビデンスドキュメントを作ってくれたことは、一度や二度ではなかった。

ジョナサン・ズウィッカー（カリフォルニア大学バークレー校）は、翻訳作業チームの一員ではなかったが、プロジェクトの最初と最後に歴史的な枠組みを提供してくれた（ジョナサン・ズウィッカー「「死の川」の辺りで――『十番虫歌合』以後木母寺の面影」参照）。Zoomミーティングの初期段階では、バークレー校の大学院生であるボニー・マクルーアもなった。

参加し、素晴らしい意見を提供してくれたが、彼女自身の大学院プログラムの要求により、継続的な参加は不可能となった。

訳についての注：原文にならい、私たちの翻訳では通常、左チームと右チームそれぞれの歌人、歌、作り物を指すために「左」と「右」という用語を使用する。特に断りのない限り、本文および注釈にある訳はすべて当方によるものである。ローマ字表記では、助詞の"o"を"wo"と表記する以外は、修正ヘボン式に従った。

▼注

1 規子内親王は庭に秋の草花を植え、松虫と鈴虫を飼った。参加者たちはそれぞれの虫のよさを詠み、盆景を作った。盛田帝子は、この行事が「十番虫合」に影響を与えたと主張する。盛田帝子「十八世紀の物合復興と『十番虫合絵巻』」『かがみ』第五十二号（大東急記念文庫、二〇二二年三月）、八二〜八六頁。

2 盛田帝子「安永天明江戸歌壇の一面―『角田川扇合』を手がかりに」『雅俗』四号、一九九七年一月三十一日（雅俗の会）、一一一〜一一四頁。あるいは、盛田帝子『近世雅文壇の研究』（汲古書院、二〇一三年）。

I　本文と解説

影印

全体像

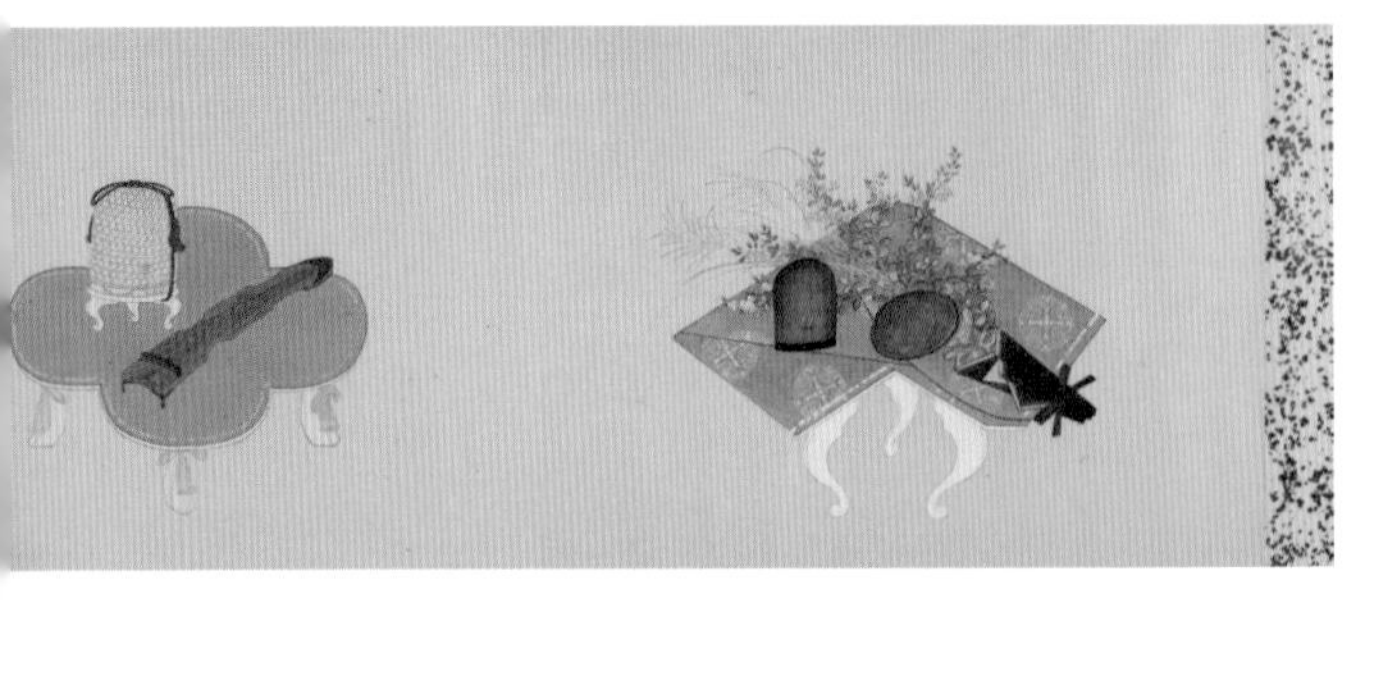

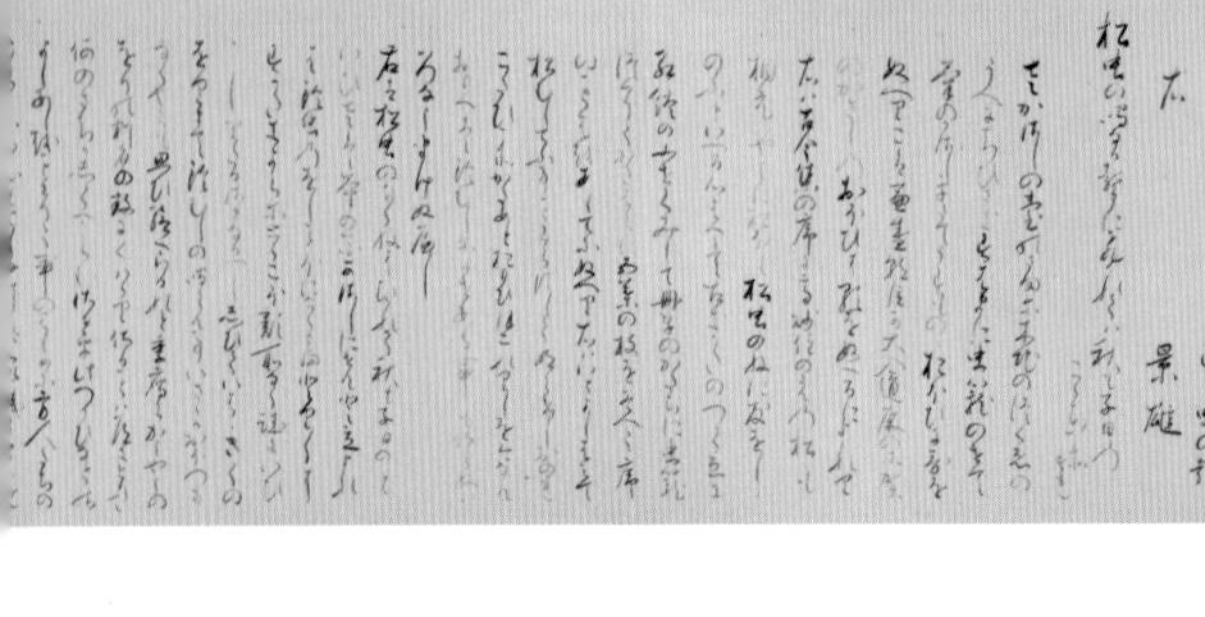

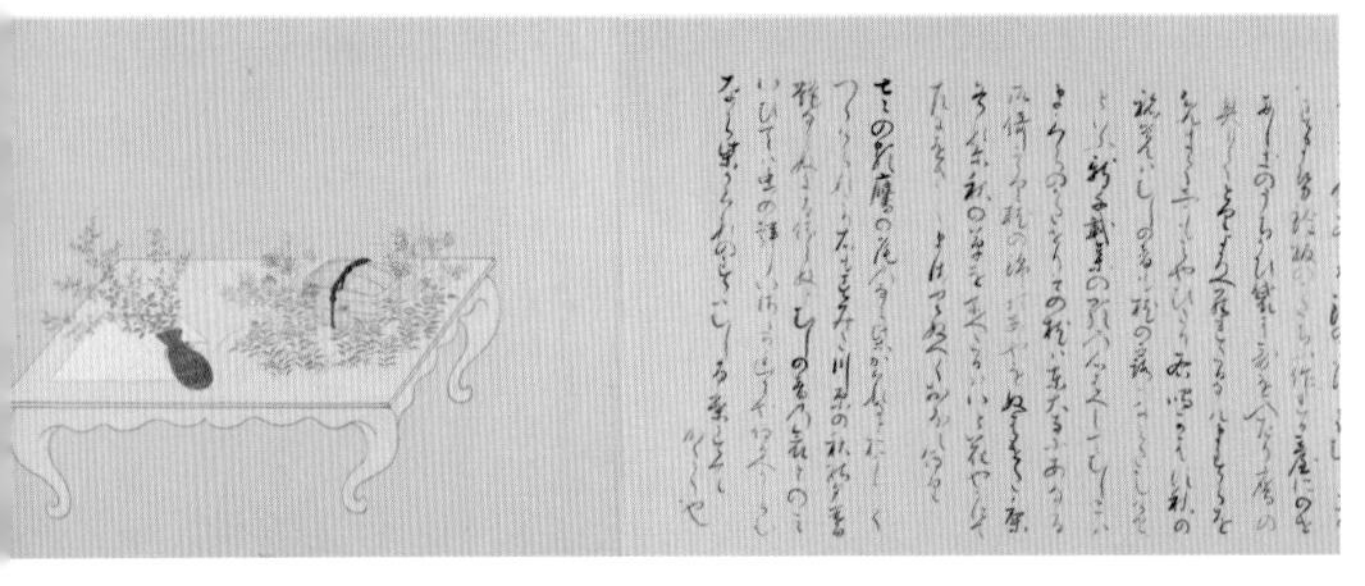

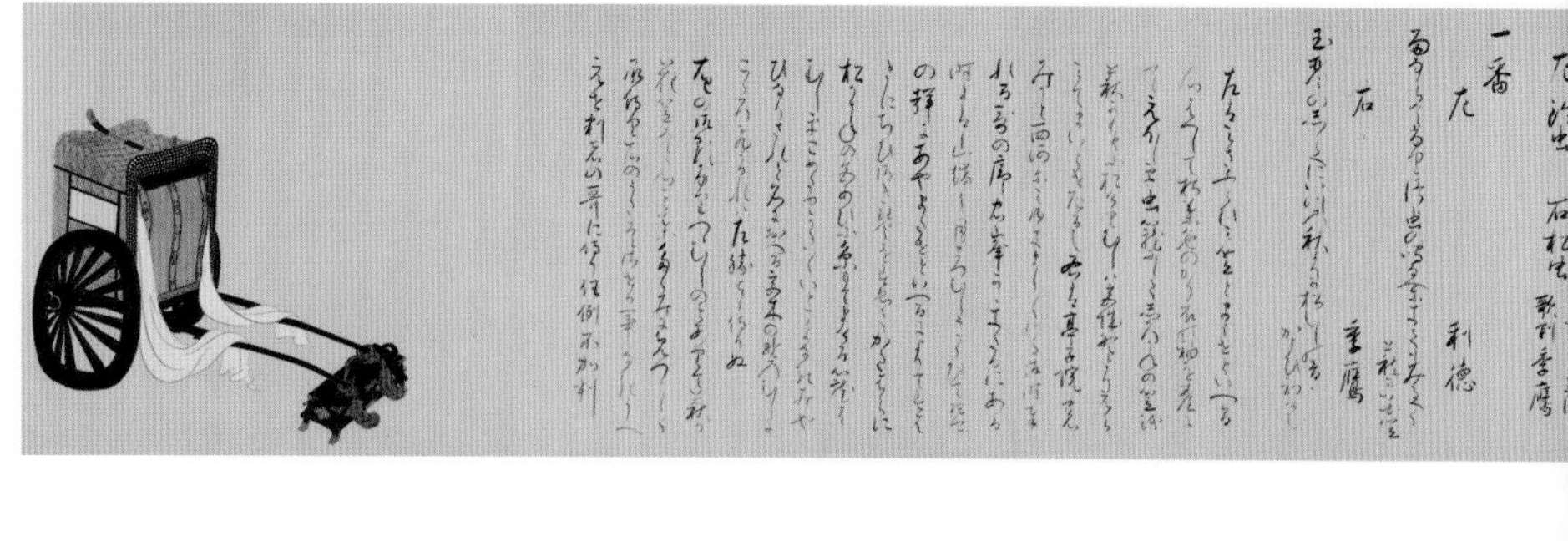

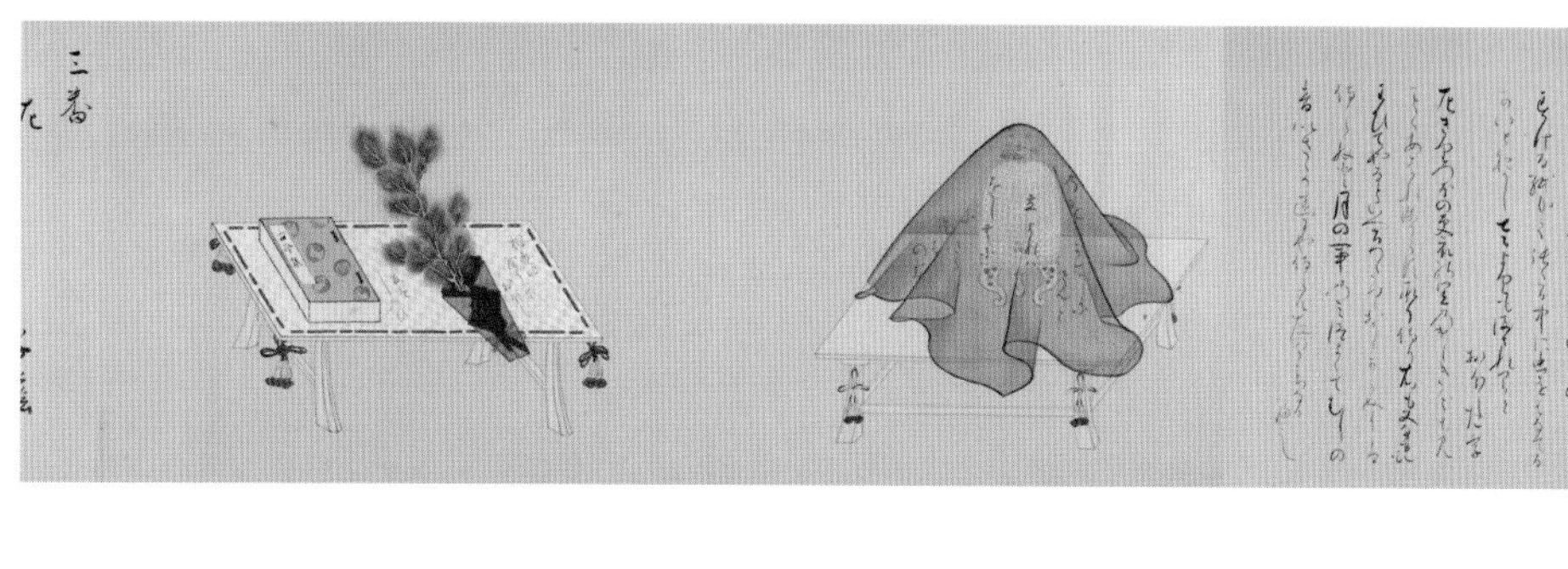

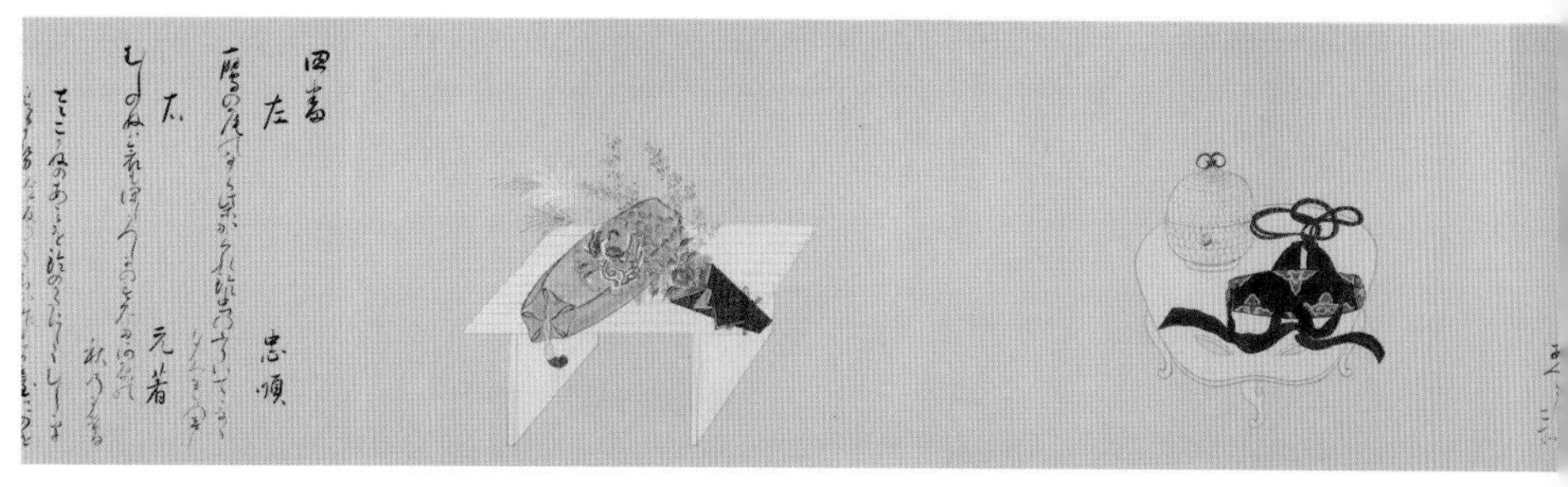

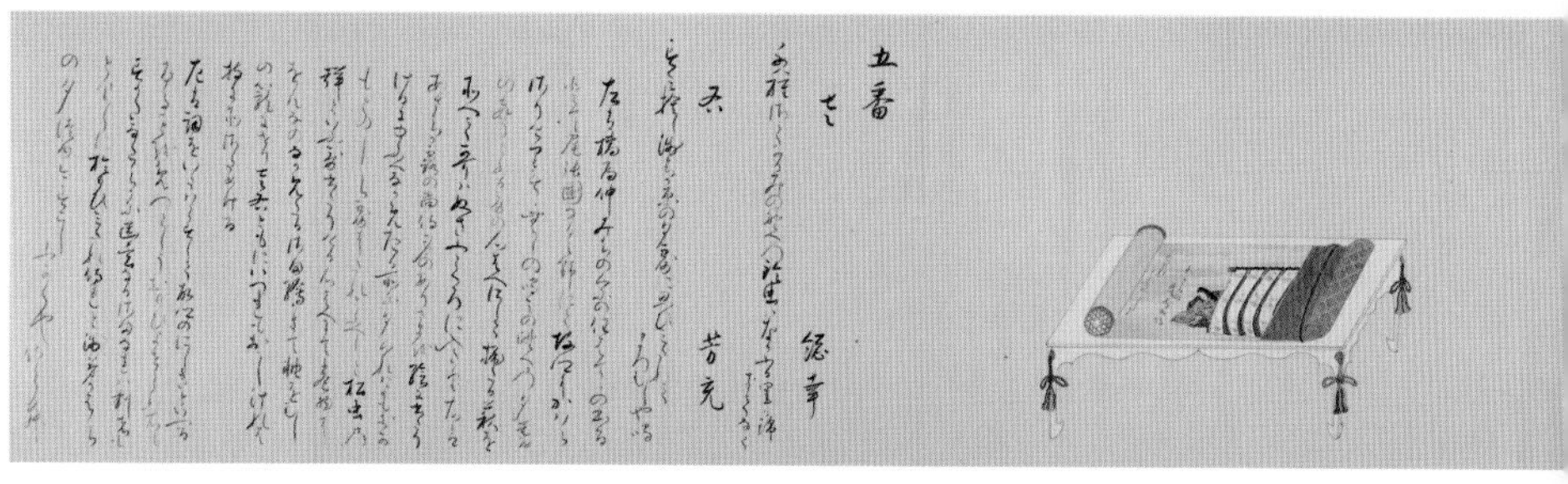

一番
左
利徳
右
重鷹

二番
左

四番
左
忠順
右
元者

五番
左
經孝
右
芳元

六番
右
左

房子

千子

七番
右
左

正長

香章

十番
左
右

豊秋

彦政

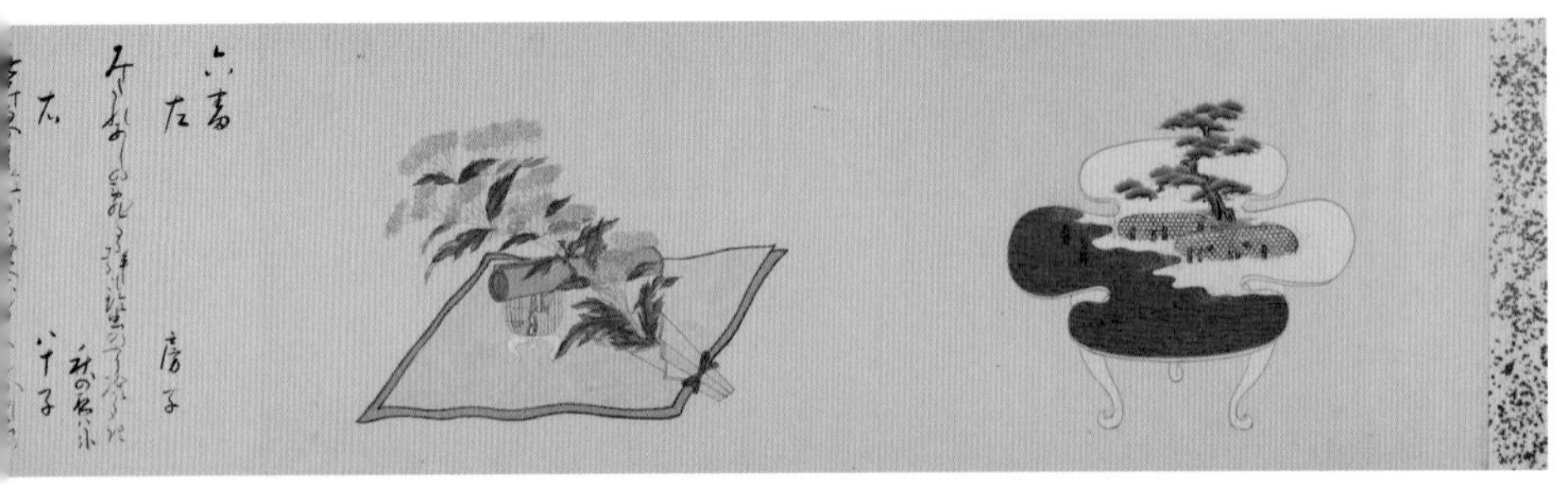

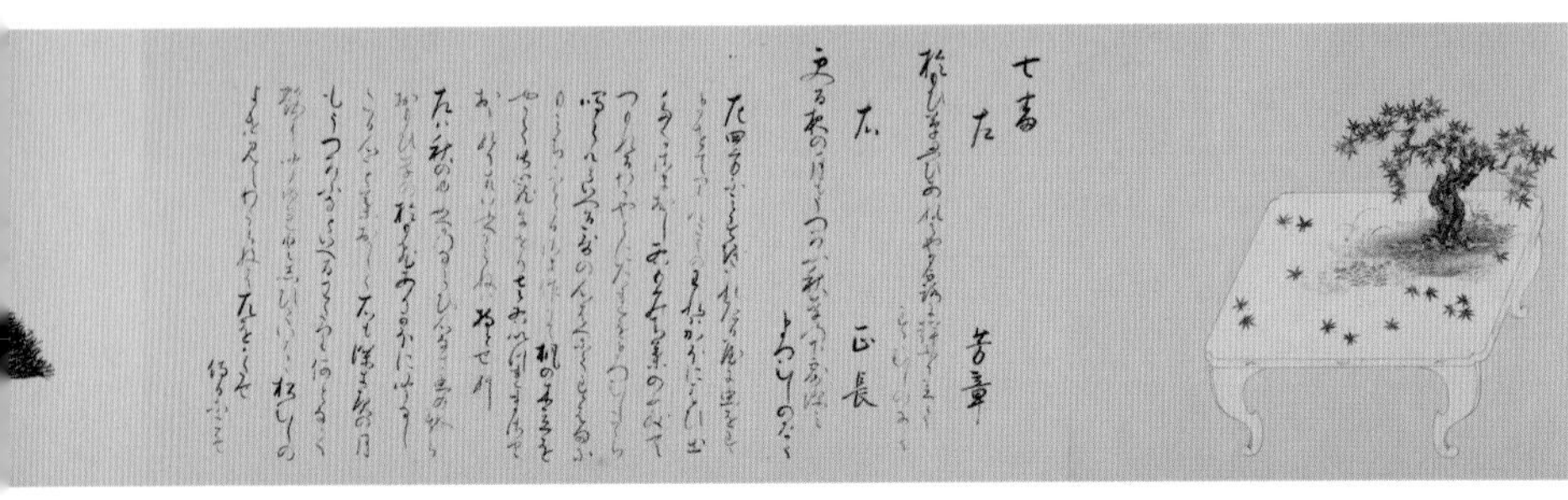

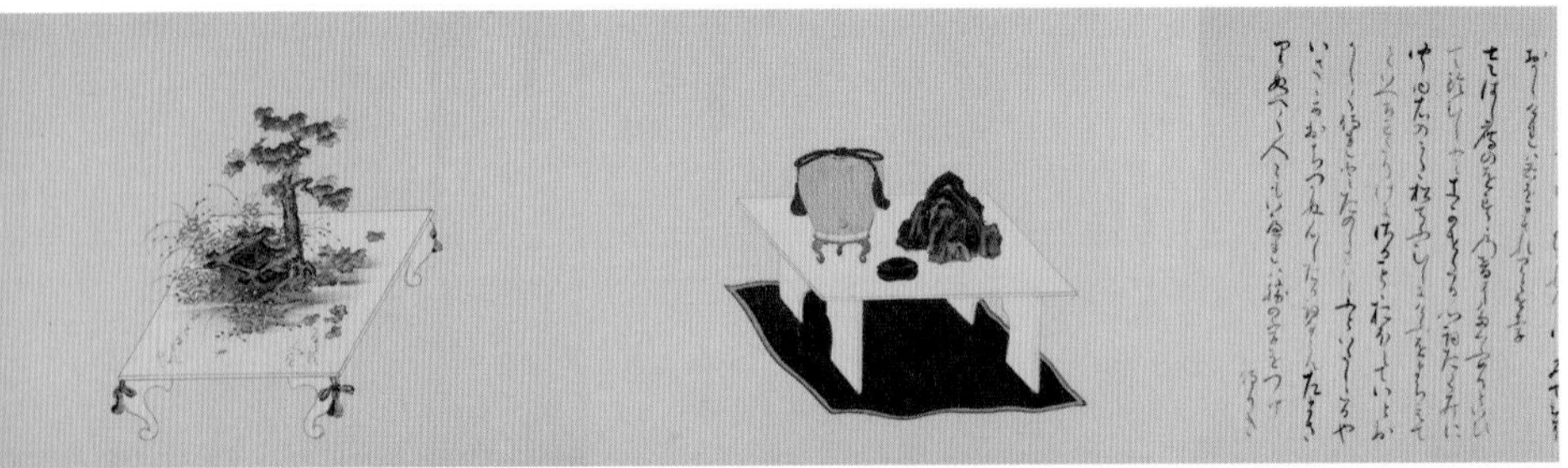

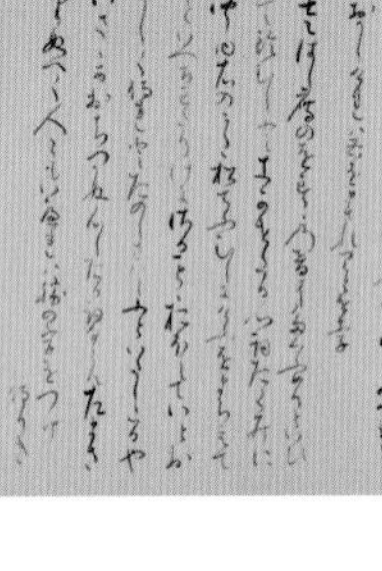

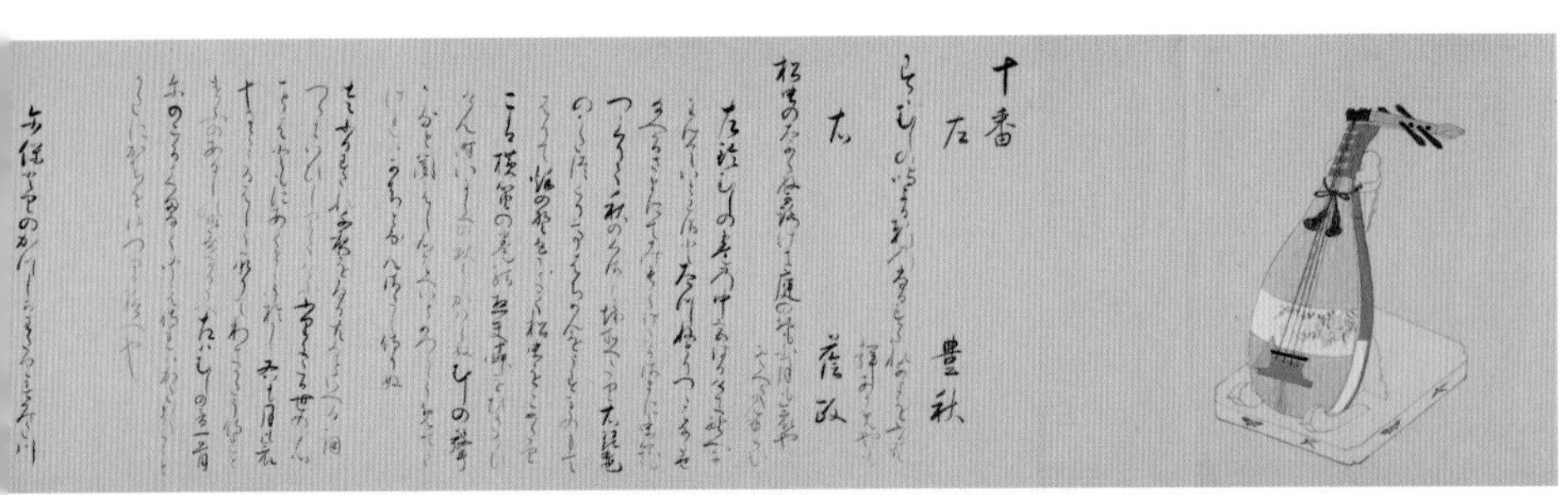

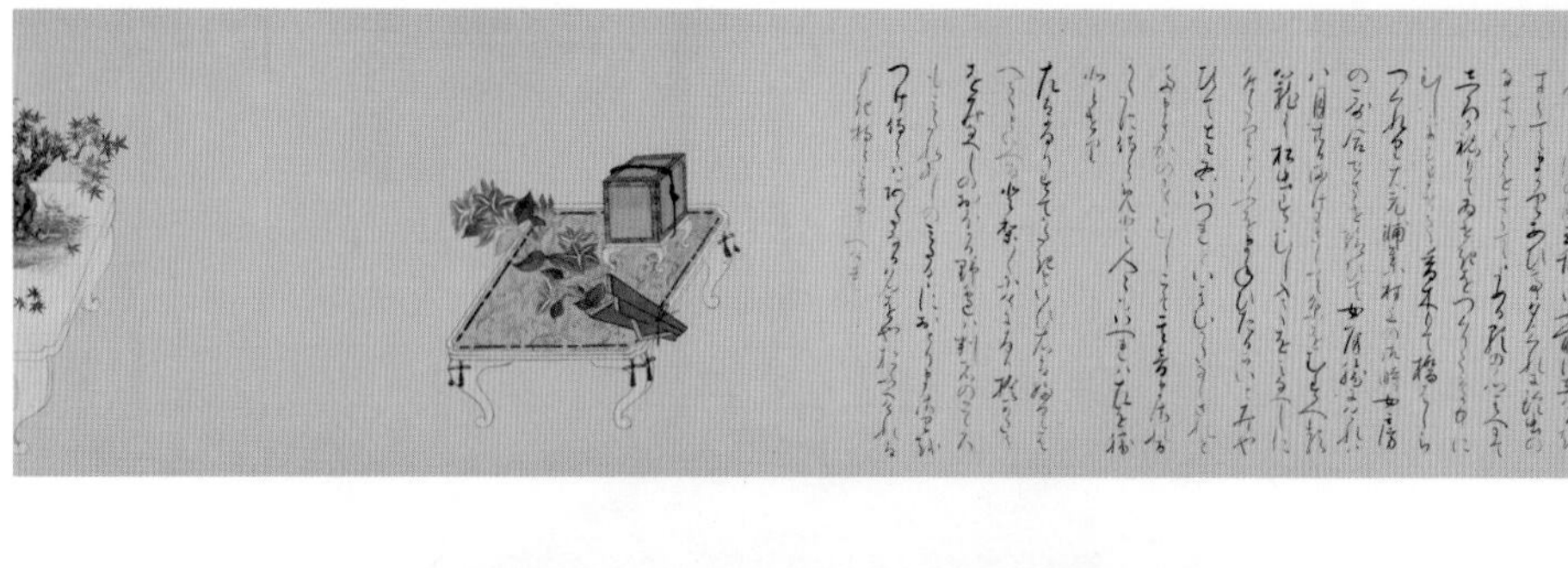

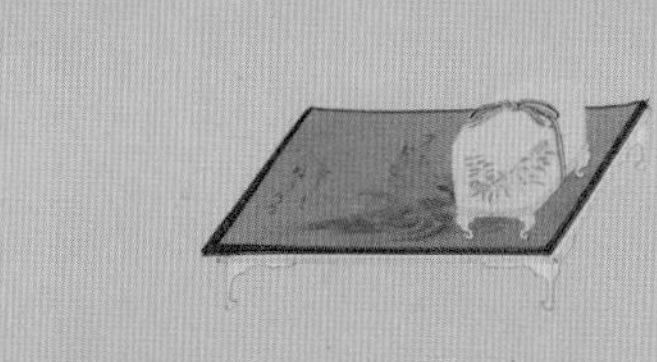

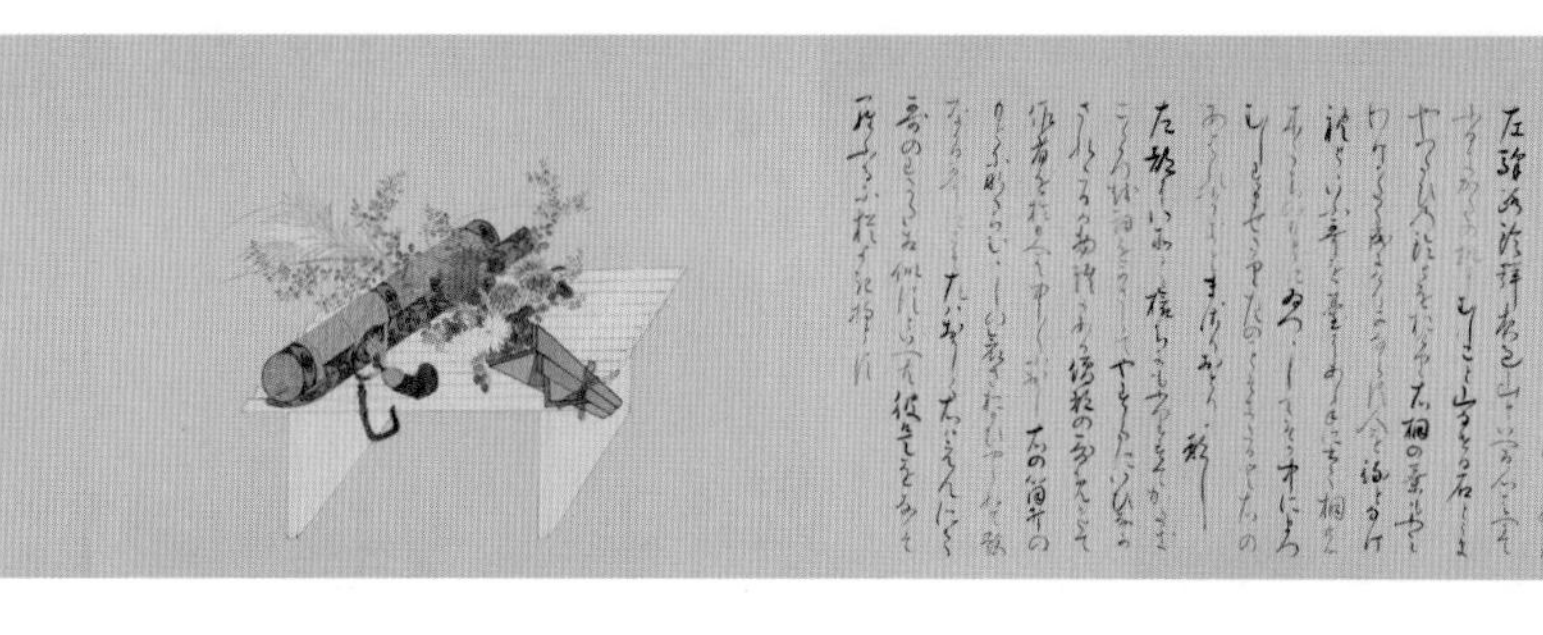

八番

左

右　　志恒

有之

九番

左　　致宣

右　　躬恒

源景雅

左　鈴虫　　右　松虫　　忠利　子□

歌判　季鷹

一番

左

　　　　　　　　　　　　利德

右

　　　　　　　　　　　　重鷹

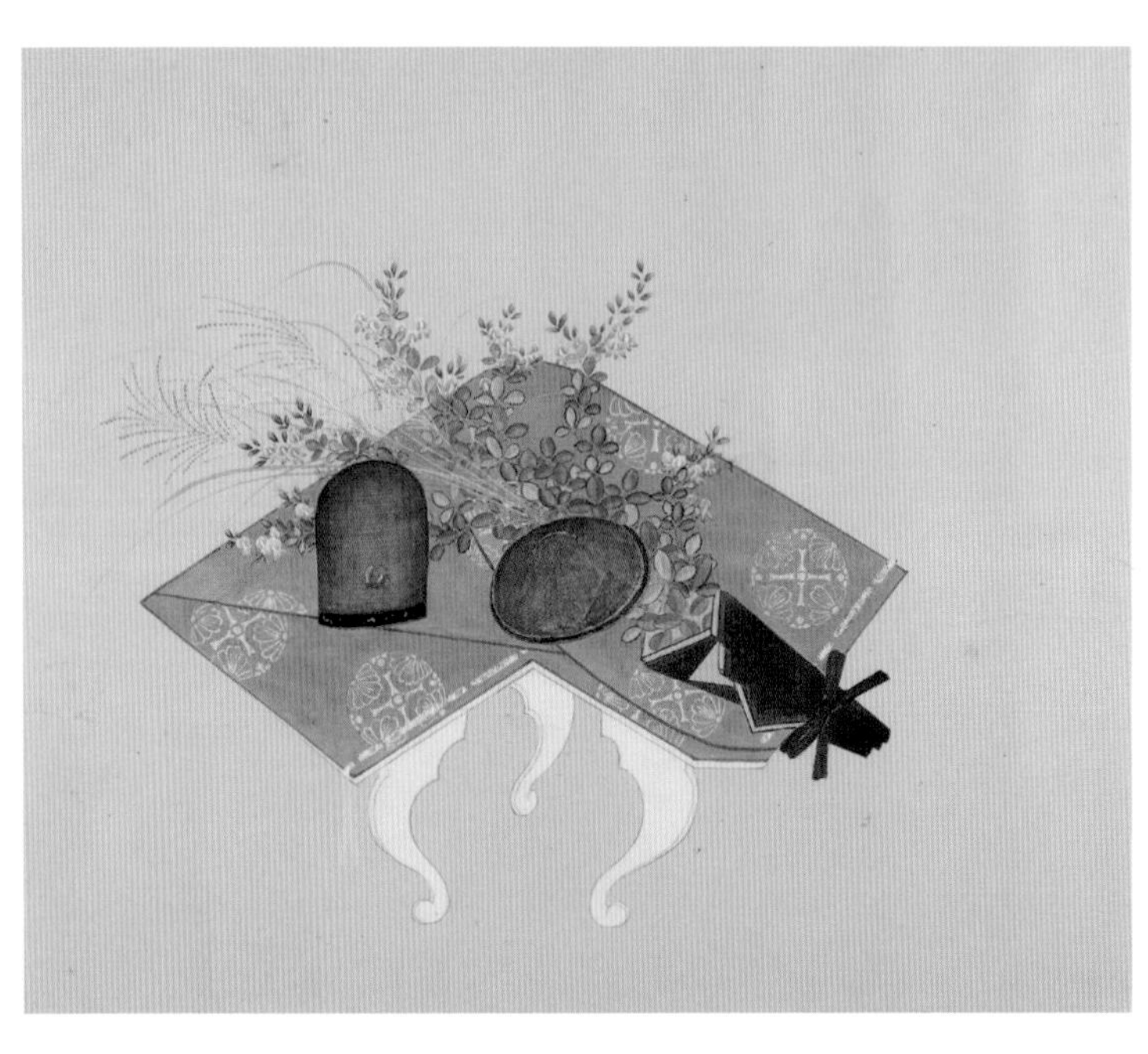

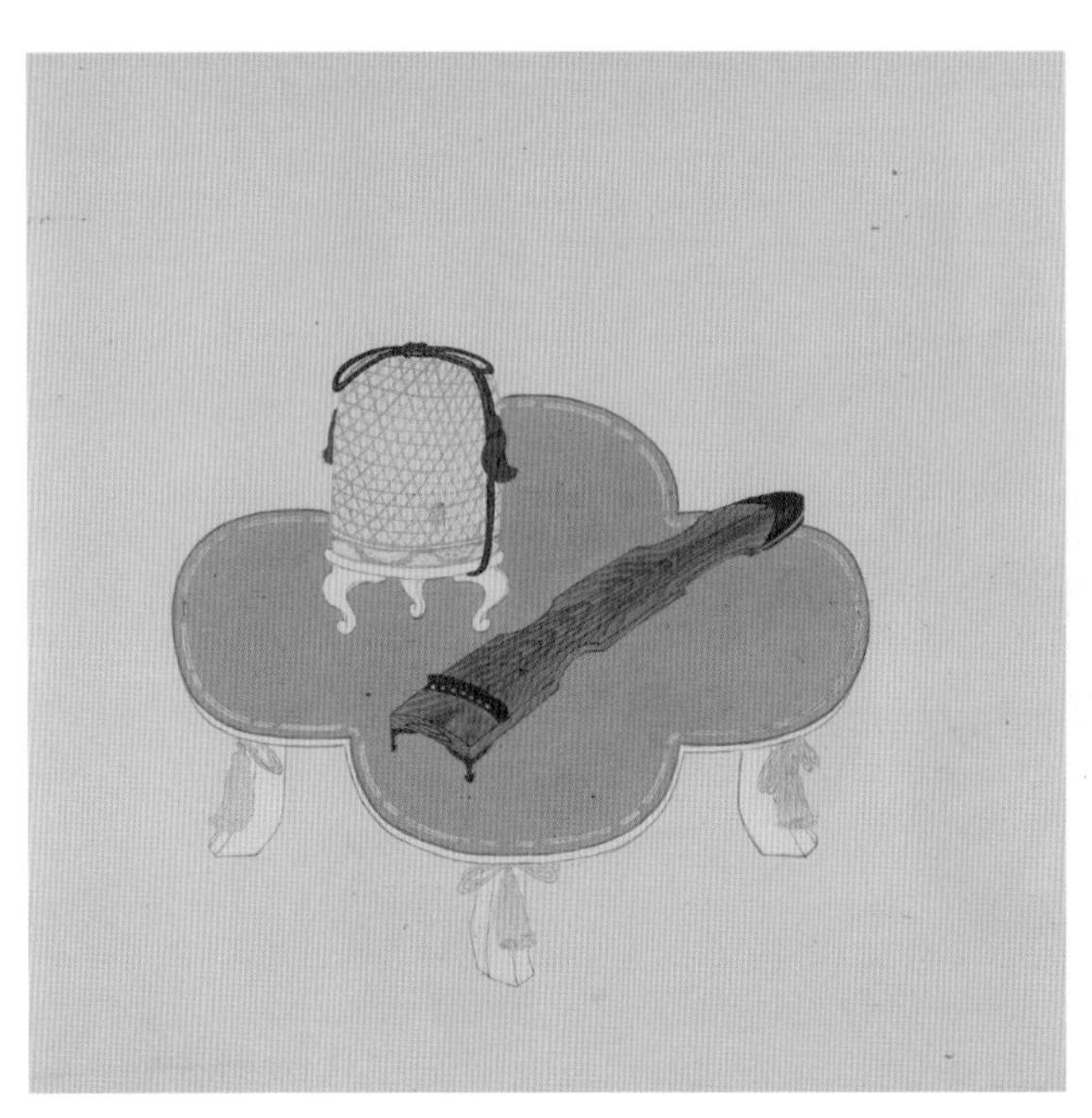

二画
　左
　　　　桃樹
夕霞の多くる宿りさ奇々の
　　　　　　　　　　　泣もし詳

　右
　　　　　　元貞
山埋みあらしてやたぬ月記まる桃しくき
　　　　　　　　　　　　　松住乃まく

左右桐壷の更衣の母のこく命婦車よ
のもく此使よりと尽末四て車を
ほくく長じしてくく蓋のうく
をつらうざいらぅし恋も新の
那行居ふのひ比ようしのく瓶
彩のんくくにくゝる哀いくうをいふ
をこきして住ろふ年いさのこと
るけ方紙けくく透る水に出るとそそ

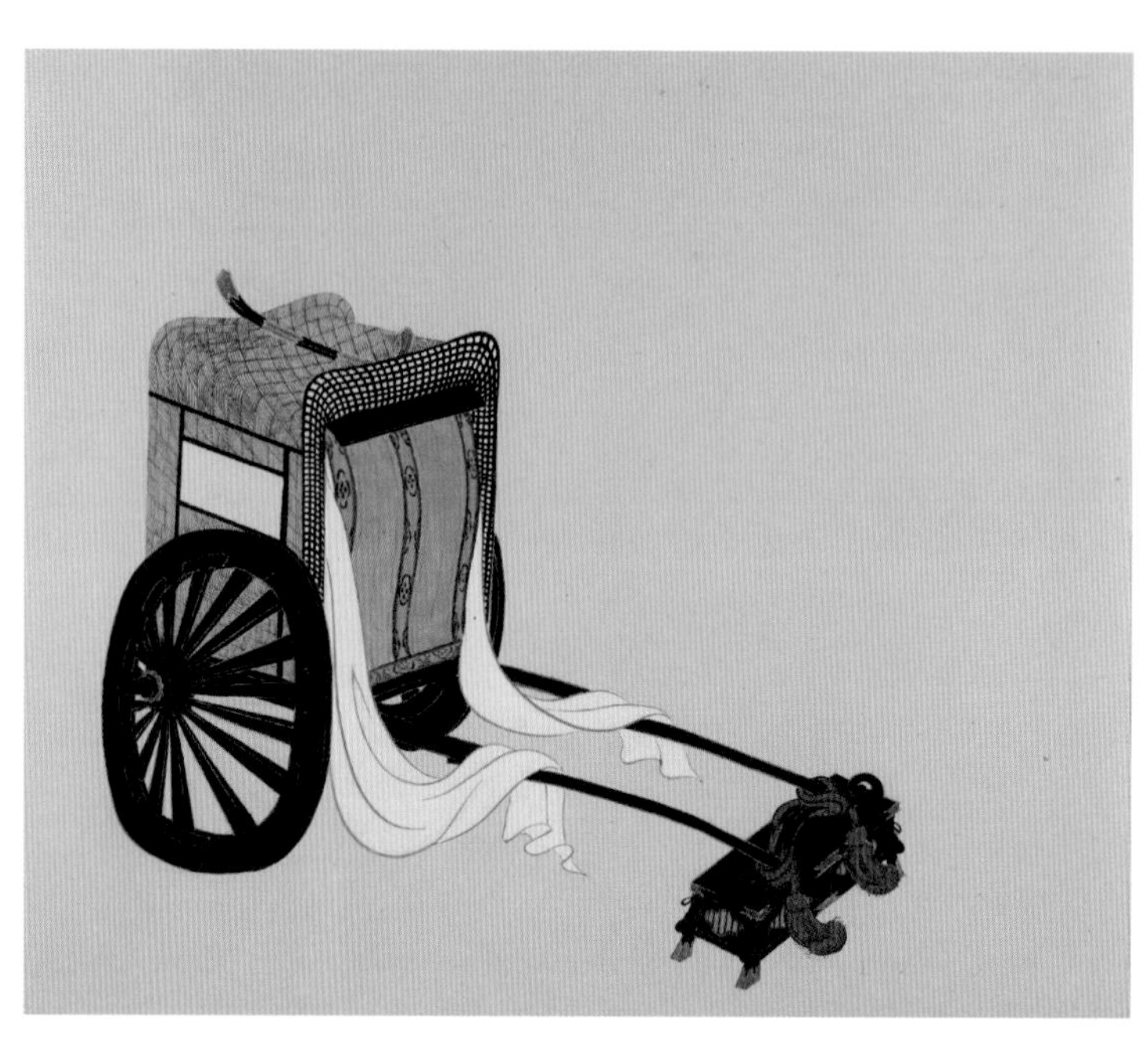

左きやうふの奥れ清室内をしきこめた
よくあさにはうる所形も作る大もよ真に
まひてやる上ろつてをおくつみそる
作〜おくゆ月の事つてほくてもしの
吉心さう画や作んたうら遁し

おかたそ

三番

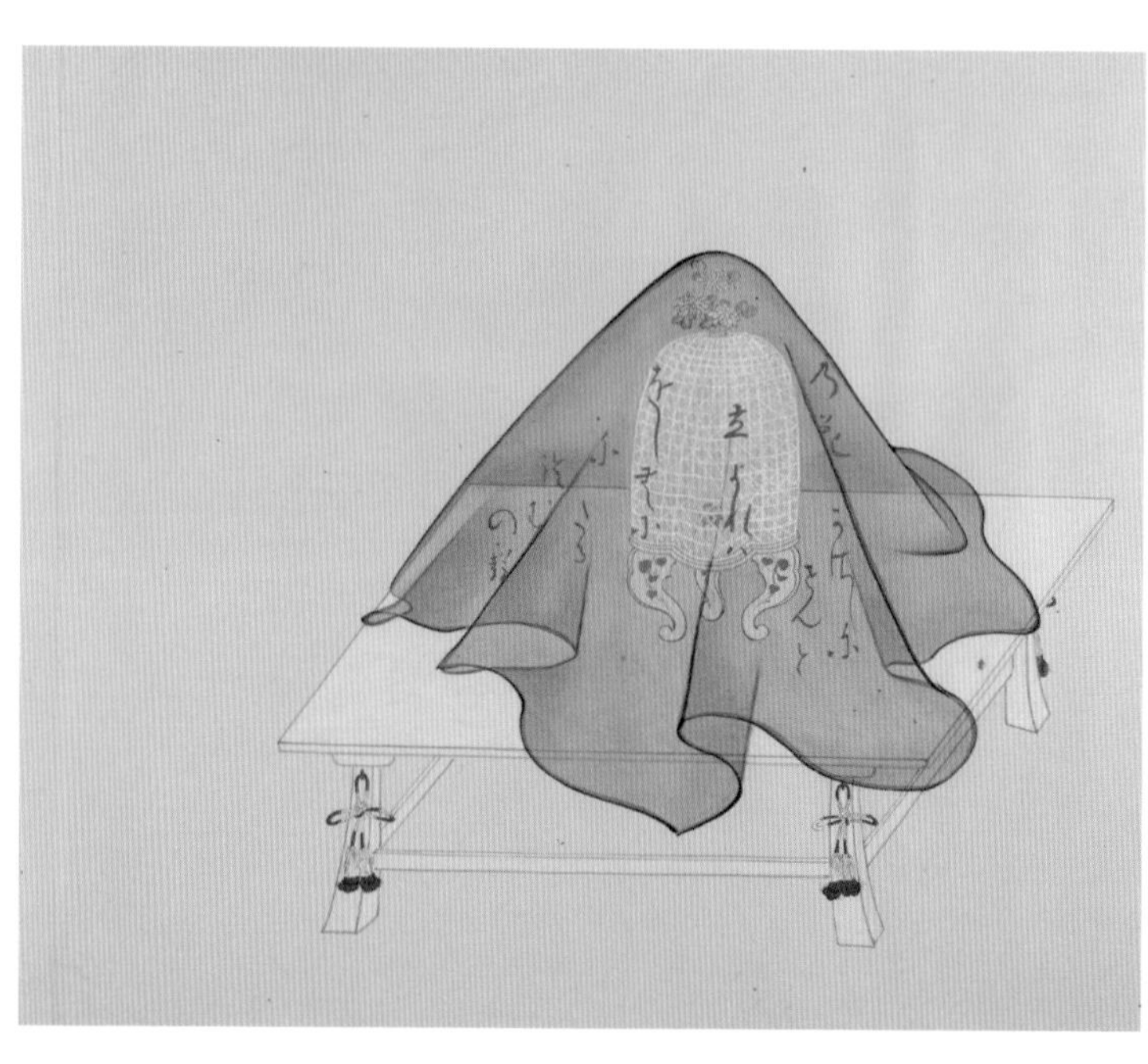

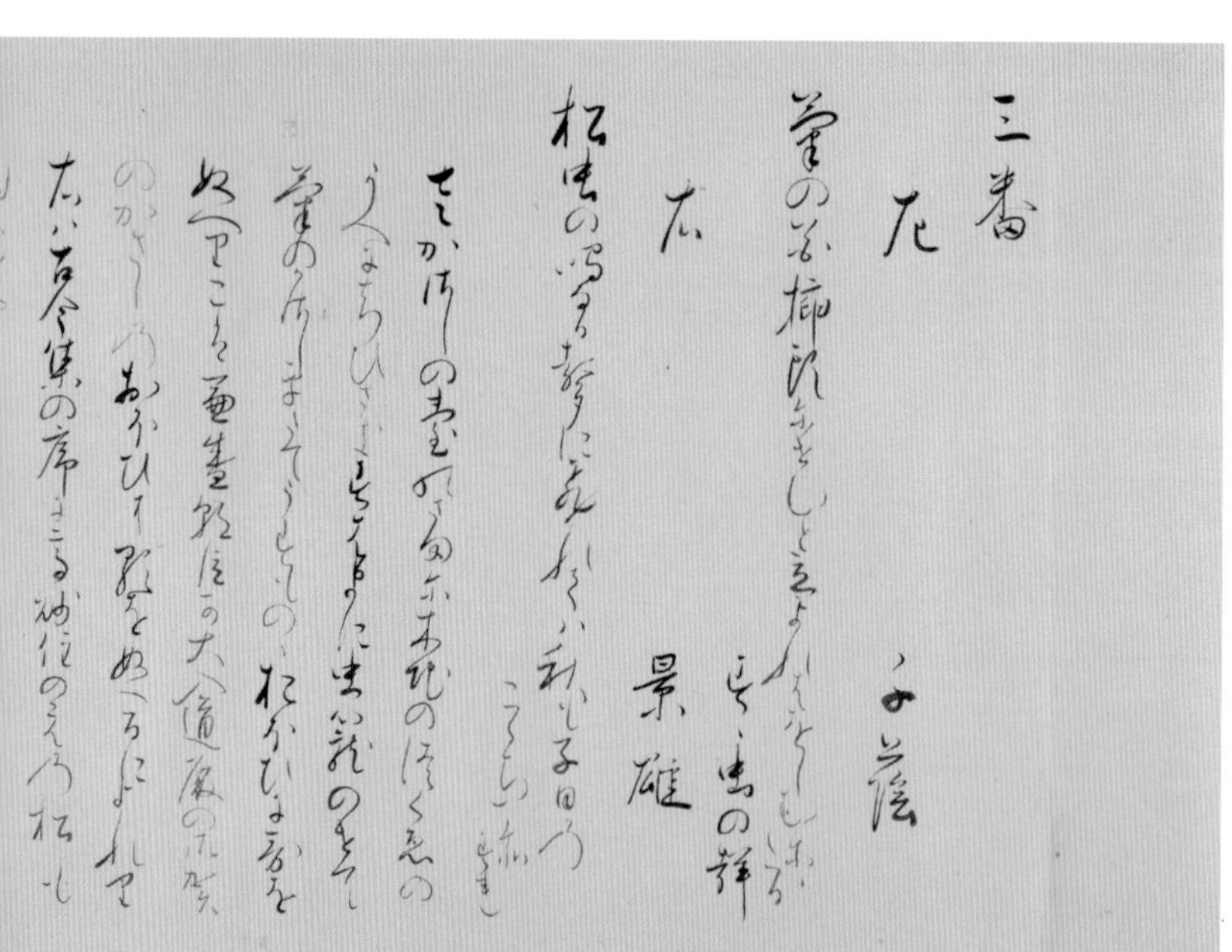
三番
左
右
景雄

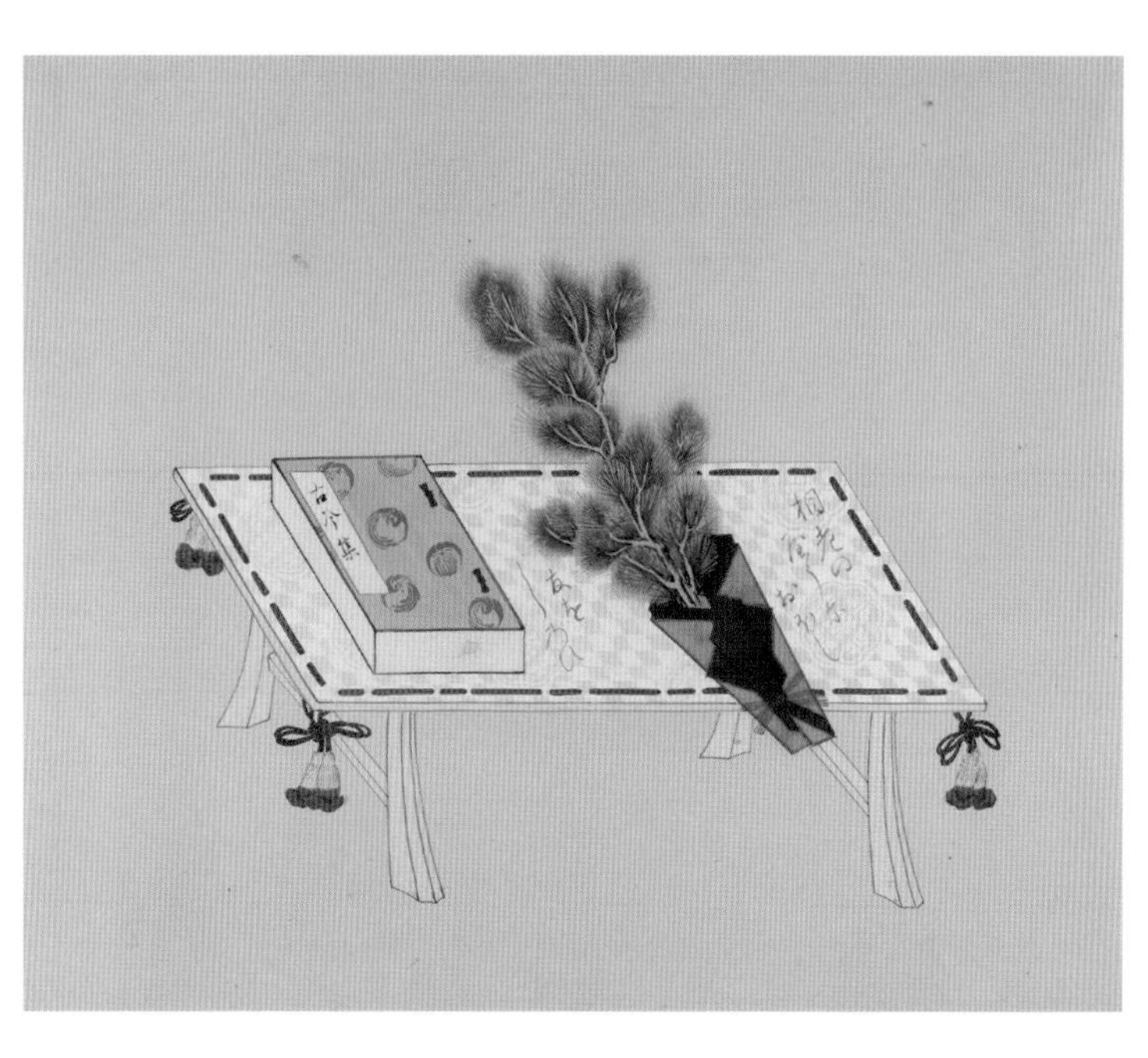
古今集

四番

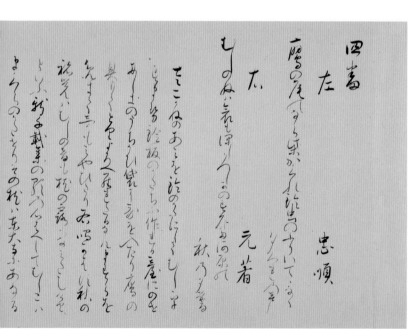

きくきくや
なるましくれ物のうとして、万美として
いひて、まなのおしいほうおまれくるべ
鑑までなきになきと、しの多のみ鳥との
つべくれうためときみと川尓の秋的心香
をこの乾膚の庵かうまきにまたじく
なゝとゝ、よほつるくわかりに多
ひくを秋の事をよくるかいる花やて

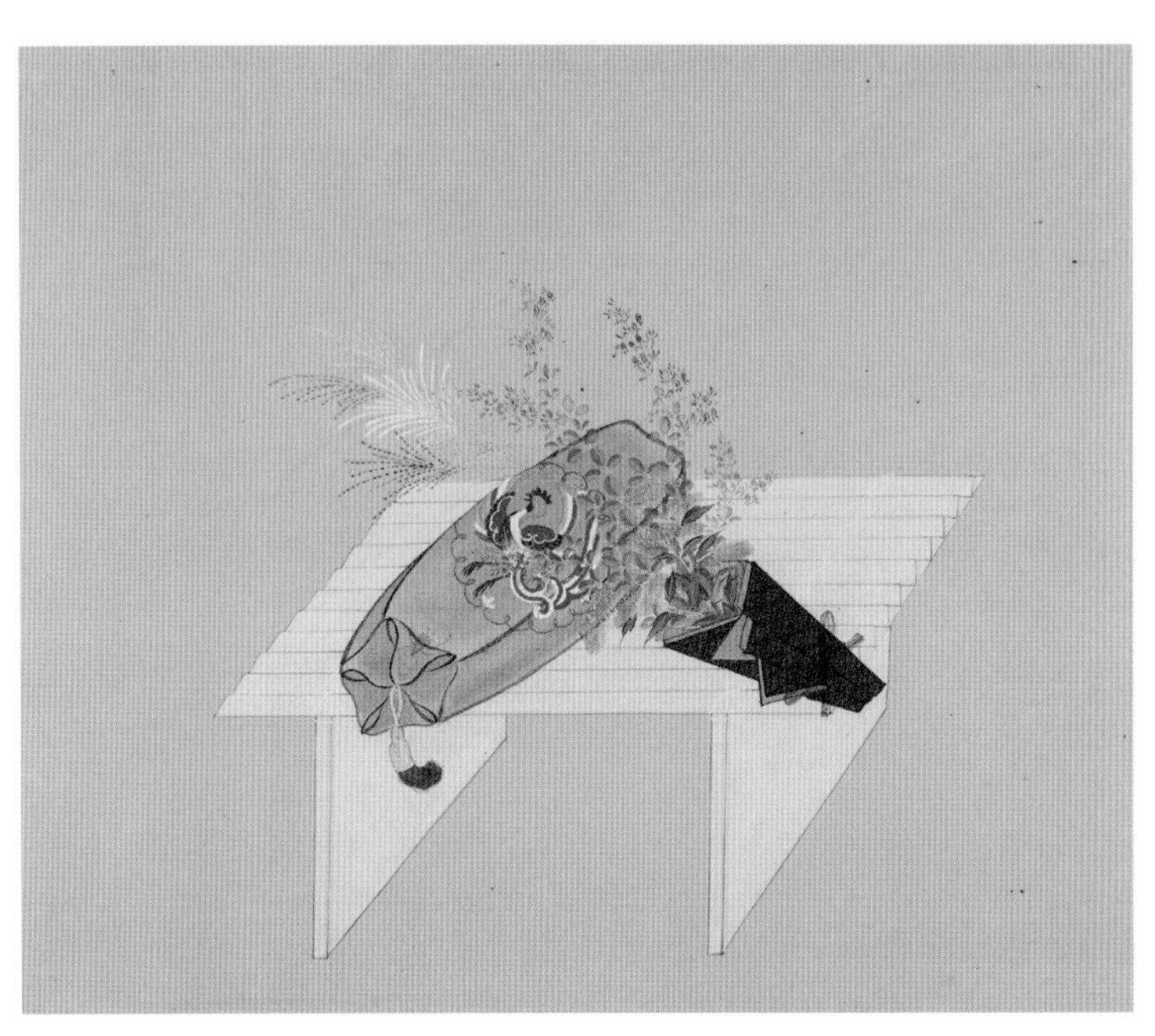

五番

さ

　　　　滋章

天

　　　　芳充

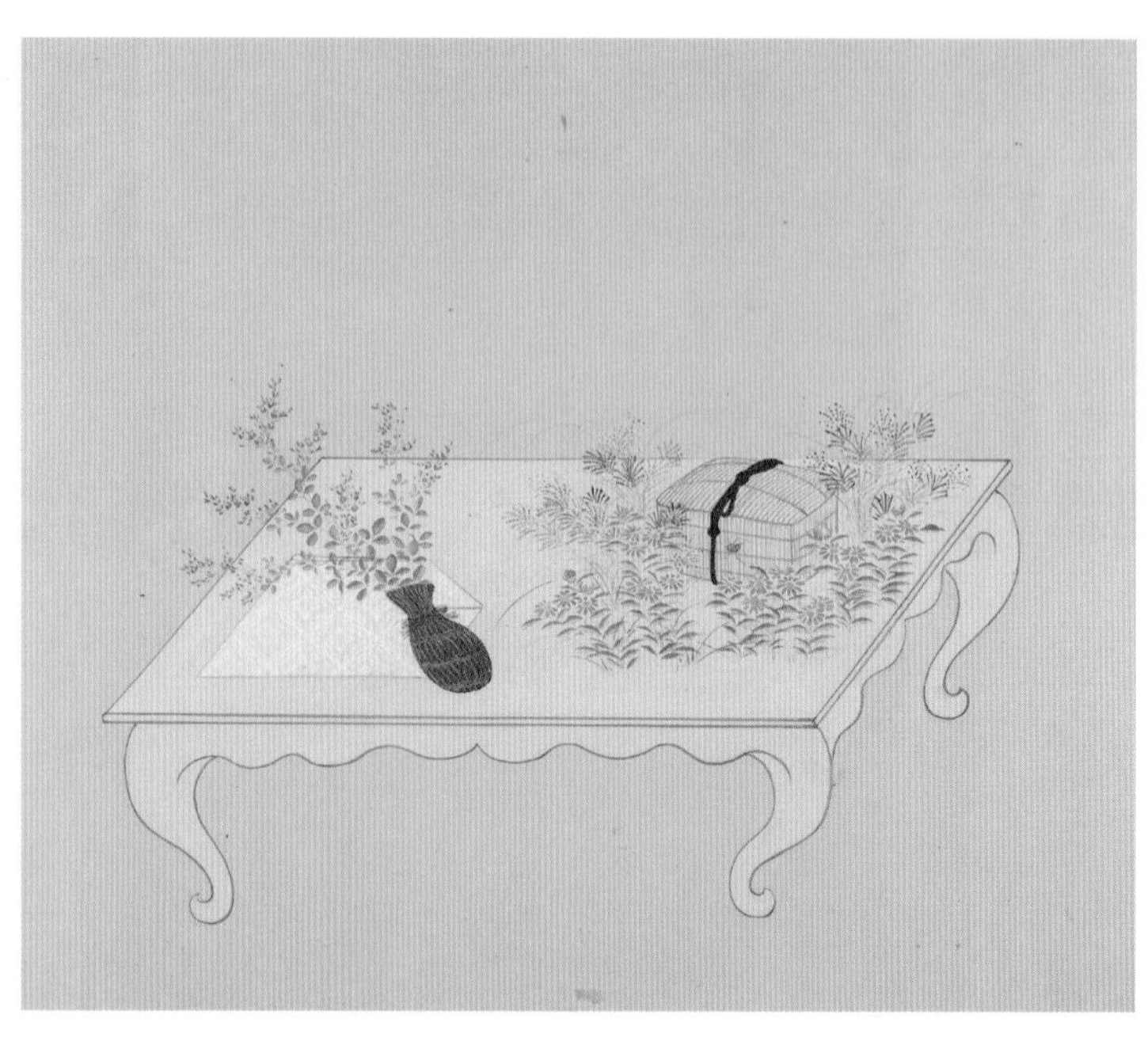

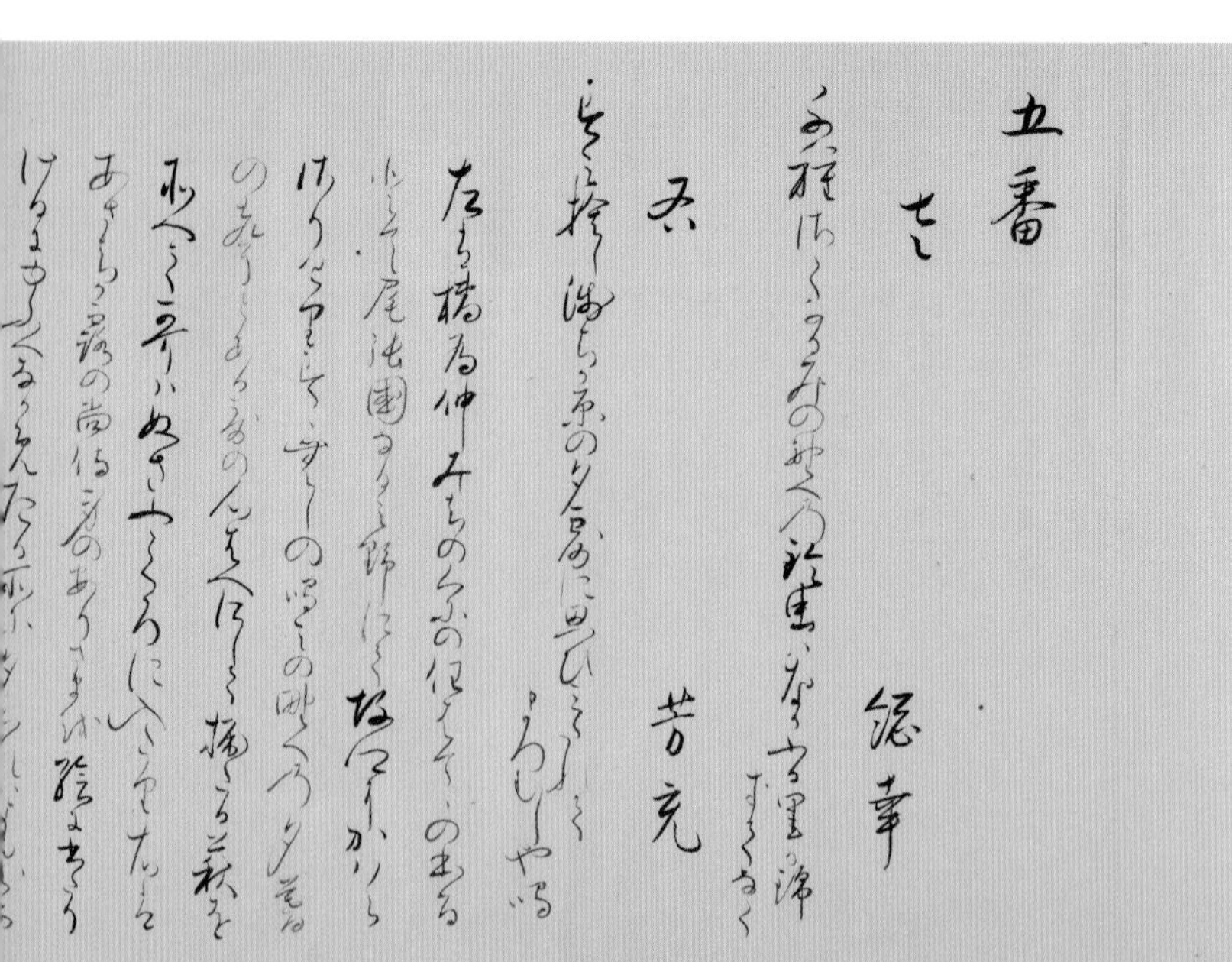

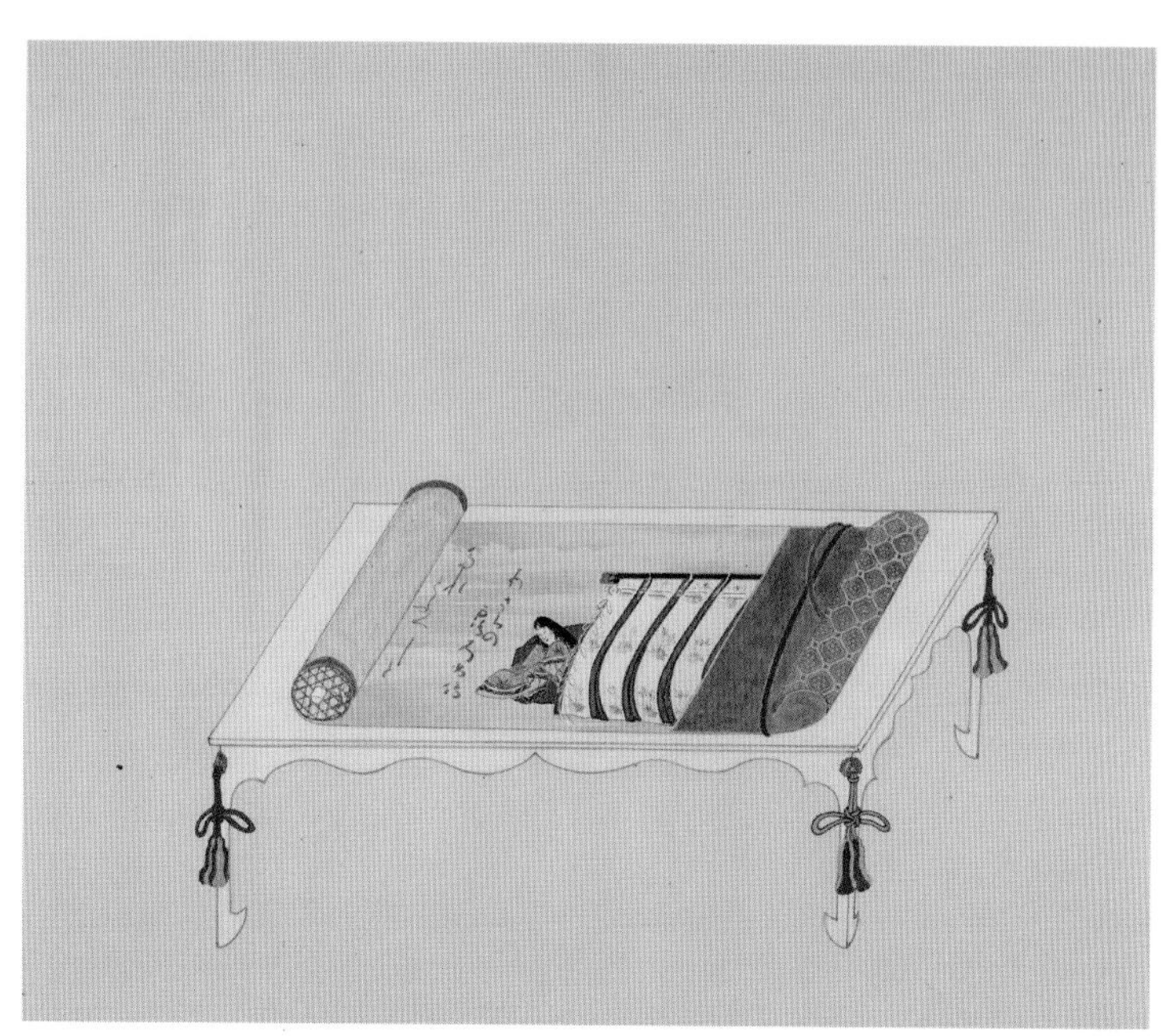

六番

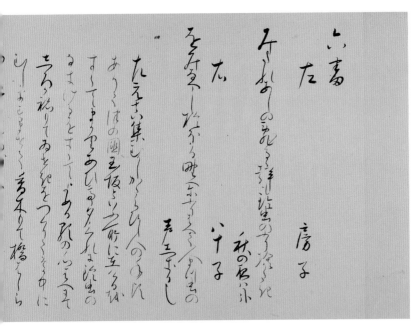

のちにひとゝ恋して女房輪となれ
八月末つ方けふよ〳〵糸をひきたる
籠に松出をりしゝさをくるゝに
もてあそひつるをものゝひたるのいとみや
ひきとみへいつましといざゝてすゝと
にふみかのさいつまゝきゝこゝろすまと
くたに侍る失ゝく〳〵つらんたを掃
心をとて

たをるゝとそてにたきしひたをりかけて
こゝよくる少なくふくまるゝ枝のう
きゝまものおくろ郡恋ハ判えのてろ
もきゝなみのこゝるにおくり申侍也
てかまハひてる〳〵久をくをれぬのてろ
ゝ紀桔きこそや〳〵へ

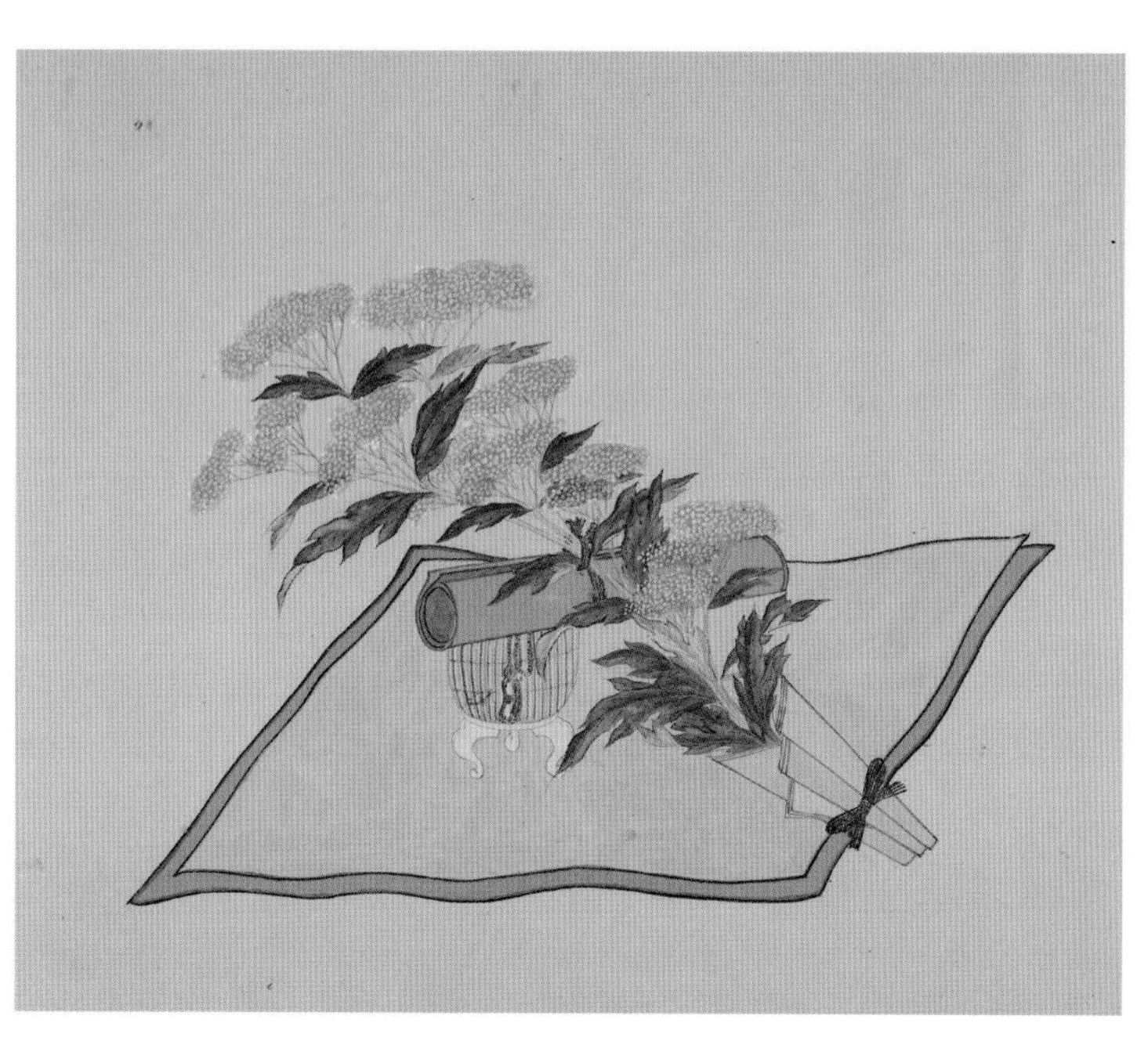

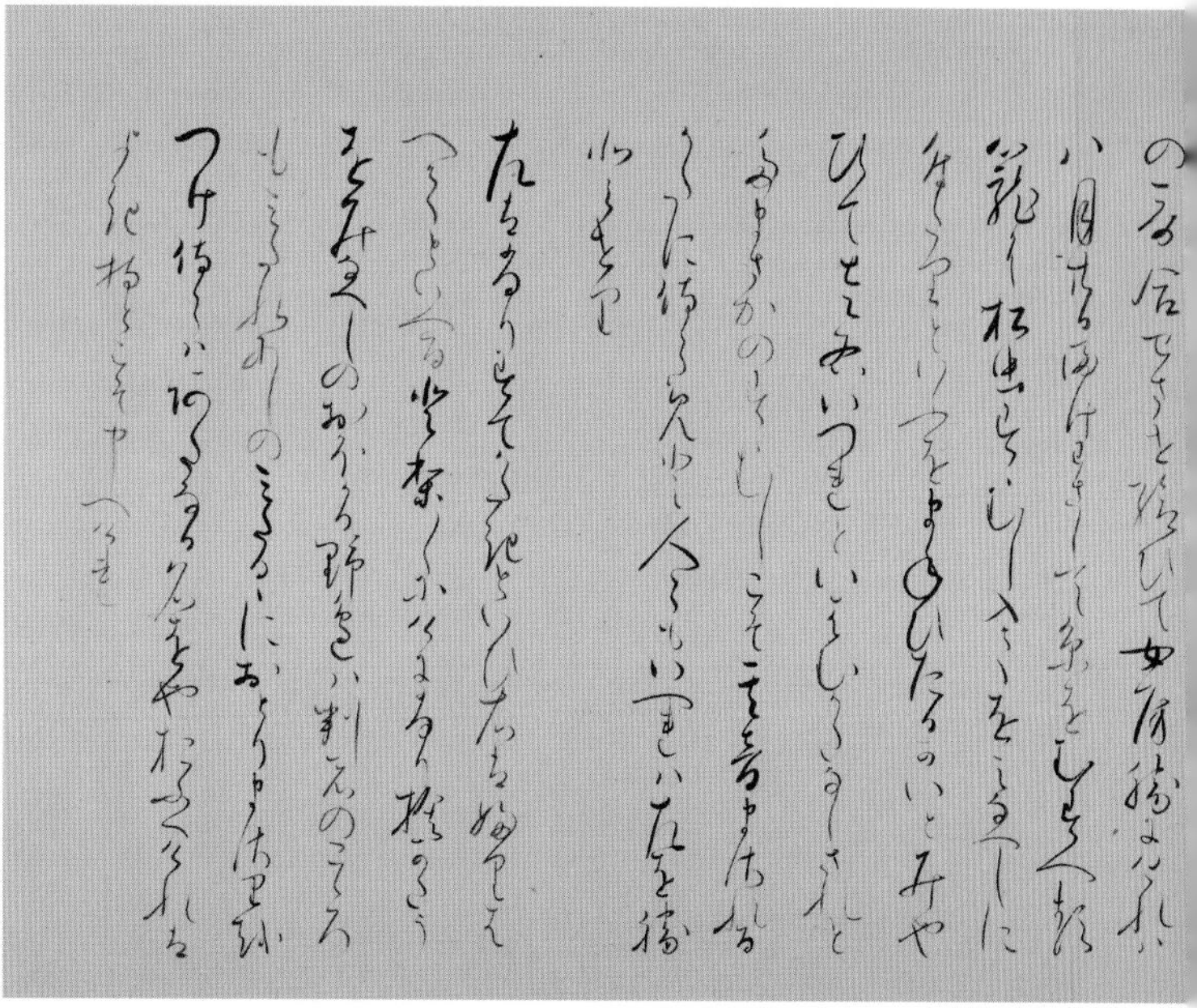

七　書
　　　左
　　　　　　芳章

梅ひ事まひあはれや言の葉や言ひ言へ
とぞしのぶ

　　左
　　　　　　正長

文る秋の月らふつら秋まつ不言はに
よしのふく

左四の雪ふるを添へたる庭は出をと
もとてアきこの手折かにてしほ
くらんはなをりありそを言葉のみて
つり古やくにたてをとつひこら
はうく事このからん事ふくそみるふ
のうらいくる程ま作りて机の末る手を
やくくも完をとうせ末山里をまてら
おんけうれいそゝねいおをせ利

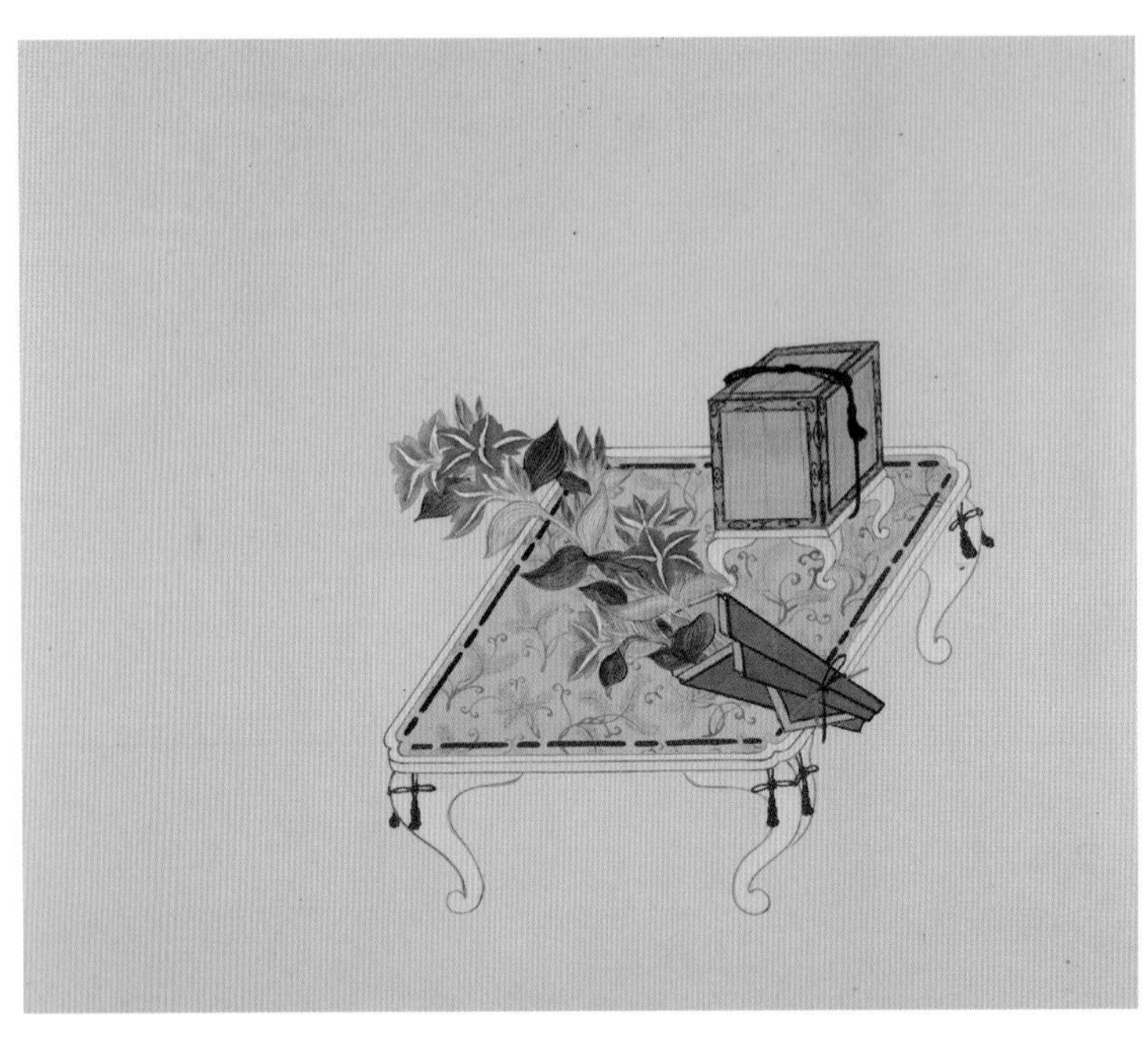

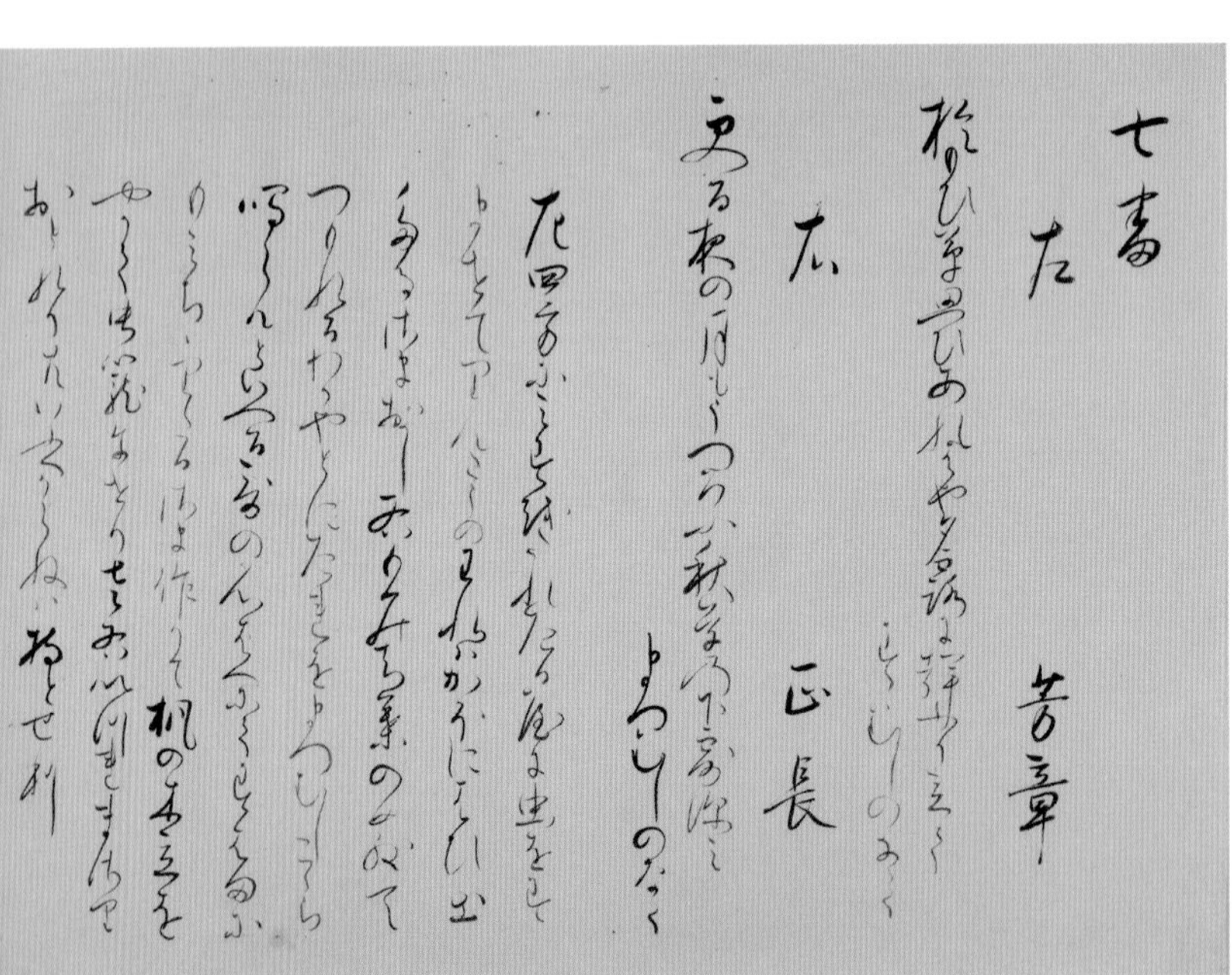

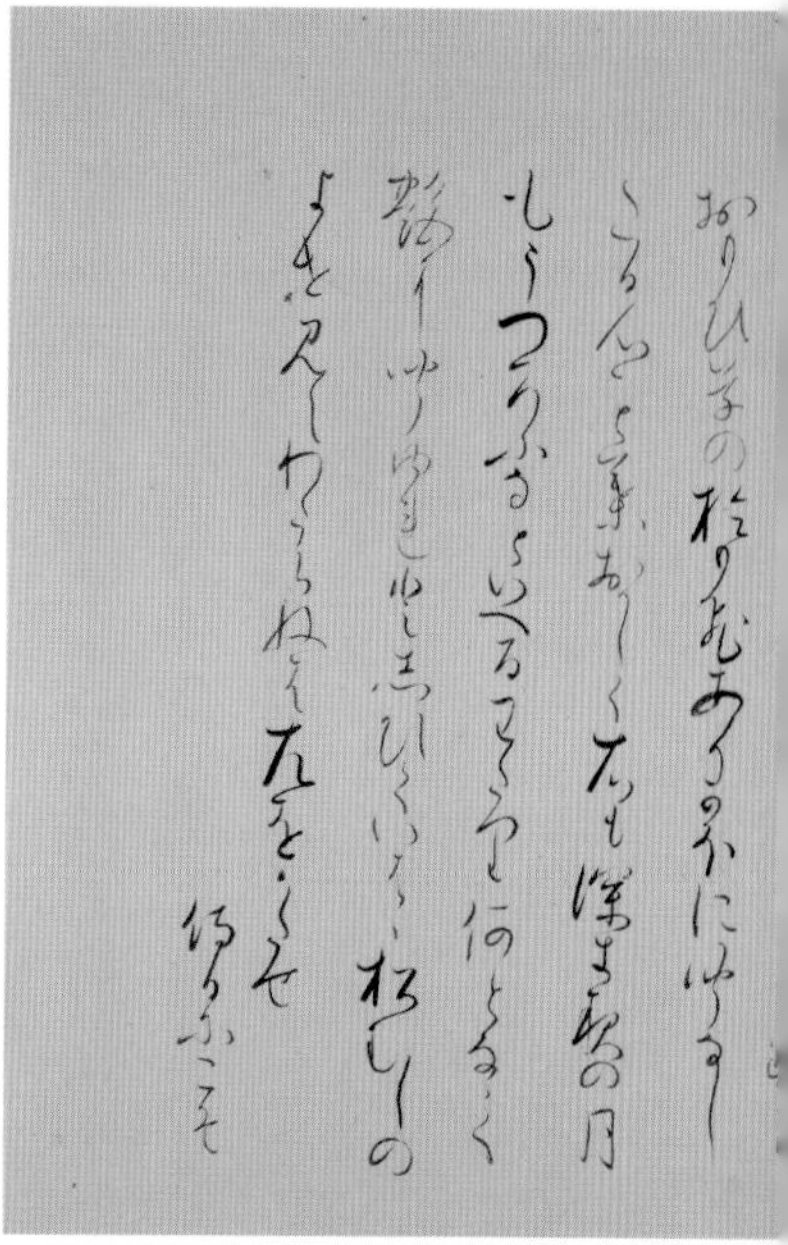

八番

あめへ人ミも色を花の宝をつけ
いさらおちつんしたりゆ入たまき
しく侵しやたのさにあそしゃうや
とくちさうけほうち私行していよお
中ロたのう松るしゃそをちぇて
て龍しやしものちう鳴たるみに

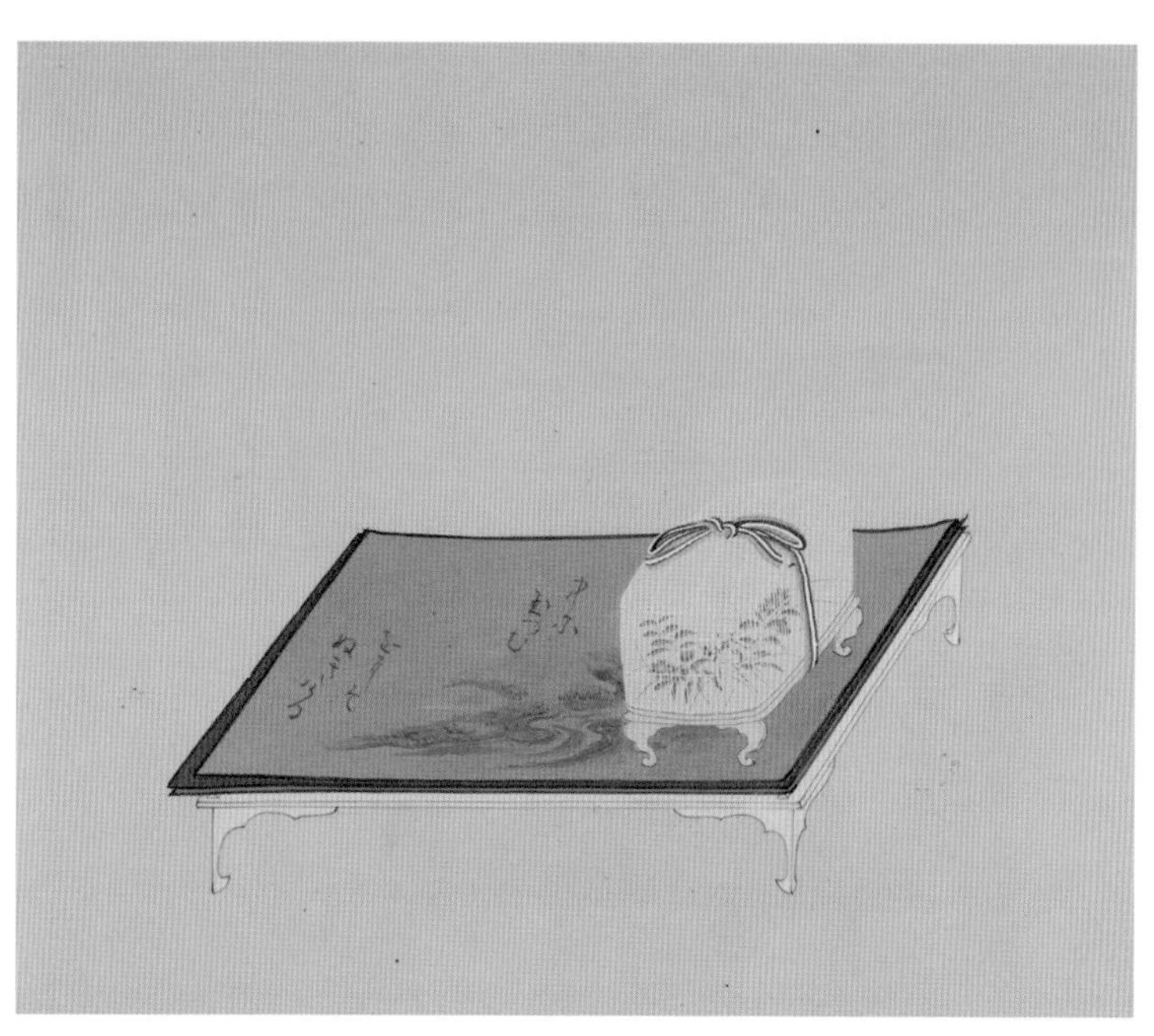

九番

左

高をふりいかくるおもひの枝で訪ふらん
そらしの枝
尭宣

右

あつれさるは涯返つし霜波原筒井のつゝ
躬恒

左強波淡拝者を山上の石とゝま
らことゝ山を石ともて
やつるの机とくこと松今左桐の葉山をし
ワケきた底多くのゝら氏を沿ととけ
祝をいふ事を望すあをはて桐をん
をての心をほてタ一してそう才に出

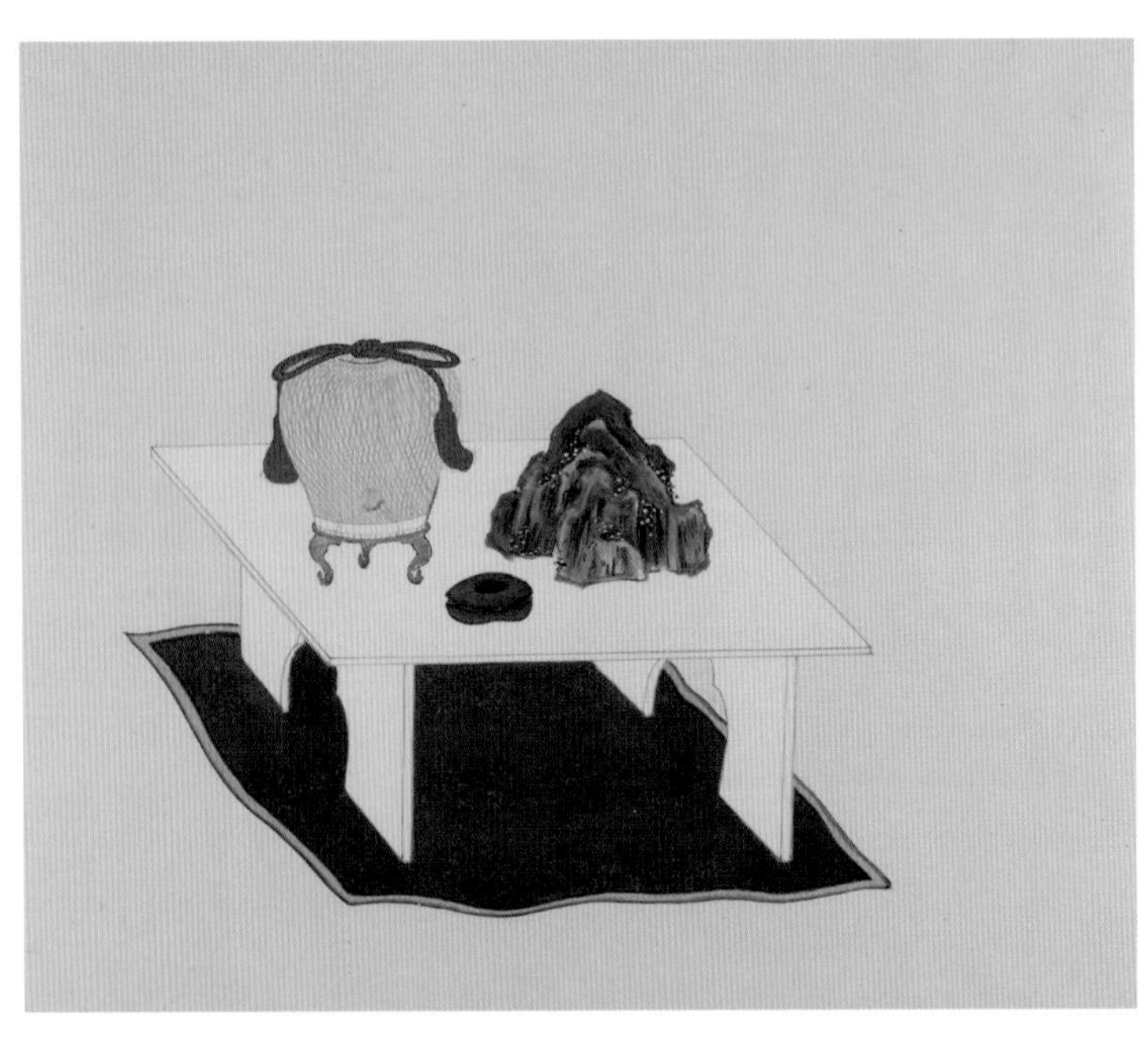

左　　　　豊秋

こむらさきいろえうすきなとさすれ
ともあはれ

右　　　　彦政

松虫のなくねきこゆる庭の末の月も

左近しの声ことをみなへしよりおなしく
もえいをとは枯たくるやつくつくせ
をきにとてきくけしほひに生氣
つくつく秋の名に松むつう右昆亀
のくさもうつふとくへつくとして
ゝうて海の飛をうつる松むをこゝて
こうを横笛の巻物を臺まはとひやうし
そうていくの秋ふかりふすむしの聲

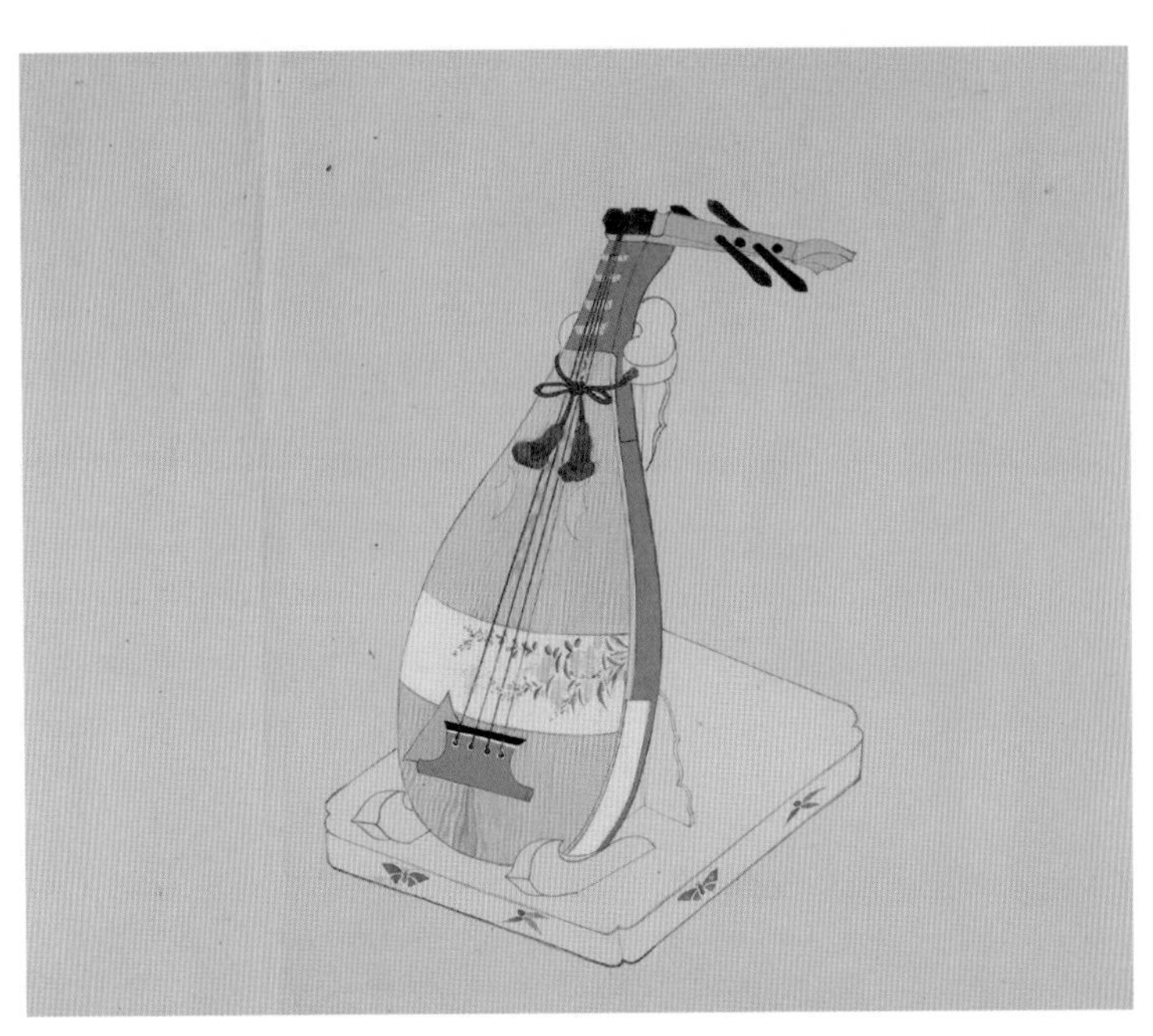

跋

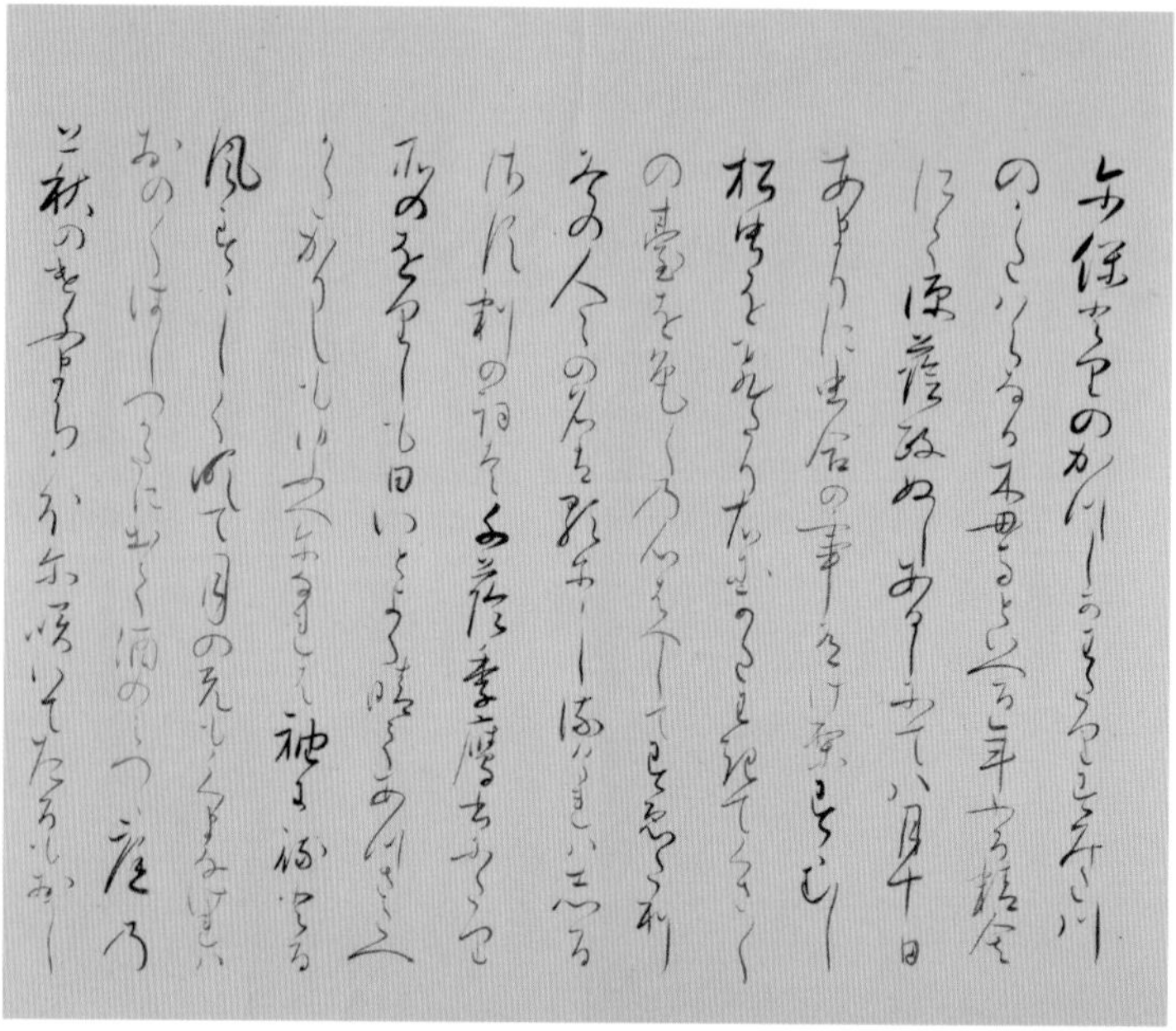

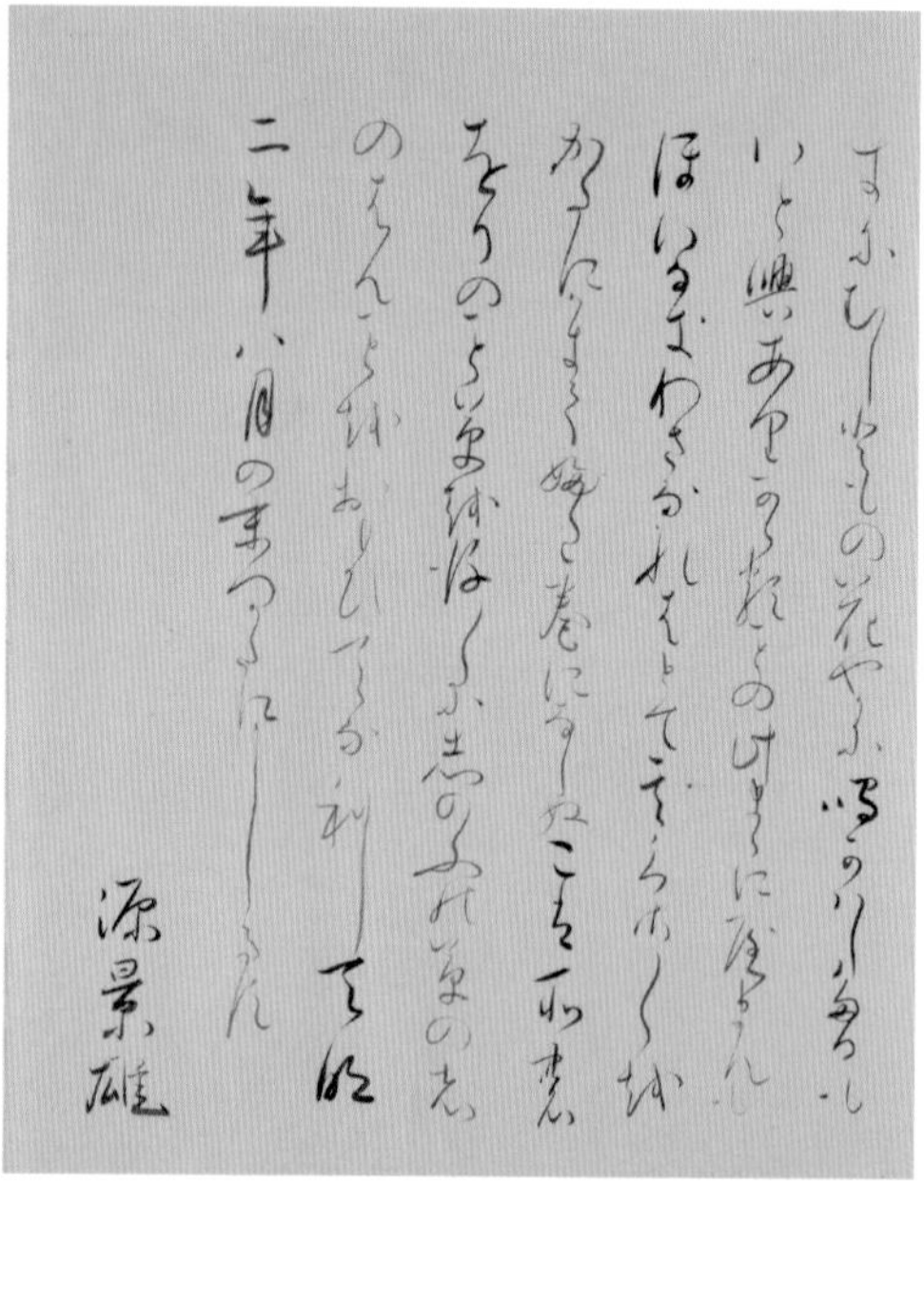

各種凡例

【翻刻凡例】

一、ホノルル美術館所蔵リチャード・レイン文庫『十番虫合絵巻』（請求番号TD2011-23-415）を翻刻した。他伝本との異同については、別項「校異」を参照されたい。

一、翻刻に際して、仮名はすべて通行のひらがなに統一し、漢字もすべて新字体に改めた。また、異体字・略字等は通行の字体で示した。

一、踊り字については、可能な限り、底本の字体を反映させた。

一、底本の字下げ等については、可能な限り、これを反映させた。

一、改行は、底本の改行をそのまま反映させた。

一、底本に不審が残る箇所については、そのまま翻字した上で、右にルビ活字として（ママ）を付した。

【校異凡例】

一、ホノルル美術館『十番虫合絵巻』本文を底本とし、以下の八本の本文と対校し異同を示した。各本は次のように略記する。

・急　大東急記念文庫『虫十番歌合絵巻』
・公　国立公文書館『視聴草』所収「拾番虫合」
・国　国立国会図書館『視聴草』所収「虫合」
・神　神宮文庫『鈴虫松虫歌合』
・長　国文学研究資料館長井文庫「十番蟲合」
・丸　都立中央図書館丸山季夫旧蔵「むし合」
・森　大阪公立大学図書館森文庫「十番虫合」
・梅　刈谷市立図書館村上文庫『梅処漫筆』所収「十番虫合」

一、本文の異同箇所に傍線を付し、右側に（異なる本文―出典）の形式で示した。

例（むしー急・公）

一、漢字表記・ひらがな表記の別は、示した。

一、本文記載のない場合は「ナシ」と記載した。

一、旧字・新字の異同は示さない。

【校訂本文凡例】

一、ホノルル美術館所蔵リチャード・レイン文庫『十番虫合絵巻』（請求番号 TD2011-23-415）を底本として、校訂本文を作成した。

一、校訂本文を作成するにあたり、大東急記念文庫蔵本（請求番号 105-22-1）を比校に用いた。なお、底本の本文の様相および他伝本の本文の様相については別項「翻刻と校異」を、適宜参照されたい。

一、底本の改行については、これを反映させていない。ただし、内容に即して、段落分けの処理を行った。

一、校訂に際して、濁点や漢字を宛てるなど、一部表記を改めた箇所がある。なお、底本が歴史的仮名遣いとは異なる表記を行う場合は、これを残した。

一、漢字を宛てた箇所においては、底本の表記をルビにて掲げた。

一、内容把握の利便性を考慮し、適宜、句読点や「　」を付す等の処理を加えた。

一、引用が考えられる箇所については、「　」を付して示した。

一、本文中に登場する書名・作品名については、『　』を付して示した。

【注釈凡例】

一、校訂本文・現代語訳の後に、理解を助けるための「注釈」「作り物の趣向」「読みのポイント」を付した。

一、「注釈」において他作品の本文を用いた際には、『十番虫合絵巻』の表現と重なる箇所に傍線を引いた。なおその本文は、読者の利便性を考慮し、以下のものを使用し、一部私に改めた箇所もある。

『古今集』『拾遺集』『詞花集』『新古今集』　：新日本古典文学大系（岩波書店）

『忠見集』『元輔集』『元真集』『兼盛集』　：『歌仙家集』（正保四年刊）

『続後撰集』『夫木和歌抄』『貫之集』（陽明文庫本）『相模集』『匡房集』『堀川百首』『永久百首』『嘉元百首』『延文百首』『亭

子院女郎花合』『内裏歌合 応和二年』『六百番歌合』『和歌所影供合　建仁元年八月』『千五百番歌合』『和歌一字抄』『風葉集』『隣女集』『拾玉集』『草根集』『雪玉集』『逍遊集』『挙白集』『後十輪院内府集』『広沢輯藻』

：『新編国歌大観』（日本文学 web 図書館版）

『三光院詠』

：『新編私家集大成』（日本文学 web 図書館版）

『万葉集』『伊勢物語』『うつほ物語』『源氏物語』『和漢朗詠集』『栄花物語』『古来風躰抄』『御裳濯河歌合』謡曲「隅田川」『おくのほそ道』

：新編日本古典文学全集（小学館）

『無名抄』『戴恩記』

：日本古典文学大系（岩波書店）

『唐物語』

：講談社学術文庫（講談社）

『浅茅が露』

：中世王朝物語全集（笠間書院）

『正徹物語』

：角川ソフィア文庫（角川学芸出版）

『新題林和歌集』『新明題和歌集』

：『近世和歌撰集集成』（明治書院）

校訂本文・現代語訳・注釈

一番

【校訂本文】

左　鈴虫　右　松虫　　　歌判　季鷹
　　　　　　　　　　　　虫判　千蔭

一番

左　　　　　　　　　　利徳

雨ならでふりつつ虫の鳴くなへにきてもみるべく萩（はぎ）が花笠（はながさ）

右　　　　　　　　　　季鷹

玉琴（たまこと）のしらべにいつの秋よりかまつ虫の音（ね）もかよひ初（そ）めけむ

左は、「みさぶらひみ笠とまうせ」といへる心ばへして、朽葉色の狩衣の袖を台にて、烏帽子を虫籠にして、白銀の笠を萩がもとにおけり。虫は宮城野よりえらみて参らせたるなり。右は、亭子院の帝、西河に御幸ましましける御時、奉れる歌の序、忠岑が書きたるに、「ある時には、山の端に月まつむしうかがひて、琴の声にあやまたせ」といへるによりて、洲浜に小さき琴をすゑて、かたはらに松襲の色あひに、糸もてまける籠に虫をこめたり。かたがた、いとこよなきみやびなり。されど、名におへる宮城野の虫に心ひかるれば、左勝とし侍りぬ。

左の御歌、「ふりつつ虫の」とありて、「萩が花笠」など、心ことば、たくみにめづらしく承り侍り。右の歌は、さ
せる事なきうへ、えせ判者の歌に侍り。例に任せて判を加へず。

【現代語訳】

左　鈴虫　右　松虫　　歌判　季鷹

虫判　千蔭

一番

左　　利徳

雨ではなくて、露を振り払いながら、鈴虫の鳴くちょうどその時に、来て見るのがよい。花笠のような萩の花を。

右　　季鷹

美しい琴の音律に、いつの秋から松虫の鳴き声も似かよいはじめたのだろうか。

左の作りものは、「みさぶらひみ笠と申せ宮城野のこの下露は雨にまされり」という趣向で、朽葉色の狩衣の袖を台にして、烏帽子を虫籠にして、銀の笠を萩のかたわらに置いた。鈴虫は、宮城野から選んで用意申し上げました。右の作りものは、宇多天皇が大井川に御幸なさった時に、奉った歌の序文で、壬生忠岑が書いたものに「ある時には、山の空に接する部分から出る月を待つ、松虫の声を聴いて、琴の響きに聞き違えなさって」と書いたのを根拠として、洲浜に小さい琴を置いて、そばに松襲の色合いで、糸によって巻いた籠に虫を閉じ込めた。おのおのがた、各段に優れたみやびである。そうではあるが、有名な宮城野の野原の虫に心がひかれるので、左を勝ちとしました。

左の御歌は、「ふりつつ虫の」とあって、「萩が花笠」などと詠むことは、趣向も言葉も、巧みにすばらしいと拝見いたします。右の歌は、それほどのこともない上に、とるにたりない判者の歌でございます。先例に従って判をしません。

【注釈】

鈴虫　平安時代は、「鈴虫」を現代の「松虫」、「松虫」を現代の「鈴虫」と解するとされるが、江戸時代は、現在の鈴虫と同じと解されていたらしい▼1、古代王朝世界の再興を目指した十番虫合の催しではあるが、宮城野の鈴虫を洲浜で鳴かせているため、現代と同じく「リーン、リーン」「リンリン」と鈴虫は鳴いていたと思われる。『源氏物語』鈴虫巻には源氏の「鈴虫は心やすく、いまめいたるこそらうたけれ（鈴虫は親しみやすくはなやかなのがかわいらしい）」という評価がある。ちなみに『古今集』には鈴虫を詠んだ歌はない。「おほかたの秋をばうしと知りにしをふり棄てがたき鈴虫の声」（『源氏物語』鈴虫巻、女三の宮の歌）のように、「鈴」の縁語「振る」に他の語を掛けて詠まれることが多い。

松虫　平安時代は、「松虫」を現代の「鈴虫」と解するとされるが、江戸時代は、現在の松虫と同じと解されていた。[▼2] 十番虫合の催しでは、現代と同じく「チンチロリン」と鳴いていたと思われる。『源氏物語』鈴虫巻には、秋の虫の中でも松虫が優れているとして秋好中宮が探し求めて放たせたと、源氏が言う場面がある。『古今集』に「あきの野に人松虫のこゑすなり我かと行きていざ訪はむ」（秋上、二〇二、題しらず、よみ人しらず）などの歌が見られるが、このように「（人を）待つ」と「松虫」を掛詞として詠むことが一般的である。十番虫の判者千蔭は「松虫」題で「夕暮れの風にきほへる松虫はたが爪琴の音にかよふらむ」（『うけらが花』初編、五六九）と詠んでいる。

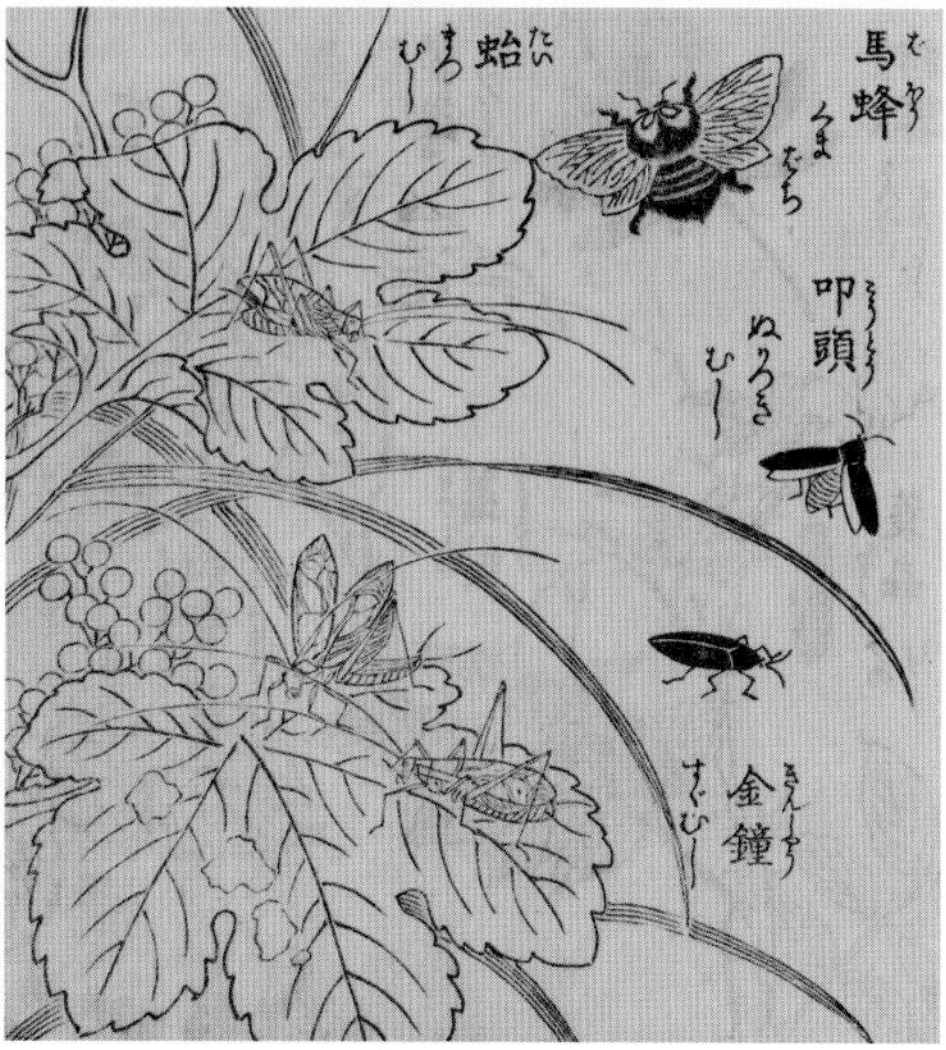

図①　「まつむし」「すずむし」
（『増補頭書訓蒙図彙大成』巻十五）

利徳　土井利徳。刈谷藩主。→人物解題参照。

雨ならでふりつつ虫の鳴くなへにきてもみるべく萩が花笠

「ふり」は雨が「降る」と袖を「振る」のふたつの意味が掛けられている。また、「ふり」は（鈴）虫の「鈴」の縁語。**「なへ」**は活用語の連体形を受け、ある事態と同時に、他の事態の存することを示す上代語。……とともに。……にあわせて。……するちょうどその時に。上代には「なへ」単独でも、また格助詞「に」を伴った「なへに」の形でも用いられたが、中古以後は「なへに」の形のみとなる。**「きて」**は「来て」と「着て」が掛けられている。**「べく」**は、助動詞「べし」の連用形で終わっている用法。ここでは、「……するのがふさわしい。……するのがよい」の意味。「も（動詞）べく」の形としては、『伊勢物語』十五段に、「しのぶ山しのびてかよふ道もがな人の心のおくも見るべく」がある。「雨」「ふり」「笠」

は縁語。**「萩が花笠」**は、花笠のような萩の花の意味。「花笠」は、神事・芸能の際にかぶる造花のついた笠。『古今集』の「青柳を片糸によりて鶯の縫ふてふ笠は梅のはながさ」（神遊びの歌、一〇八一）を基盤にしていようか。「花笠」の古典的な詠み方である。なお、**本歌**は、判詞にも引かれる通り、「御さぶらひ御笠と申せ宮木野の木の下露は雨にまされり」（『古今集』、東歌　陸奥の歌、一〇九一）である。「お供の人よ、御主人に「お傘をどうぞ」と申し上げなさい。宮城野の木の下の露は雨以上に濡れるものですから」の意味で、新編日本古典文学全集『古今集』の注に「国司などが巡視をした時に、土地の者が詠んだ歌であろう」とある。なお、「萩」は「宮木野のもとあらの小萩つゆをおもみ風をまつごと君をこそまて」（『古今集』恋四、六九四、読み人知らず）から宮城野と取り合わせられる。

玉琴のしらべにいつの秋よりかまつ虫の音もかよひ初めけむ

「玉琴」「たま」は美称。美しい琴。**「かよひ初めけむ」**は、互いに似通いはじめたのだろうか、の意。壬生忠岑（みぶのただみね）の「大井川御幸和歌序」の一節「山のはに月まつむしうかがひては、きんのこゑにあやまたせ」を踏まえている。

朽葉色の狩衣の袖を台にて、烏帽子を虫籠にして　左の作り物を説明する文。『源氏物語』蓬生巻、同手習巻などの面影があるか。蓬生巻では、惟光の案内で、末摘花の邸内に源氏が入ろうとする場面で、左歌の典拠である前掲『古今集』の「御さぶさひ～」歌を踏まえて、「御かささぶらふ。げに木の下露は、雨にまさりて」と源氏の従者惟光が言う。惟光は「狩衣姿」であった。手習巻は、八月十余日、尼の女婿の中将が浮舟を狩衣姿で露を分けて三たび尋ねて「松虫の声をたづねて来つれどもまた荻原の露にまどひぬ」と詠むなどイメージの重なる部分がある。

しろがねの笠　銀の笠。月を象徴している可能性があるか。

虫は宮城野よりえらみて参らせたるなり　**宮城野**は陸奥国の歌枕。仙台城下の東方にあった原野名。『おくのほそ道』に「宮城野の萩茂りあひて、秋の気しき思ひやらる」というように、萩で有名であり、歌枕としての初出は先引の『古今和歌集』二首である。宮城野は江戸時代、藩主の狩場でもあった。仙台藩の地誌『封内風土記（ほうないふどき）』巻三には「宮城野、或曰二本荒ノ郷一、萩花、鈴虫名産也」とある。

亭子院の帝、西河に御幸ましましける御時　**「亭子院の帝」**

は宇多天皇。貞観九年（八六七）～承平元年（九三一）。第五十九代天皇。平安朝前期の歌人。『寛平御時菊合』をはじめ、多くの歌合を催し、和歌興隆に貢献した。**「西河」**は都の西を流れる桂川（大堰川）。賀茂川を東川というのに対していう。行幸は延喜七年（九〇七）九月に行われたと伝える。

奉れる歌の序　「大井川行幸和歌序」を指す。「大井川行幸和歌」とは、宇多法皇が大堰川に遊覧した際に催した歌会の歌で、紀貫之・壬生忠岑ら六人が詠み、貫之の序がある。この時、忠岑は不参だったが後に序を奉ったという。千蔭の判詞に引用される序は、千蔭の言う通り、忠岑の書いたものである。『忠岑集』八八の詞書に序の全貌がうかがわれるが、大井川を「西河」とすることから、判者千蔭は次の『夫木和歌抄』の本文を引用したものと思われる。ちなみに底本本文の忠岑の表記は「忠峯」で、『夫木和歌抄』に一致する。

　延喜七年亭子院御門御時、西河行幸せさせ給けるに、忠峯新和歌序云、ひるはひぐらし虫をもとめ、夜るはよもすがらさうのこゑをととのへしめ、あるときには山のはに月まつむしうかがひて、きむのこゑにあやまたせ、ある時には野べのすずむしをききて谷の水の音にあらがはれと云云

　家集、雑歌中　中納言家持卿

　きりぎりすわがねやちかくよるはなけひるはさわがし物がたりせん（巻十四、秋五、五六一〇）

ちなみに『忠岑集』には「西河」の語はない。

ある時には山の端に月まつむしうかがひて、琴の声にあやまたせ　前項参照。琴は中国から渡来した七本の弦を張った楽器。琴柱がない。平安時代中期に廃れたが、江戸時代に東皐心越によって再興された。

松襲　襲の色目の名。表は萌黄、裏は紫。

みやび　「ひなび（鄙び）」に対する語で、都風・宮廷風の事柄・事物についていう。

えせ判者　にせの（まやかしの）判者。季鷹の謙辞。この語、大東急記念文庫本では単に「判者」となっている。大東急本の書写者である千蔭が季鷹へのリスペクトから「えせ」を記さなかったとも考えられる。

例に任せて判を加へず　歌の判者である季鷹は『千五百番歌合』の藤原俊成判の先例に倣って、判を加えなかった。「右歌はことなることなき述懐に侍るうへに、愚老が歌に侍りけ

り。たまたま判者にまかりあたれり。例によりて勝負をつけずや侍るべからん」(『千五百番歌合』一六一、俊成判)

作り物の趣向

左(図②)は、巻頭にふさわしい主賓格の刈谷藩主土井利徳の作り物である。実は利徳は、伊達宗村(だてむねむら)を父とする伊達家の出身であったため、この作り物も陸奥の国の歌枕宮城野尽くしの様相を呈している。千蔭の判にも引用されているように、国司などが陸奥国を巡視した際に土地の者が詠んだのではないかとされる「御さぶらひ御笠と申せ宮木野の木の下露は雨にまされり」(「お供の人よ、御主人に「お傘をどうぞ」と申し上げなさい。宮城野の木の下の露は雨以上に濡れるものですから」)(『古今集』、東歌 陸奥の歌、一〇九一)を典拠として、洲浜の上に貴人の朽葉色の狩衣の袖を敷き、その上に、萩と白銀の笠、烏帽子を置く。烏帽子は虫籠になっており、中には宮城野から採集した鈴虫が入れられている。当時、萩も鈴虫も宮城野の名高い産物として知られていたので、利徳は、あえて宮城野から取り寄せ、江戸の人々に、宮城野の鈴虫を当座で鳴かせる趣向をとったのであろう。

なお、狩衣の袖が朽葉色なのは季節が秋であることを示すか。狩衣の袖は、注釈にも指摘した通り『源氏物語』蓬生巻で狩衣姿の惟光が源氏に「御傘さぶらふ。げに木の下露は、雨にまさりて」(前掲『古今集』を踏まえる)と言う場面を想起させ、また『伊勢物語』初段の「男」の「いちはやきみやび」のアイテムが狩衣の袖であったことを考え合わせると、この催しが「こよなきみやび」(千蔭判詞)を目指すことを意図して、一番左の作り物の中に狩衣の袖を取り入れたのかもしれない。宮城野は藩主の狩場でもあり、十番虫合の会場である木母寺(もくぼじ)は将軍家綱(いえつな)が遊猟の際、新殿を作らせた場所でもある(跋の注〈一二五頁〉参照)ので、その連想で狩衣の袖が洲浜の上に敷かれたとも考えられる。

図② 一番左

狩衣の上の白銀の笠は、古今集の「御笠」を示すが、あえて白銀という素材を選んだのは、跋文に、十番虫合が終了した後「月も隅なければ」と表現されているように、この催しが八月十日過ぎの名月を見ることもセットとされていたと考えられることから、月を暗示するための白銀であったか。会場の木母寺の庭には萩が今日待ち顔に咲き出ており秋の虫も鳴きかわしている（跋文）。利徳は、洲浜の上に王朝の宮城野の世界を再現すると同時に、木母寺の外の自然とも響きあうように、洲浜の上に置かれた烏帽子の虫籠の中に、宮城野の鈴虫を鳴かせ、秋萩や白銀の笠や狩衣を置き、左右の人々への挨拶に代えたのである。鈴虫は、羽を広げた様子が描かれており（図③）、羽音を立てている（鳴いている）実物を観察して描いたのだろう。

図③　一番左の鈴虫の拡大図

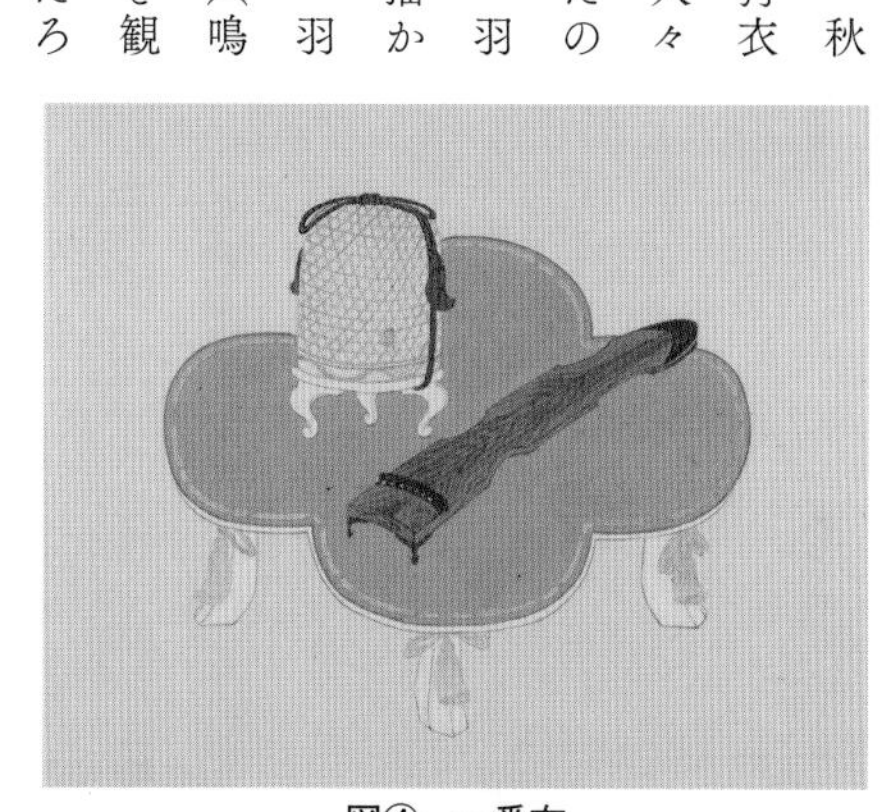
図④　一番右

右は、歌の判者賀茂季鷹の作り物である（図④）。注に指摘したように宇多天皇が大堰川に行幸した際に催したという歌会の忠岑の序「ひるはひぐらし虫をもとめ、夜るはよもすがらさうのこゑをととのへしめ、あるときには山のはに月まつむしうかがひて、きむのこゑにあやまたせ」（大井川行幸和歌序）の世界を洲浜の上に再現すべく、松襲の色合いで糸を巻いた虫籠に生きた松虫を入れて鳴かせ、傍らに小さい琴を置いて、参加者に松虫の声を琴の響きに聞き違える追体験

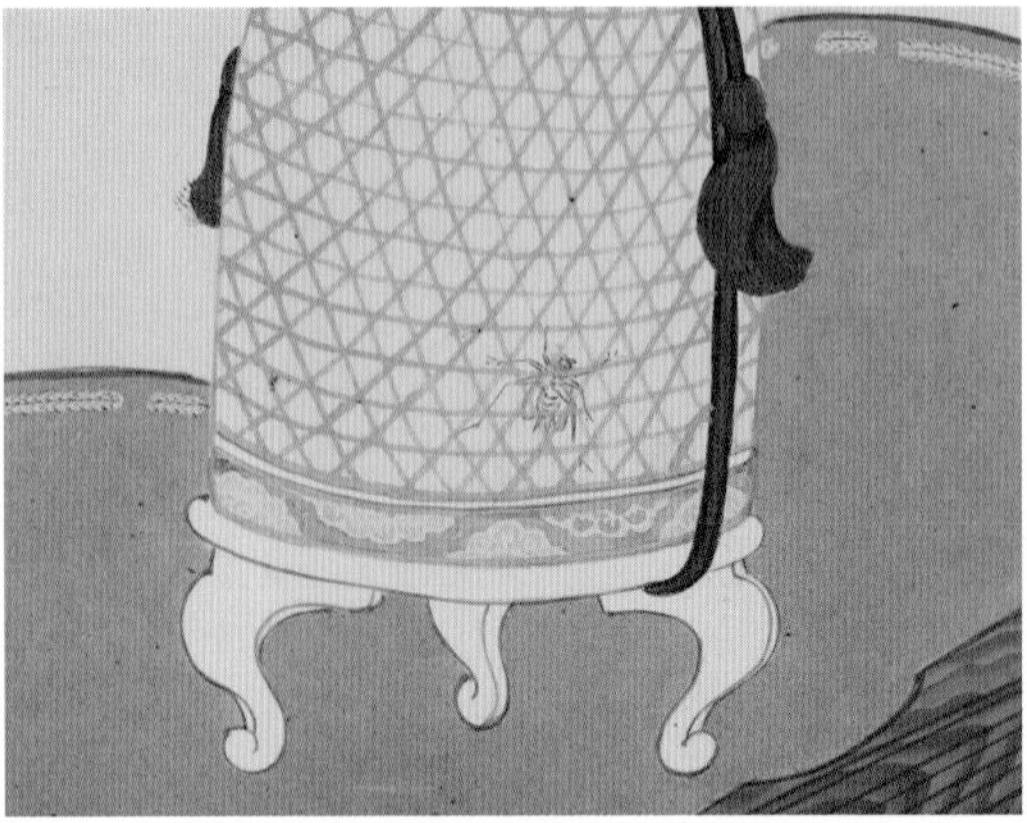

図⑤　一番右　松虫拡大図

をさせた。『李嶠雑詠』の「松声入夜琴」の題で詠まれた「琴の音に峯に峰の松風通ふらしいづれのをより調べそめけん」（『拾遺集』雑上、四五一、野宮に斎宮の庚申し侍けるに、松風入夜琴といふ題を詠み侍ける、斎宮女御）以来、和歌の世界では親和性のある琴と松（虫）とを組み合わせた作り物である。琴は平安時代に廃れたが江戸時代に再興された七弦で琴柱のない琴である。

左も右も格段に優れたみやびとして判者の千蔭から絶賛されており、巻頭を飾るにふさわしい作り物の対戦となっている。

読みのポイント

巻頭にふさわしい主賓格の人として、伊達宗村を父とし、刈谷藩主である土井利徳を左に据えている。虫（作り物）の判者千蔭は洲浜の上で鳴いている宮城野の鈴虫に心が魅かれるとして左を勝ちとし、右の賀茂季鷹は歌の判者でもあったので、『千五百番歌合』の俊成判の先例に倣って歌の判を加えなかったが、左の利徳の歌を「御歌」と言い、「心ことばたくみにめずらしく」と褒めて、主賓格の利徳に花を持たせている。

虫を描いた手順についてだが、最初に虫の胴体を描いて、次に籠を描き、最後に足の先を描くことで、籠の網目に松虫が籠の内側から、しがみついている様子を描いている（図⑤）。

▼注

1　今西祐一郎「鈴虫はなんと鳴いたか」（『源氏物語』四、新日本古典文学大系二十二、岩波書店、一九九六年）。

2　注1に同じ。

二番

【校訂本文】

二番

左　　　桃樹

夕露のふりぬる宿の浅茅生に昔ながらの鈴虫の声

右　　　元貞

山の端にまだ出でやらぬ月影をなれもわびてやまつ虫の鳴く

左は、桐壺の更衣の母のもとへ、命婦、車にのりて御使にまかりたるさまにて、車をつくりて、鈴虫を入れたり。声のかぎりをつくしたる、いとおかし。右は、「秋の野に道はまどひぬまつ虫の」といへる歌の心ばへにて、籬結ひたる伏庵を木賊して作れるに、水晶のごとく透ける紙もて張りたる中に、虫を放てるがいとおかし。左よりもまされりと思したり。

左、桐壺の更衣の里のけしき、今も見るごとく、あはれ浅からず承り侍り。右もまた、「なれもわびてや」などいへるわたり、おかしからぬには侍らねど、月のことのみ強くて、虫の音、いささか幽かにや侍らん。左の勝ちなるべし。

【現代語訳】

二番

左　　　　　　　　　　　　　　　　　　　桃樹

夕露が降る古びた宿の、茅萱(ちがや)の生えたところに、昔のまま変わらずに鳴く、鈴虫の声である。

右　　　　　　　　　　　　　　　　　　　元貞

山の稜線にまだためらって出てこない月の光を、お前も嘆いているのか。月を待って松虫が鳴く。

左の作りものは、桐壺の更衣の母のもとへ、靫負の命婦が、車に乗って帝の使者として出向いた有様として、車を作って、鈴虫を入れてある。声の限りをつくして鳴いているのは、大変おもしろい。右の作りものは、「秋の野に道はまどひぬ松虫の声するかたに宿やからまし」という古歌の趣向であって、籬を結った伏屋を木賊で作っており、水晶のように透ける紙を使って張ってある中に、虫を放っているところが大変おもしろい。左よりも勝っていると思われた。

左の歌は、桐壺の更衣の里の様子を、さも今見ているかのように、情緒も浅くなく拝聴いたしました。右の歌もまた一方で、「なれもわびてや」などと詠んでいるあたりは、おもしろくないわけではないのですが、月のことばかりが強く表現された詠みぶりであって、虫の鳴き声については、少しもの足りないのではないでしょうか。左の勝ちでしょう。

【注釈】

桃樹　吉田桃樹（よしだとうじゅ）。季鷹（すえたか）の門人。↓人物解題参照。

夕露のふりぬる宿の浅茅生に昔ながらの鈴虫の声　**「ふり」**には、夕露が宿に「降る」の意と、宿が古くなるの「古る（経る）」の意が掛けられている。さらに、鈴を「振る」の意も縁語として響かせていよう。詞の持つイメージを多層的に利用したものと言える。**「浅茅生」**は、背の低い、茅萱（ちがや）が生えているところ、もしくは茅萱がまばらに生えているところ。荒涼とした風景を指す場合が多い。後述する、『源氏物語』桐壺巻にて、更衣の母君が詠んだ、「いとどしく虫の音しげき浅茅生に露おきそふる雲の上人」をも踏まえていると考えられる。なお、志田義秀は、「浅茅が原」という地名が、謡曲「隅田川」にちなむものであり、木母寺（もくぼじ）の梅若伝説と関わりながら、現地の地名（橋場村にあったとする。現在の東京都台東区橋場、および荒川区南千住の汐入地区周辺）として定着していったことを指摘する。▼1 この地は木母寺とは隅田川を挟んで対岸に位置している。「浅茅生」自体は一般名詞であるが、ここでは現地の地名である「浅茅が原」をも意識した使用となっていよう。**「昔ながらの鈴虫の声」**は、昔から変わらない鈴虫の音を表現したものであるが、鈴虫の声が「不変」であるとする和歌表現は、やや異例である。ここは、『白氏文集（はくしもんじゅう）』「長恨歌」に見える、「夜雨聞鈴腸断声（夜雨に鈴を聞けば腸断ゆるの声）」を踏まえたものか。反乱収束後に都に戻った玄宗が、亡き楊貴妃を偲ぶ場面であり、鈴によってかつての姿が思い起こされる（鈴は昔と同じ音であるが、楊貴妃のいない現在を嘆く）箇所である。当番の左方の和歌・作り物の趣向は、『源氏物語』桐壺巻を踏まえたものであり、その桐壺巻は「長恨歌」を典拠とする表現を多数使用している点を踏まえるならば、当該歌においても遠景に「長恨歌」が存在していたとも解釈できよう。

元貞　季鷹門人か。↓人物解題参照。

山の端にまだ出でやらぬ月影をなれもわびてやまつ虫の鳴く

「山の端」は、山の稜線。山と空が接する部分の、山側のこと。続いて**「まだ出でやらぬ月影」**とあるので、月はまだ出ていない。**「なれ」**は、相手のことを指す呼称。お前。対等以下のものに対して使用する。ここでは、松虫に呼びかけている。**「わぶ」**は、思い通りにならない状態を嘆き、落胆する・気落ちするの意味。なお、当該歌の**本歌**は、「いでやらぬゆふべはさぞな月かげの入がたにしもまつむしのなく」（『隣女集』、二〇五三、虫）か。月を待つ自分たちと、同じく月を待って鳴く松虫の姿とを重ね、共感する詠となっている。

桐壺の更衣の母のもとへ、命婦、車にのりて御使にまかりたるさま　『源氏物語』桐壺巻において、亡き桐壺更衣の里（そこに更衣の母もいる）へ、帝が靫負命婦を使者として遣わす場面を指す。「野分だちて、にはかに肌寒き夕暮のほど、常よりも思し出づること多くて、靫負命婦といふを遣はす。……命婦かしこにまで着きて、門引き入るるより、けはひあはれなり。やもめ住みなれど、人ひとりの御かしづきに、とかくつくろひ立てて、めやすきほどにて過ぐしたまひつる、闇にくれて臥ししづみたまへるほどに、草も高くなり、野分にいとど荒れたる心地して、月影ばかりぞ、八重葎にもさはらずさし入りたる。南面におろして、母君もとみにえものものたまはず。「今までとまりはべるがいと憂きを、かかる御使ひの、蓬生の露分け入りたまふにつけても、いと恥づかしうなむ」とて、げにえたふまじく泣いたまふ。」（『源氏物語』桐壺巻）。

声のかぎりをつくしたる　先に示した桐壺巻の場面にて、命婦が詠んだ和歌「鈴虫の声のかぎりを尽くしても長き夜あかずふる涙かな」から、直接引用した表現。

秋の野に道はまどひぬまつ虫の　『古今集』「秋の野に道もまどひぬ松虫の声する方に宿やからまし」（秋歌上、二〇一、題しらず、よみ人しらず）による。右歌の趣向は、秋の野で虫の声にひかれて宿を求めようとする古今歌の世界を踏まえ、月を待つ松虫と自分たちを重ねて表現したものである。

なお、判詞では「道はまどひぬ」となっている。『古今集』諸本での異同を確認しても、▼2当該本文をもつ伝本は見当たらない。古写本の本文ではないことは明らかだが、単なる勘違い（もしくは誤写）と安易に判断してよいかは疑問を残す。

籬　柴や竹を結って作った、背の低い垣。籬垣。

伏庵　屋根が低く、伏せたような形の家。主に、粗末でみすぼらしい家を指す。先に示した古今歌の「宿」の部分を受けたものであり、月を待つ松虫を示すと同時に、この歌合の場で月が出ることを待っている自分たちの現状をも重ね合わせた趣向となっている。

木賊　しだ類とくさ科に属する多年草（図⑥）。水辺に生え、濃緑色の筒状の細長い茎を、何本も直立させる。茎は節を持ち、枝・葉は持たない。この茎は堅く、乾燥させた後に、木や竹などの器材を磨くために利用された。ここでは、伏庵の屋根に濃緑色の茎の使用が見られ、柱にも乾燥させたとくさが利用されているか。謡曲「木賊」には、「とくさかるそのはら山の木の間よりみがきいでぬる秋の夜の月」（『夫木和歌抄』、八四四三、保延元年中納言家成卿家歌合、月を、源仲正）と「園原やふせ屋におふる帚木のありとは見えてあはぬ君かな」（『新古今集』、恋歌一、九九七、平定文家歌合、坂上是則）の二首の和歌が組み合わせて用いられており、木賊によって伏庵を作るという当該右歌の趣向は、こういった作品世界からの連想によるものとも考えられる。

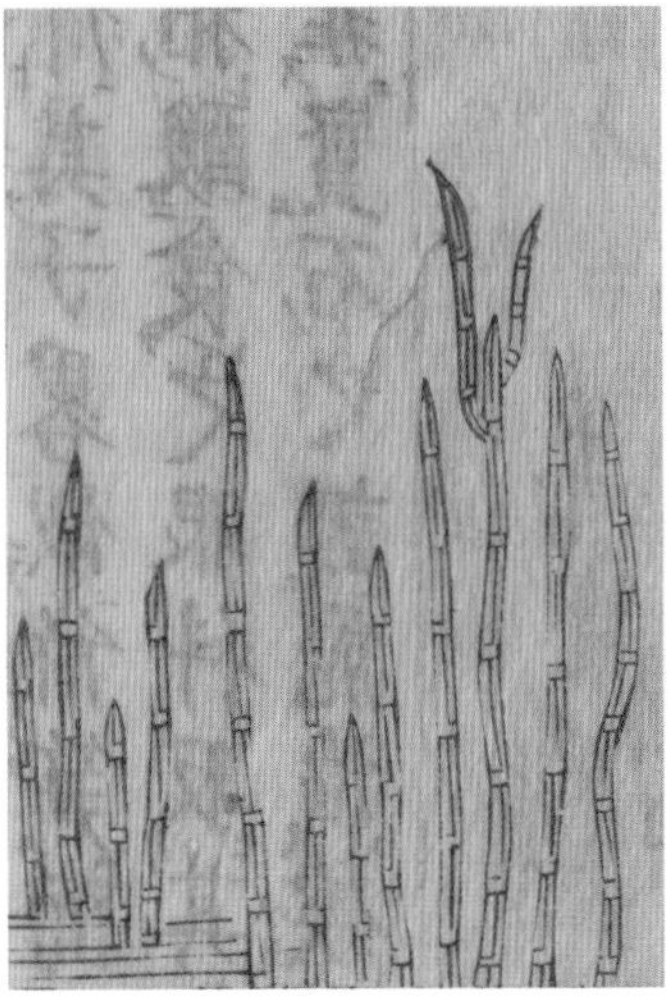

図⑥　木賊『和漢三才図会』巻九十四本

作り物の趣向

左の作り物は、牛車の中に鈴虫を入れたものである（図⑦）。牛車のみという簡潔な作り物であり、間接的に、『源氏物語』桐壺巻に見える、靫負命婦が更衣の母を訪ねる場面を示したものになっている。更衣を亡くした悲しみによって涙に暮れるという物語の世界

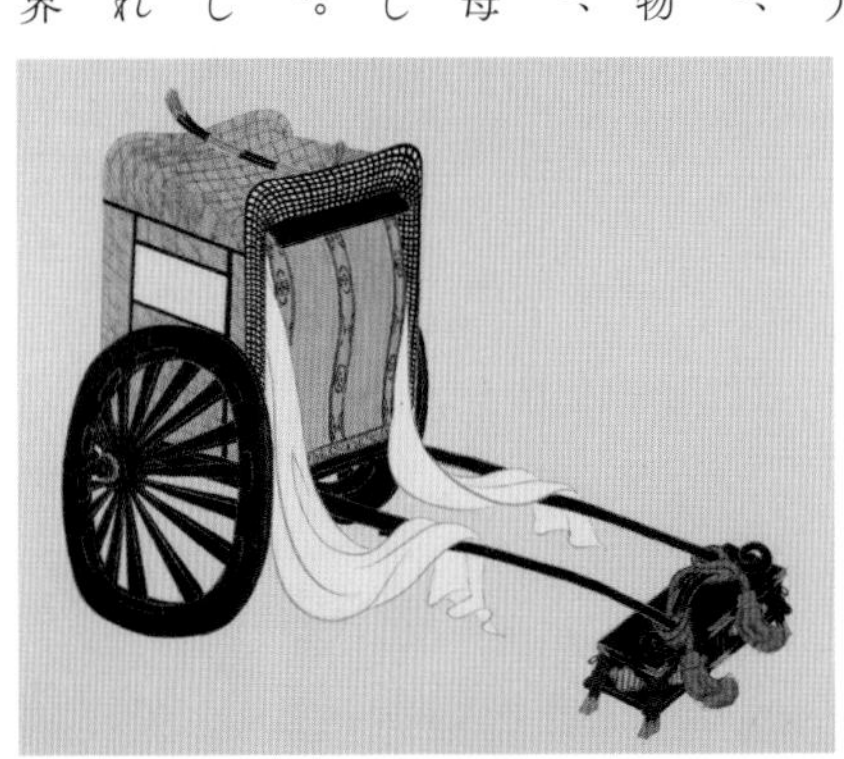

図⑦　二番左

を、牛車の中で鈴虫を鳴かせることによって表現したものとなっている。さらに、和歌においては、荒れた宿に露がやどり、月影が差し込む情景が、直接的に踏まえられていよう。和歌と作り物がセットになって左方の趣向を作り上げており、『源氏物語』桐壺巻の当該場面を総体的に表現したものと捉えられる。季鷹の判詞に、「桐壺の更衣の里のけしき、今も見るごとく、あはれ浅からず承り侍る」とあるのも、この左方の意図を十分に評価したものと理解される。

右の作り物は、古今集歌に詠まれた、秋の情景を踏まえ、荒れた質素な小屋を作る（図⑧）。注目すべきは、籬に萩が付けられている点である。右歌や典拠となる古今集歌には、直接的に萩は詠み込まれていないが、一番で萩が扱われていることなどを踏まえると、秋を代表する植物である萩が、この会場である木母寺周辺にも生えており、それを当座の意趣として使用したものとも考えられる。この伏庵は、古今集歌の世界を踏まえた「宿」の趣向であると同時に、この歌合の会場である木母寺の様子を暗に指すものであり、月が出るの待つ自分たちと虫という、この歌合の場そのものを表現した趣向と捉えられる。

図⑧　一番右

読みのポイント

左方が『源氏物語』、右方が『古今集』と、平安時代を代表する文学作品を踏まえながらの番となっている。一番が挨拶の要素が色濃かったことに対して、二番では作品世界を表出させようとする意図が強いか。

ただし、一番との連接がないわけではなく、むしろ、詞や作り物に関しては、一番の趣向を強く踏まえた上で展開されていると考えられる。左方であれば、『源氏物語』桐壺巻の同場面には、帝から更衣の母君に対して、「宮城野の露吹きむすぶ風の音に小萩がもとを思ひこそやれ」の和歌が贈られている。この桐壺巻の和歌は、当該左方の和歌表現に直接結びつくものではないが、「宮城野」や「萩」といった語からは、一番とのつながりが容易に想起される。当該左方における桐壺巻の利用は、鈴虫が登場する場面であると同時に、一番で触れられた「宮城野」や「萩」からの連想という部分も有していよう。右方についても、和歌に詠まれた「山の端にまだ出やらぬ月影」は、一番右方の判詞に指摘されていた、壬生忠岑の序「山の端に月まつむしうかがひて」を受けての表現と考えるのが妥当である。当番の作り物に見られた「萩」についても、一番での話題を引き継ぐかのように用いられている。

以上のように、表に出てこない詞や趣向が散りばめられており、歌合の展開と、その連続性には十分配慮すべきである。

▼注

1 志田義秀『日本の伝説と童話』(大東出版、一九四一年)。

2 久曽神昇『古今和歌集成立論』(風間書房、一九六〇年)および加藤洋介『古今和歌集校異集成(稿)(仮題)』(現在公開停止中)で確認した。

三番

【校訂本文】

三番

左　　　　　　　　　　　　千蔭

菊の花挿頭にせむと立よれば惜しむに似たる鈴虫の声

右　　　　　　　　　　　　景雄

松虫の鳴くなる声にひかれては秋も子の日の心地こそすれ

左、挿頭の台のさまに、木地の机の上に、小さき洲浜に虫籠のせて、菊の挿頭をたて、薄物の覆ひに歌を縫へり。こは、兼盛朝臣が大入道殿の御賀の挿頭の覆ひに歌を縫へるによれり。右は、『古今集』の序に、「高砂、住之江の松も相老のやうに思し、松虫の音に友をしのぶ」といへる心ばへにて、古きかたの机に紅絹の伏組して、冊子のかたちに虫籠作りて、かたはらに五葉の枝を添へて、序のことばを葦手に縫へり。右は、いと由ばみて、松虫てふこと、ことわらずして明らけし。おのれ、こたびこそ勝ためと思ひほこれりしを、今なん思へば、鈴虫によせあることも侍らねば、論なう負けぬべし。

右は、「松虫の鳴く」音にひかれて「秋も子の日の」といひ、左は、「菊の花挿頭にせんと立よれば」鈴虫の惜しみ顔に鳴くさま、とりどりにすがたきよらにとどこほるところなく、誠にいひしりたるさまなるべし。しひていはば、菊の折まで鈴虫の鳴くらんこと、いささかおぼつかなくや、とも思ひ給へらるれど、季鷹ら、かうやうの折の判者の数に加はり侍ることは、道にとて、何の幸か、しくべからむ。さるを、この番などの良し悪しをことわりて、ことの始めに方人たちの恨み負はむも由なければ、衆議に任せたるに、これらをや、古くも良き持などは申したためれなど、おのおの沙汰しあへるにこそ。

【現代語訳】

三番

左　千蔭

菊の花を挿頭にしようと立ち寄れば、菊の花が折られることを惜しむように鳴く鈴虫の声であることだ。

右　景雄

松虫の鳴いている声に、小松が引かれるように心がひかれると、秋であっても、子の日のような気持ちになることだ。

左の作りものは、挿頭の台の趣向で、木目のままの机の上に、小さい洲浜に虫籠をのせて、菊の挿頭を立て、薄い絹織物の覆いに歌を刺繍してある。これは、平兼盛朝臣が藤原兼家の六十賀の挿頭の覆いに歌を刺繍したことに基づいている。右の作りものは、『古今集』の仮名序に見える、「高砂・住之江の松も長い間一緒に育った馴染みのようにお思いになり、松虫の声に友人を思い出してなつかしむ」という趣向で、古い形態の机に紅い縮みの糸で三組(みつぐみ)の緒を伏せたようにかぶせ縫いにして、大和綴の冊子本の形に虫籠を作って、わきに五葉の松の枝を添えて、『古今集』仮名序の一節を葦手書きに刺繍した。右の作りものは、大変由緒ありげであり、松虫ということは、説明せずとも明らかである。私は、今度こそは勝つと得意げにしていたが、今思うと、鈴虫に関連のあることもありませんので、言うまでもなく負けである。

右の歌は、「松虫が鳴く」その音に魅了されて「秋であっても、子の日」であると詠み、左の歌は、「菊の花を挿頭にしようと立ち寄れば」鈴虫が菊が折られるのを惜しそうな顔で鳴く様子を詠んでおり、それぞれに歌の姿は気品があって美しく言葉が滑らかによどみなく、本当に和歌の詠み方を知っている様子である。あえて言うならば、菊の開花期まで鈴虫の鳴いているということは、少し疑わしいのではないか、とも思われますが、季鷹など、このような素晴らしい物合の機会の判者の員数に加わりますことは、歌道にとって、どういう幸福が、それに匹敵するでしょうか、これほどの幸福はありません。そうであるのに、この組などのよいか悪いかを判定して、物事の最初に一方の組の人々の恨みを蒙るのもつまらないことであるため、優劣の判定は左右の方人の議論に任せたところ、これら左右の歌を、古雅な趣があり水準以上のよい歌で勝負をつけがたい引き分けなどと申しているようであるなどと、それぞれが論じ定めあっている。

【注釈】

千蔭　加藤千蔭(かとうちかげ)。与力。作り物の判者。↓人物解題参照。

菊の花挿頭にせむと立ちよれば惜しむに似たる鈴虫の声　**「挿頭」**は、草木の花や枝葉などを頭髪や冠に挿したもの。『万葉集』以来、「梅の花」「菊」「もみぢば」「をみなへし」などが「挿頭」として歌に詠まれてきた。菊の例としては、「露ながらをりてかざさむ菊の花老いせぬ秋のひさしかるべく」（『古今集』秋下、二七〇、是貞親王家歌合の歌、紀友則）、「万世の霜にも枯れぬ白菊をうしろやすくもかざしつる哉」（『後撰集』、慶賀、一三六八、女八のみこ元良のみこのために四十賀し侍りけるに、きくの花をかさしにをりて、藤原伊衡朝臣）など、長寿や慶賀の歌が目立つ。

景雄　三島景雄。呉服商。底本本文筆写者。→人物解題参照。

松虫の鳴くなる声にひかれては秋も子の日の心地こそすれ

「野宮に斎宮の庚申し侍りけるに、松風入二夜琴一といふ題を詠み侍りける／松風の音に乱るる琴の音をひけば子の日のここちこそすれ」（『拾遺集』、四五二、斎宮女御）を踏まえたか。**「ひかれて」**は（小松を）「引かれて」と（松虫の声に）「惹かれて」を掛けている。「松虫」の「松」と「ひかれて」「子の日」は縁語。**「子の日」**は、十二支の子にあたる日。特に正月最初の子の日をいう。野に出て小松を引き、若菜を摘むなどして長寿を祝う。『源氏物語』初音巻に「今日は子の日なりけり。げに千年の春をかけて祝はんに、ことわりなる日なり」とある。また、「ね」には松虫の「音」、松の「根」も響いているだろう。「子の日」と秋の松虫を組み合わせた和歌としては、『嘉元百首』に、「ひく人もなくなく身をやうらむらん子の日せし野の秋の松虫」（虫、七三四、定為）、『草根集』にも「秋すでにふけ行くのべも霜をかで己が子の日の松虫やなく」（松虫、八二四四）がある。

木地　塗料を塗る前の地肌のままの木材。

洲浜　土砂が積もってできた州が海に突き出している形を庭園に造ったもの。またその形に似せて作った台の上に飾り付けて、自然の景観や名所の風景などを表現した作り物。

薄物　薄い絹織物。それで作った夏用の衣服。

兼盛朝臣が大入道殿の御賀の挿頭の覆ひに歌を縫へるによれり　**「兼盛朝臣」**は平兼盛。平安時代の歌人。正暦元年（九九〇）没。享年不詳。三十六歌仙の一人。若くから和歌を好んで、常に沈思して秀歌を詠み、梨壺の五人の中に入らなかったのは不審とされる（『袋草紙』）。天徳四年内裏歌合で、「しのぶれど色に出でにけり我が恋は物や思ふと人の問ふまで」（『拾遺集』恋一、六二二）と詠み、壬生忠見の「恋すてふ我が名はまだきたちにけり人知れずこそ思ひそめしか」（『拾遺集』恋一、天暦御時歌合、六二一）の歌と争って勝ち、敗れた忠見が悶死した逸話（『沙石集』）は有名。永観三年（九八五）二月の円融院紫野子の日御遊には和歌の題と序を献じた（『小右記』）。家集に『兼盛集』がある。**「大入道殿」**は藤原兼家。平安時代の歌人。延長七年（九二九）生、正暦元年（九九〇）没。**「挿頭の覆ひに歌を縫へる」**は、『兼盛集』に「大入道殿御賀の御屏風の歌」として載る十九首の連詠の最後の三首の詞書として、「御かざしのおほいにぬへる」とあることを指しており、洲浜の薄物の刺繍の趣向はこれを踏まえている。

『古今集』の序に、「高砂・住之江の松も相老のやうに思し、松虫の音に友をしのぶ」といへる　『古今集』仮名序に、「松虫の音に友を偲び、高砂・住の江の松も、相生の様に覚え」とある。

紅絁の伏組して　紅絁は紅い縮みの糸。三番の洲浜台の図参照。

五葉の枝　五葉は五葉松の略。ひとつのガクから針状の葉を五本出している。『源氏物語』初音巻に「えならぬ五葉の枝にうつる鶯も思ふ心あらんかし」。

序のことば　『古今集』仮名序の一節。

葦手　葦手書き。文字を葦などになぞらえて絵画的に書くこと。ここでは『古今集』仮名序の一部を葦手書きに刺繍した。

由ばみて　由緒があるように振る舞って。

よせ　歌学用語。歌に出てきた語に、関係ある語を添加して、一首の構成を緊密にすることで、多くは縁語を指す。藤原為家の『詠歌一体』（一二七五年頃）では、「歌にはよせあるがよき事　衣には、たつ、きる、うら。舟には、さす、わたる。橋には、わたす、たゆ」という。

論なう　「論なく」の変化した形。いうまでもなく。

惜しみ顔　惜しそうな顔。惜しんでいる様子。

きよらに　気品があって美しいこと。

季鷹ら　季鷹は一番に既出。↓人物解題参照。「ら」は謙遜。「憶良らは今は罷らむ子泣くらむそれその母も吾を待つらむぞ」（『万葉集』、三三七、山上憶良）。

道　ここでは歌の道。歌道。

番　二つ以上の人・物が組み合っていること。またその組。

方人　「かたひと」のウ音便。歌合などで、左右の二組に分かれて勝負を争う時の、一方の組の人々。

衆議　衆議判。歌合用語。歌合において、歌の優劣の評定を、左右の方人が議論して結論を出すこと。

良き持　左右両方の歌が、水準以上で、勝負をつけがたい場合の評語。

作り物の趣向

左は、地肌のままの木材の洲浜に、生きた鈴虫の入った虫籠を置く。その虫籠の上には、絵によれば銀で作った菊の花の挿頭（後出のように『栄花物語』によるか）を挿し、その上から金色で千蔭の歌「の花／かさしに／せんと／立よれは／をしむに／にたる／鈴むし／の声」が葦手書きに刺繍されている緑色の薄い絹織物をかける（**図⑨**）。刺繍の和歌は、第一句「菊の花」とあるべきところを、「の花」のみとしている。これは、文字としての「菊」を入れない代わりに、作り物の菊でこれを表現したものである。この、挿頭の上に、歌を刺繍した覆いをかけるという趣向は、千蔭が、『兼盛集』の詞書「御かざしのおほいにぬへる」（前出）に倣ったものである。千蔭の歌さながらに、生きた鈴虫の鳴き声は、あたかも虫籠の上の菊の花が折られるのを惜しんで鳴くように聴こえる工夫がされている。菊の花の挿頭を銀で造った例は、『栄花物語』に「挿頭の花ども黄金、銀の菊の花を造りて、この君達かざしたり」（『栄花物語』御賀）とある。なお大東急本には、葦手書きの刺繍は描かれていない。

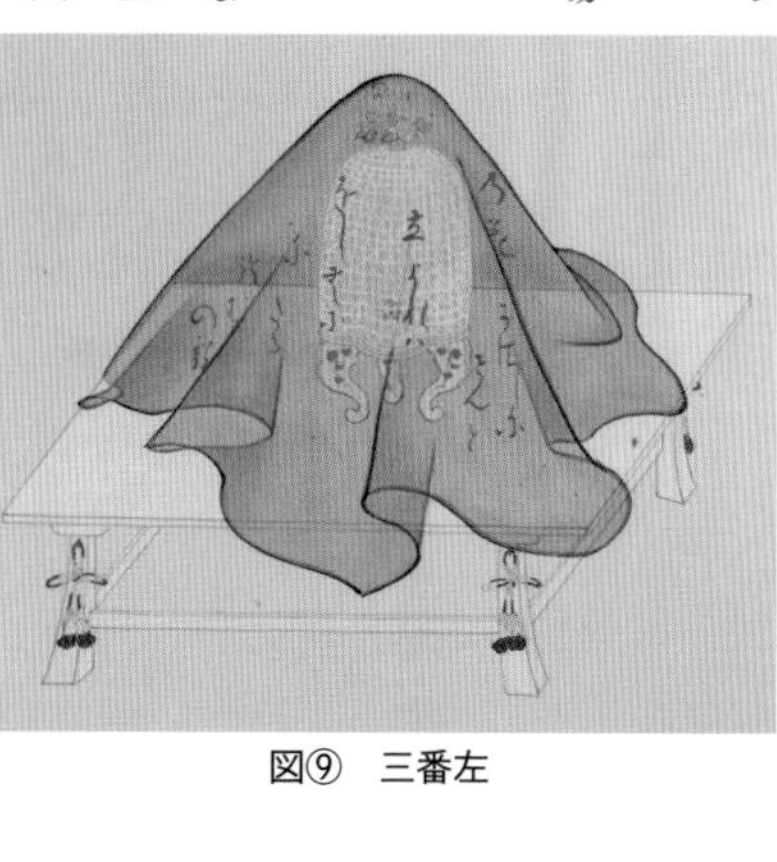
図⑨　三番左

右は、洲浜に白茶色の市松模様に蝶花形紋の布を張り、「相老の」「やうに」「おほえ」と金糸で三行に葦手書きの刺繍を施し、その左に「五葉の松の枝」そのものを置き、『古今集』仮名序の「高砂・住の江の松も、相生の様に覚え」を表現し、長寿の祝意を示した。その左に、「友を」「し

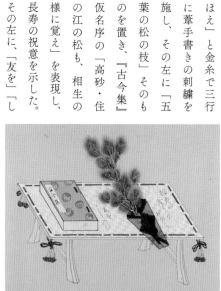

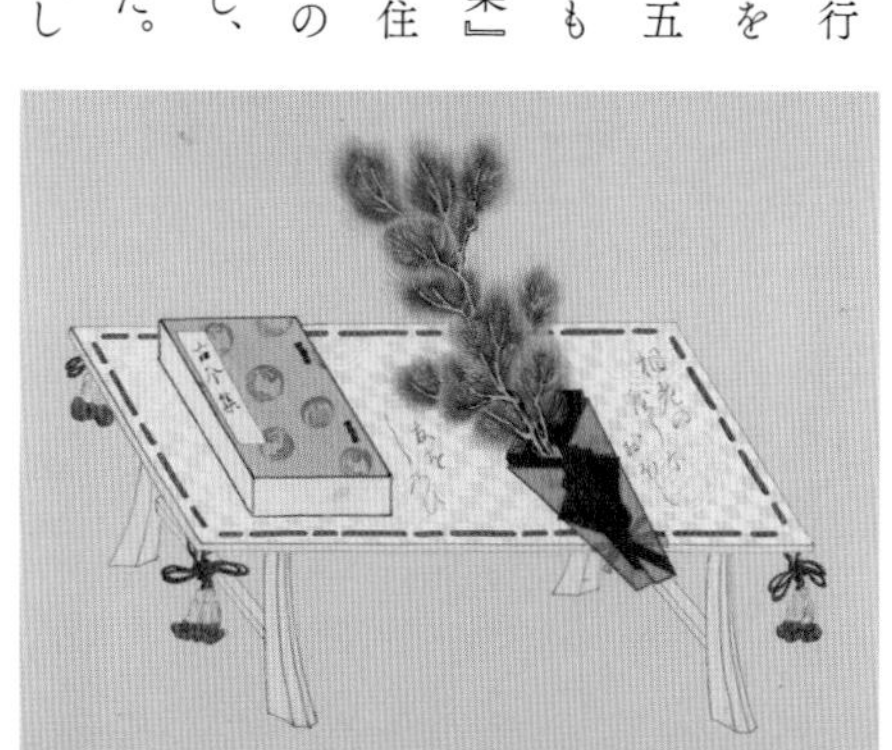
図⑩　三番右

のひ」と金糸で葦手書きの刺繍があり、さらに左に『古今集』の和本の形をした虫籠が置かれ、その中で松虫が鳴いている（図⑩）。これらは仮名序の文言の「松虫の音に友をしのび」を示している。五葉の松の枝は、子の日の小松引きの情景を描いた『源氏物語』初音巻の「五葉の枝」をかすめてもいる。正月の初めの子の日、源氏が明石の姫君の御方に渡ると、女童や下仕えの女などが、御前の築山の小松を引いて遊んでいる。姫君の母で長らく会えないままの明石上から髭籠（ひげこ）や破子（わりご）が届き、見事な五葉の松の枝には鶯が止まっている作り物もある。明石の上は「年月をまつにひかれて経る人に今日鶯の初音聞かせよ」（小松ではないけれど、年月を待つ子の日のあなたにお逢いする日を待っている私に、せめて今日は鶯の初音のような、年の初めの便りを聞かせてください）という歌を残した。『古今集』を模した和本型の虫籠は、洲浜の趣向が『古今集』（仮名序）の世界であることを示している。

読みのポイント

左歌は、二番歌が五句目に「鈴虫の声」を置いたのと同じく五句目に「鈴虫の声」を置き、右句は二番歌五句目の「松虫の鳴く」を尻取り風に受けて「松虫の鳴く」を冒頭に置く。このように前の番の何らかの要素を次の番が受け継ぐ形になっている例が多く見られる。

右歌は、長寿のシンボルである菊を挿頭するために折ろうと人が近づいてきたのを、虫が惜しむかのように鳴いているというのだが、「惜しむに似たる」と判断したのは、折ろうとした人間であり、「虫の音にはっとして鈴虫を思いやる人」の心を詠んでいると読むべきであろう。

右歌は、正月の宮廷行事である小松引きを想起させ、松虫の音（ね）にひかれると、松の根（ね）をひくという、「ね」と「ひく」の語の二重性が、春と秋とのイメージを重ねる結果となった。ここには『源氏物語』初音巻の正月子の日の情景がかすめられている可能性がある。注で指摘したように、洲浜に置かれた五葉の松の枝が、初音巻に出るからである。同巻で明石が源氏に呼びかける歌「年月をまつにひかれて経る人にけふ鶯の初音きかせよ」の「鶯」に対して、景雄は「松虫」を配したのである。

虫（作り物）の判者である千蔭の左の作り物評は、自作自評ということになる。薄物の覆いは、平兼盛が「大入道の御賀」

に「挿頭の覆いに歌を縫った」ことに拠ったことを指摘した。一方、右の作り物についても『古今集』仮名序を踏まえていて、松虫に寄せていることが明白だと指摘し、左（自分）の作り物が鈴虫に寄せられなかったことから、負けは当然だと認めている。一番の季鷹と同様、千蔭が判者でありながら和歌と作り物で参加するのは、物合としては異例で、しかも「おのれ、こたびこそ勝ためと思ひほこれしを」などと韜晦しているのは、仲間内への受けを狙ったユーモアであろう。

歌の判者である季鷹の判詞は、「季鷹ら」（「ら」は謙称）歌の道（を学ぶ者）にとってこれ以上の幸福はない、という一方で、自分の判で左右の歌人の恨みを買うのも嫌なので、衆議に任せますなどと、千蔭の判詞の韜晦的な調子を受け継いだユーモアであろう。この番が、千蔭と景雄という江戸歌壇の有力者同士の対戦であることとも関わりがあろう。

四番

【校訂本文】

四番

左　　忠順

鷹の尾のならしばがくれ鈴虫のふり出(い)でてなく夕暮の声

右　　元著

虫の音(ね)はあはれも深し葛飾(かつしか)の隅田川原(すみだがはら)の秋の夕暮

左、黄金(こがね)の網を鈴のかたにして虫を住ませ、鈴板のかたちに作れる台にのせ、錦(にしき)の打飼袋(うちがひぶくろ)に歌を入れたり。鷹の具(ぐ)もてとりよろへられたるなん、ますらをめきて、しかもみやびたり。右、「鳴きかはす秋の寝覚めは虫の音も枕の露も涙なりけり」といふ『新千載集』の歌の心ばへして、虫籠は枕のかたせり。その枕は、東大寺にあなる、御倚(より)掛枕(かかりまくら)の錦の綾(あや)を、縫はせたり。それに秋の草を添へたるは、いとはなやかにて、左にをさをさまさりぬべくおぼえ侍り。

左の歌、「鷹の尾のならしばがくれ」など、おかしく続けられたり。右も、「隅田川原の秋の夕暮」、艶(えん)ならぬには侍らねど、「虫の音」の「あはれ」とのみいひては、虫の声いささかかすかにや侍るべからむ。「ならしばがくれの鈴虫」、「ふり」捨てがたくや。

【現代語訳】

四番

左　　　　　　　　　　　　　　　忠順

鷹の尾の鳴羽に隠して取り付けた鈴のように、楢の小枝に隠れている鈴虫が、鈴を振るがごとく声をふりしぼって鳴き出す、夕暮れの鳴き声だ。

右　　　　　　　　　　　　　　　元著

虫の鳴き声は、情緒も深く感じられる。葛飾の隅田川の川原の秋の夕暮れであるよ。

左の作りものは、黄金の網を鈴の形にして虫を住ませ、それを鈴板の形に作った台に乗せ、それとは別に錦の内飼袋に和歌を入れてある。鷹狩りの道具をとりそろえて飾り整えている点は、勇敢で堂々たる男児を彷彿とさせるようであり、しかも風雅である。右の作りものは、「鳴きかはす秋の寝覚めは虫の音も枕の露も涙なりけり」という『新千載集』の歌の趣意で、虫籠は枕の形としている。その枕は、東大寺にあるという、御倚掛枕に使用されている錦の綾を、縫わせている。それに秋の草を添えているのは、大変はなやかであり、左方にはっきりと勝っているものと思われる。

左の歌は、「鷹の尾のならしばがくれ」と詠むなど、趣深く続けている。右の歌も、「隅田川原の秋の夕暮」という部分は、優美な風情でないというわけではないが、「虫の音」が「あはれ」であるとだけ詠むのでは、虫の声の表現としては少しもの足りないのではないか。左の歌の「ならしばがくれの鈴虫」という表現は、和歌に「ふり」とあるように、鈴を振るごとくふり捨てることが難しいのではないか。

【注釈】

忠順　宇野忠順。一橋家近習。→人物解題参照。

鷹の尾のならしばがくれ鈴虫のふり出でてなく夕暮の声

「鷹の尾」とあるのは、放鷹の際に、鷹の居場所を知るために鷹の尾に鈴を取り付けたためである。当該歌では、植物の「ならしば（楢柴）」と、鷹の「鳴らし羽」が掛けられていると判断され、「ならしば（楢柴）」は、小楢(こなら)の異名とも、柴の小枝の意ともされ、「ならしば（鳴らし羽）」は、鷹の尾羽をさす。「ならしば」という歌語は、『万葉集』三〇四八番歌や、その異伝歌である『新古今集』「みかりするかりはの小野のなら柴のなれはまさらで恋ぞまされる」（恋歌一、一〇五〇、題知らず、人麿(ひとまろ)）など、古くから鷹狩のイメージと結びつくものであったと把握される。鈴木淳によると、鷹の尾に付けられた鈴の音と、鈴虫の音とを重ねる詠歌方法は、『永久百首』の源顕仲(みなもとのあきなか)「すずむしの声をすずかと聞くからに草とるたかぞ思ひしらるる」（三二三、鈴虫）以来のこととされる。▼1 伝二条良基(にじょうよしもと)『鷹詞連歌(たかことばれんが)』の「雪に竹よるおれけなる音のして／木にはあらざる鷹のならしば」（六九・七〇）などは、明確に鳴らす羽根の意味を含んだものであり、その証左となる。▼2 当該歌の「ならしばがくれ」は、判詞で「おかしく続けられたり」とあるように、ほぼ作例がない。ここでは、ひとまず「楢の小枝に隠れている」と訳したが、音をたてる意の「ならす」が掛かるかどうかについては、なお検討が必要である。

「ふり出でて」は、声をふりしぼるの意で解され、鈴を「振る」の意も掛けられている。この参考歌としては、「秋ふかき夜さむの霜もふりいでて鳴くよりよわるすずむしのこゑ」（『延(えん)文百首』、三一四九、虫、二条為重(ためしげ)）が挙げられる。当該歌の**本歌**は、三条西実隆(さんじょうにしさねたか)の「夕日かげとやまのすゑのくれなゐをふりいでてなくすずむしのこゑ」（『雪玉集(せつぎょくしゅう)』、七一〇八、夕虫）か。なお、下の句を「ふり出でてなく鈴虫の声」とする和歌は、三条西実枝（実隆孫）「さまざまの声のうちにも草の原ひとりふりいでてすずむしの鳴」（『三光院詠』、五八一、虫声非一）や松永貞徳「夕附日うつろふ野べはくれなゐのふりいでて鳴く鈴虫のこゑ」（『逍遊集』、一一七七、虫）などあり、これらの詠を踏まえたものとも考えられる。

元著　長田元著。幕府旗本。↓人物解題参照。

虫の音はあはれも深し葛飾の隅田川原の秋の夕暮　「葛飾の隅田川原」は、当歌合が開催されている木母寺が、隅田川のほとりにあったことにちなむ表現。第五句の**「秋の夕暮」**は、三夕の和歌を踏まえたものと思しく、特に「あはれ」の語を用いる点などは、「三夕の随一」とされる（謡曲「西行塚」）、西行「こころなき身にも哀はしられけりしぎたつ沢の秋の夕暮」（『新古今集』、秋歌上、三六二、題しらず、西行法師）を念頭においているか。なお、本歌は「虫のねもあはれぞまさる浅ぢ原なかば過行く秋のゆふぐれ」（『風葉集』、秋下、二九一、だいしらず、袖ぬらすの准后）か。

鈴板　鷹の尾に鈴を取り付ける際に用いる、鈴をとめる板（図⑪）。

打飼袋　旅などの際、鷹や犬、牛馬の餌を入れて持ち運ぶための袋の総称。ここでは、鷹の餌を入れておくための袋。主に布製で、紐でくくり、肩などに下げる。

とりよろへられたる　「とりよろふ」の使用例は、『万葉集』に「大和には　群山あれど　とりよろふ　天の香具山……」（二、天皇、香具山に登りて望国したまふ時の御製歌、（舒明天皇））とあるのみで、他には見られない特異な語である。そのため、語意についても諸説があり、とり装うの意、身を固めるの意、たよるの意などさまざまに論じられてきた。ここでは、『萬葉集略解』に「トリヨロフは、取は詞、ヨロフは山の形の足り整へるを褒め給ふなり」とある千蔭の理解を踏まえ、とりそろえて飾り整える、とした。

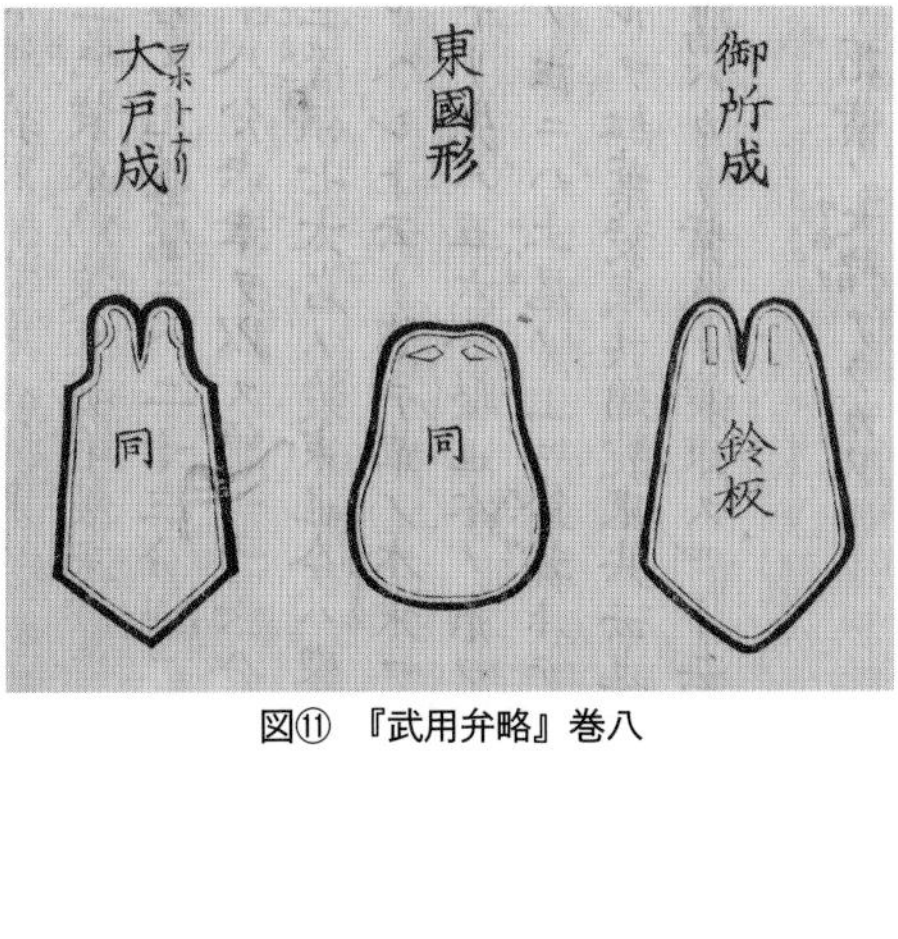

ますらをめきて　「ますらを」は、尊敬すべき立派な男子、

図⑪　『武用弁略』巻八

勇敢で堂々とした男子の意。上代から使用され、『万葉集』に多く用例が見られる。**「めく」**は、そのような状態に似ている、そのような雰囲気がある、の意。

鳴きかはす秋の寝覚めは虫の音も枕の露も涙なりけり　『新千載集』の大江宗秀の歌（秋歌下、四八五、題しらず）。歌意は、「（私も虫も）なき交わしている、（そのような中で目を覚ました）秋の夜の寝覚めは、鳴いている虫の音が聞こえることにも、（人から飽きられた）自分の枕が秋の露が結んだように濡れていることにも、どちらも涙を流してのことだとわかるのだなぁ」である。当該右歌には「なく」の語は見えないが、「あはれも深し」においてその要素を組み入れている。この和歌を出典として、右方の作り物は、枕の形をなしたものとなっている。

東大寺にあなる、御倚掛枕の錦の綾　正倉院宝物の「紫地鳳形錦御軾」（北倉47）のことか（図⑫）。綾を縫わせたとある通り、文様をも反映させている。当該の文様は複数の文献で確認でき、また作り物の文様が鳳凰一羽のみである点を考え合わせると、当該宝物を直接見て製作したものではないと判断される。[3] ホノルル美術館蔵『正倉院御宝物絵図』や国立歴史民俗博物館所蔵『聆涛閣集古帖』（図⑬）などには、鳳凰一羽を描く倚掛枕も見え、枕の形状も似ていることから、作り物の製作にはこういった類いの典籍を参考にしたと考え

図⑫　「紫地鳳形錦御軾」

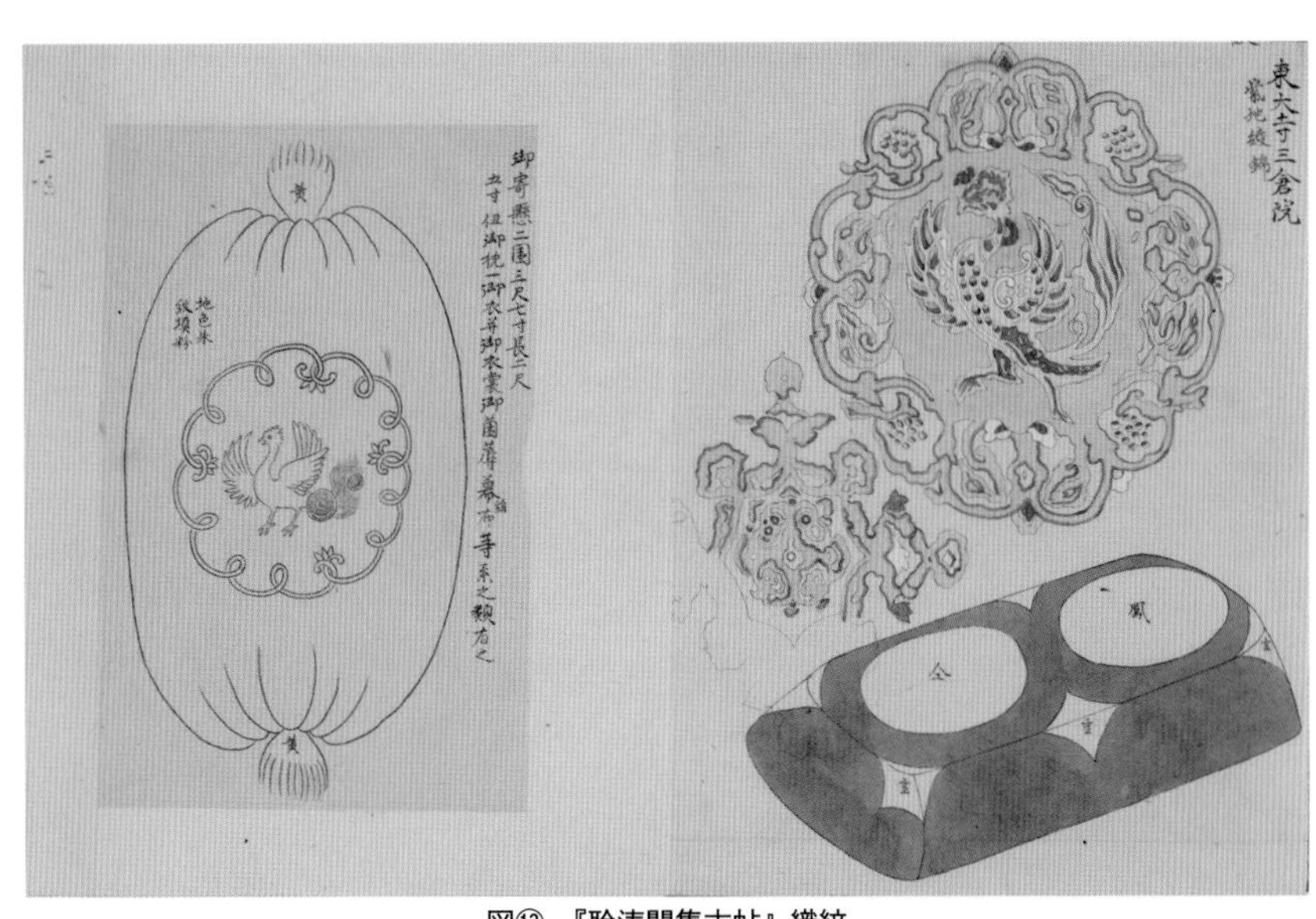

図⑬　『聆涛閣集古帖』織紋

られる。もしくは現存しない別の倚掛枕があった可能性もあろうか。

なお、永禄十年には五代将軍綱吉によって東大寺大仏殿が再建されており、幕府と東大寺とのつながりを意識しての意匠とも捉えられようか。鳳凰が鳥類の王者である点とも関わろうが、現段階では触れるに留めておく。

艶　歌学用語。中世歌学における美的理念のひとつであり、優雅であでやかなことに対する感動や、深い余情美を指す。藤原俊成が強く主張して以来、和歌における理想美のひとつとして重視されるようになった。「歌はただよみあげもし、詠じもしたるに、何となく艶にもあはれにも聞こゆる事のあるなるべし」（『古来風体抄』）。

作り物の趣向

左の作り物は、鷹狩の道具にちなむ趣向である（図⑭）。判詞にあるように、鈴板の形をした台の上に、鈴の形をした黄金製の虫籠と、和歌を入れた打飼袋を置く。打飼袋には鶴の文様が施されていたことがうかがえる。鶴は、鷹狩の獲物であり、また寿ぎの要素もあろうか。和歌の内容とともに、鷹狩尽くしでまとめあげると同時に、鈴板や鈴の虫籠といった、鈴の要素をかなり打ち出したものとなっている。

右の作り物は、秋草とともに、枕が置かれ、枕には五色の糸によって鳳凰の文様が施されている（**図⑮**）。枕の形状については、ぶりぶり（振々）を想起させるとの門脇むつみの指摘がある[▼4]。鳳凰の文様については、典

図⑮　四番右

図⑭　四番左

拠や使用の意図など、さまざまな可能性が考えられるため、今後の詳細な検討や解明を待ちたい。台の意匠についてもは不明であるが、こちらも何らかの趣向があろうか。作り物そのものとしては、『新千載集』の和歌にちなむものであり、当座の和歌を直接的に表現したものではない。秋に鳴く虫と、秋のもの悲しさとを、枕を介することによって抽象的に示した趣向と言える。枕に添えられている萩は女性を喩えたものであり、枕に松虫（待つを想起する虫）を入れて鳴かせることによって、男を待つ女が枕で泣きぬらす様子を表現したもの、と捉えられる。

左方の作り物が鷹狩にちなむ男性的な面を強く意識させているのに対し、右方は待つ女という典型的なモチーフを観念的に表出させている。作り物の判詞では「はなやか」である点が右の勝ちの理由として示されるが、これは宮中や王朝文化が華やかで優雅なものであるという認識や憧憬を持っていたことを示唆しよう。

読みのポイント

四番の詠者は、両者とも武家の人物である。両名とも『隅

田川扇合』『後度扇合』にも参加しており、盛田帝子は「高い教養を持った荷田派古学の人々」▼5とする。左方は、和歌も作り物も、武家の嗜みである鷹狩を強く前面に押し出した趣向となっている。これは、木母寺が鷹狩と深い関わりを持っていたことによる。木母寺の境内には、三代将軍家光によって建てられた隅田川御殿があり、鷹狩の際にはしばしば貴顕の休息所として使用されていた。鷹狩は生類憐れみの令によって一時禁止されるが、その後八代将軍吉宗によって復興された。当該の虫合が行われた時代には、鷹狩の名所として認識されていたと思しい。判者もその趣向を理解した上で、「とりよろふ」「ますらを」といった、主に上代に使用された語彙を用いつつ、武家の本質である武勇を古来から続くものとして賞賛するかのような判詞となっていよう。もっとも、木母寺には初代将軍家康もたびたび寄進を行っており、将軍家とのつながりが強いこともあるため、ここでの左方は幕府への讃美を含めていよう。

和歌としては、夕暮を詠むという点で、具体的な詠歌内容は対比的ではあるものの、故実として古来伝わるものを詠むという点では共通性が見えようか。木母寺から見える夕暮れを受け、著名な三夕の和歌を踏まえながら、江戸の新たな名所を作り出そうとする姿勢も見られようか。また、作り物の趣向としては、左方が鷹と鶴、右方が鳳凰と、鳥の対比になっていることも注目されよう。用いられたそれぞれの文様については、なお検討の余地を残すため、今後のさらなる検討が待たれる。

和歌や判詞において、この対比には触れられていないが、花鳥風月の意図が反映された上での「鳥」の番であったと考えることも可能であろう。

▼注

1 鈴木淳『『十番虫合』と江戸作り物文化」(『橘千蔭の研究』、ぺりかん社、二〇〇六年)。

2 大坪舞氏の御教授による。

3 詳細は、本書所収の門脇論考を参照のこと。

4 前掲3。

5 盛田帝子『近世雅文壇の研究』(汲古書院、二〇一三年)。

五番

【校訂本文】

五番

左　　　　　　　　　　　　　総幸

千種咲くなるみの野辺の鈴虫は汝がふるさとか錦着て鳴く

右　　　　　　　　　　　　　芳充

住み捨てし浅茅が原の夕露に思ひ乱れてまつ虫や鳴く

左は、橘為仲、陸奥国の任果ててのぼるとて、尾張国鳴海野にて、「ふるさとに変はらざりけり鈴虫のなるみの野辺の夕暮の声」とある歌の心ばへにして、掘りたる萩を添へて、歌は幣袋に入れたり。右は、『浅茅が露』の尚侍、身の有様を絵に書きたりけるに、夕べながめたるところに、「夕暮れは蓬がもとの白露に誰とふべしとまつ虫の声」といふ歌書きたりける心ばへにて、巻物に女のながめたるさま、絵書きて、軸を虫の籠にせり。左右ともにいづれもおかしければ、持にぞ定めける。

左は、ことばを労らずして、「故郷の錦」といへる故事をめづらしう思ひよせられ、右も、すがたなだらかに幽玄なるさまなれば、判者もとりどりに思ひ乱れ侍れど、「浅茅が原の夕露」、今少し深くや侍らむ。

【現代語訳】

五番

左　総幸

いろいろな草花が咲く鳴海の野辺で、鈴が鳴るように身をふるわせて鳴く鈴虫は、おまえの故郷なのか。千種の錦を着て鳴いていることだ。

右　芳充

離れた人が住んでいた浅茅が原に置く夕方の露に、思い乱れて離れた人が帰ってくるのを待って松虫が鳴くのだろうか。

左の作りものは、橘為仲が陸奥国の任務を終えて都に上るといって、尾張国鳴海野で、「故郷に変わらないことだ。鈴がなるように、鈴虫の鳴く鳴海の野辺の夕暮れに響く、鳴き声であることだ」とある歌の趣向で、掘った萩を添えて、歌は幣袋に入れた。右の作りものは、『浅茅が露』の尚侍が、自分の様子を絵に書いた際に、夕方にぼんやりと物思いにふけっている箇所に、「夕暮れになるとよもぎの生い茂った所に白露が置く、そのような荒れたところに、いったい誰が訪れるのだろうかと思うくらい、人の訪れを待つ松虫の鳴き声が聞こえる」という歌を書いた趣向で、巻子本に女のぼんやりと物思いにふけっている様子を描き、その巻子の軸を虫の籠にした。左右ともに、どちらも優れているので、引き分けに決めた。
左の歌は、ことばに凝らずに、「故郷の錦」という故事を目新しく連想され、右の歌も、姿がなめらかに上品で優雅な様子であるので、判者もさまざまに思いが乱れましたが、「浅茅が原の夕露」の歌の方が、今は少し趣が深いと判断されるでしょうか。

【注釈】

総幸　大山総幸→人物解題参照。

千種咲くなるみの野辺の鈴虫は汝がふるさとか錦着て鳴く　**「千種」**は「千草」とも。千の種類の意味で種類の多いこと。色々。また色々の草の意。『貫之集』（陽明文庫本）に「秋の野の千ぐさの花は女郎花まじりておれる錦なりけり」（三四六）。**「なるみ」**は鳴海。尾張国の歌枕。「鳴海浦」「鳴海潟」「鳴海の海」「鳴海の野辺」と詠まれた。「なるみ」の「なる」には鈴の「鳴る」を効かせる。千蔭の判詞にあるように、橘為仲の「陸奥の国の任果てのぼり侍りけるに、尾張の国の鳴海野に鈴虫の鳴き侍りけるをよめる／ふるさとにかはらざりけり鈴虫の鳴海の野べのゆふぐれのこゑ」（『詞花集』、秋、一二一）を踏まえる。なお、『連珠合璧集』十八、虫類の「すずむし」の寄合語のひとつに「なるみがた」を挙げる。**「汝」**は対称の人称代名詞。目下の者や親しい者への呼びかけに用いる。「近江の海夕波千鳥汝が鳴けば心もしのに古思ほゆ」（『万葉集』、二六六、柿本人麻呂が歌一首）とあるように動物や植物を人格化して呼びかける場合がある。『古今集』にも「郭公ながなくさとのあまたあれば猶うとまれぬ思ふものから」（夏、一四七、よみ人知らず）とある。**「錦着て鳴く」**は、『漢書』の「朱買臣伝」の「衣錦還郷」の故事を踏まえる。その説話を翻訳した『唐物語』十九話には、「錦を着て古里に帰るといふこの人の事なり」とある。『世話重宝記』（一六九五）に、「錦を衣て故郷にかへる」。「千種」と「錦」と「故郷」を含む先行歌として、「秋旅／わけて行く千種のにしききてもみむかへらん程を思ふ故郷（『後十輪院内府集』、

一四二七、中院通村）がある。この故事成語を踏まえ、鈴虫が千種という錦を着て鳴いているので、鳴海はおまえの故郷なのかと問うているのである。

芳充　↓人物解題参照。

住み捨てし浅茅が原の夕露に思ひ乱れてまつ虫や鳴く　「浅茅か原」は、浅茅の生えた荒れ果てた野原。謡曲「隅田川」の末尾に「わが子と見えしは塚の上の、草茫々としてただ、しるしばかりの浅茅が原と、なるこそあはれなりけれ、なるこそあはれなりけれ」とあるのに引かれた。ここでは、現在の台東区橋場あたりにあった江戸の原野のことも意識している。『江戸名所図会』（図⑯）には「浅茅原　総泉寺大門のあたりをいふ」とある。当歌合の催しのあった木母寺に近く、梅若伝説で知られる梅若丸の母妙亀尼の墓の妙亀塚もここにあった（巻六）。この歌の参考歌としては、「人とはぬあさちがはらの秋風にこころながくもまつむしのなく」（『続後撰集』、三八二、土御門院御製）、「住みすてて人めかれにし浅茅生にたがならはせる松むしの声」（『和歌所影供合　建仁元年八月』、一三九、長明）などがある。

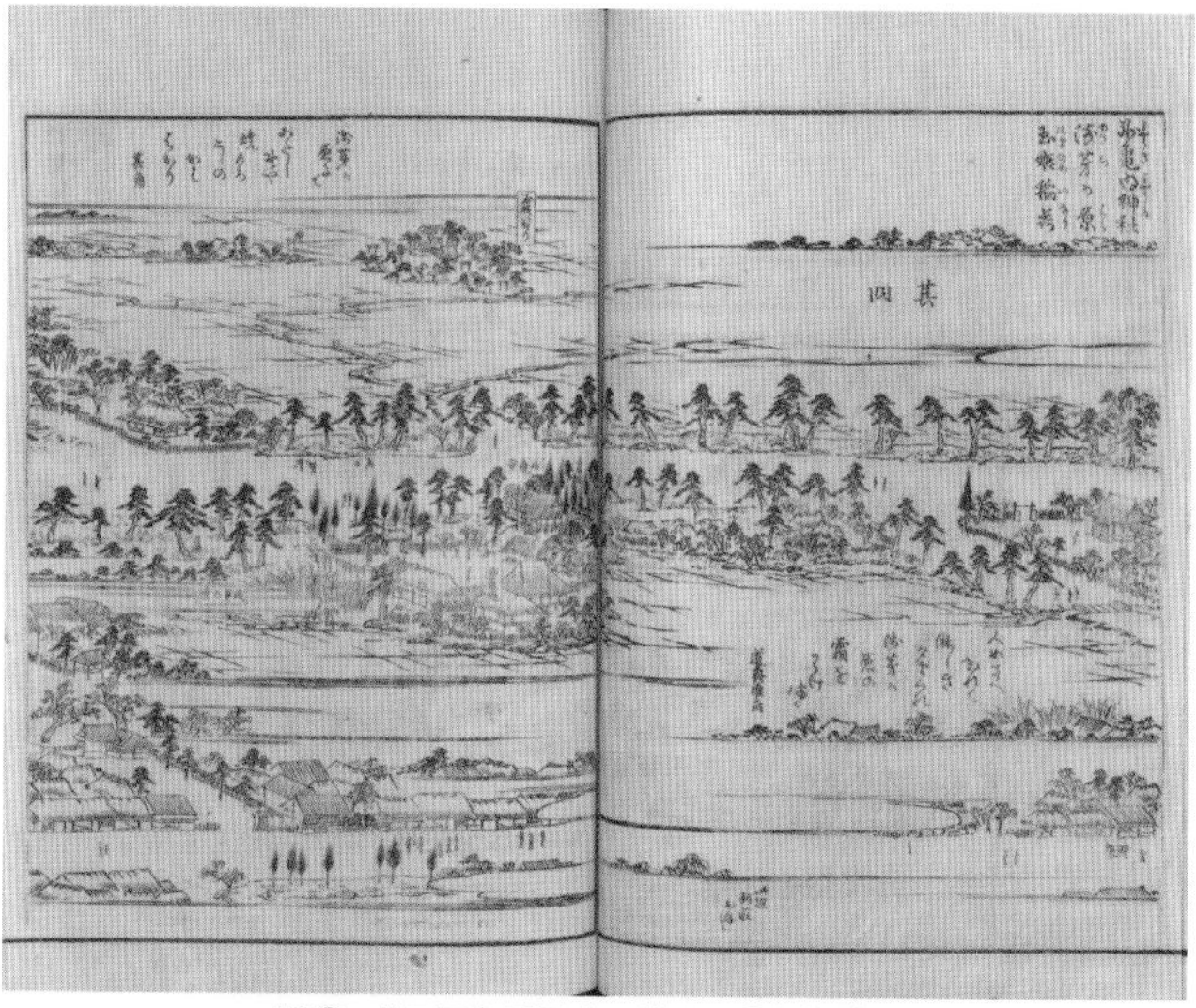

図⑯『江戸名所図会』巻六「浅茅が原」

橘為仲　平安時代の歌人。生年未詳～応徳二年（一〇八五）。蔵人・陸奥守・左衛門権佐・太皇太后宮亮などを歴任し、正四位下となった。和歌六人党の一人。後冷泉天皇皇后四条宮寛子や藤原頼通、橘俊綱のもとに出入りした。能因・相模らに師事し、多くの歌人と交友をもった。家集に『橘為仲朝臣集』がある。『後拾遺集』をはじめとして勅撰集に十二首入集。陸奥守として陸奥に赴任し、宮城野の萩を持ち帰った逸話は有名。次項参照。

掘りたる萩を添へて歌は幣袋に入れたり　「**掘りたる萩**」は、為仲が任国陸奥から帰る際に萩の名所宮城野で萩を掘り返し、長櫃に入れて持ち帰った話、「此為仲、任果てて上りけるとき、宮城野の萩を掘り取りて、長櫃十二合に入れて持て上りければ、人あまねく聞きて、京へ入りける日は二条の大路に是を見物にして、人多く集まりて、車などもあまた立てたりけるとぞ」（『無名抄』）を踏まえる。「**幣袋**」は幣を入れる袋。旅の安全祈願のため道祖神に捧げる幣を入れて携帯する。

『浅茅が露』の尚侍　『**浅茅が露**』は鎌倉期成立の擬古物語。伝本は天理大学附属天理図書館所蔵のみの孤本。末尾本文は欠。鎌倉時代の物語秀歌撰集である『風葉集』には歌十首が掲載されている。千蔭は同書の「身の有さまをゑにかきたりけるに、夕べながめたる所にかきつけ侍りける　浅ぢが露の尚侍／夕ぐれはよもぎがもとの下露に誰とふべしとまつ虫のこゑ」（秋下、二九八）から引用した。この詞書と和歌は現存『浅茅が露』では、「（前略）夕月夜の空をながむる女房描きたる所に、／夕暮れは蓬がもとの白露に誰訪ふべしとまつむしぞなく」となっていて、『風葉集』と一部本文が異なる。「**尚侍**」は女官。内侍司の長官。ここでは同物語のヒロインに当たる姫君で、末尾の散佚部で、最終的には帝の寵愛を得る身となるものと思われる。▼1

身の有様を絵に書きたりけるに、夕べながめたるところに　前項に引いた通り『風葉集』の引用。「**夕べながめたるところに**」は、屏風歌などを勅撰集に収録する際などに出てくる表現で、「夕べにぼんやりしている様子を描いた絵の余白に（和歌を書いた）」の意味。

夕暮れは蓬がもとの白露に誰とふべしとまつ虫の声　これも前引の『風葉集』の引用だが、『風葉集』諸本では「白露に」ではなく「下露に」とある。▼2「白露」の語は『浅茅が露』に一致しているが、詞書を含め、全体としては『風葉集』に近いので、千蔭はやはり『風葉集』に拠ったのであろう。

ことばを労らずして　言葉に凝らずに。「**いたはる**」は、「あれこれ気を遣う。骨を折る」の意。貞徳の『戴恩記』には「万葉の歌に似せよと有とて、万葉のごとく詞をいたはらずによむと（定家は）教たるにはあらず」とあり、マイナス評価と見なせるが、季鷹の判詞はプラス評価であろう。

すがた 歌学用語。一首の表現の様相。「さま」「風体」「体」などとほぼ同義。歌合の判詞では、心と詞に分けられない一首全体のあり方を示すことがある。

幽玄 歌学用語。思想などが深遠で容易にはうかがい知れないことを意味する漢語を和歌批評に用いたもの。藤原俊成(しゅんぜい)は、西行の「心なき身にもあはれは知られけり鴫立つ沢の秋の夕暮れ」の歌を、「心幽玄に、姿及び難し」と評した(『御裳濯河歌合』)。また『正徹(しょうてつ)物語』では、「幽玄と云ふ物は、心にありて詞にいはれぬ物なり。月に薄雲のおほひたるや、山の紅葉に秋の霧のかかれる風情を、幽玄の姿とする也」と説明している。

とりどりに思ひ乱れ侍れど 右歌四句目の「思ひ乱れて」を受けての表現。

作り物の趣向

左の洲浜は、右側に秋草の中に鈴虫の入った虫籠が、左側に幣袋に根を包まれた萩が置かれ、洲浜上に二つの異なる古典空間が作られている(図⑰)。右側は、注釈で指摘した『詞花集』の為仲歌(詞書をふくむ)を典拠とし、為仲が任地であった陸奥国から任務を終えて都へ上る途中の尾張国鳴海野で「故郷に変わらないことだ。夕暮れに、鈴が鳴るように鳴いている鳴海の野辺の鈴虫の声は」(『詞花集』)と詠んだ歌の心を再現すべく、洲浜の上に紫苑・藤袴・薄などの秋草を植えて、草花の中に虫籠を置き、中で鈴虫を鳴かせている。左側は、注釈で指摘した『無名抄』の為仲説話を典拠とし、為仲が陸奥国の任が果てて都に上る旅の途中で、宮城野の萩を掘り取って長櫃十二合に入れて都に上り、二条の大路で見せ物にした話を提示すべく、旅中に携帯する幣袋に、掘り出した萩の根を包んで置いている(千蔭判によれば、幣袋には歌が入っている)。大山総幸は、洲浜の空間を絵巻物に見立て、参加者が視点を右から左に移す

図⑰ 五番左

ことで、為仲が陸奥国を出て都に帰る途中、尾張国鳴海野で鈴虫の声を聴いて故郷を懐かしむ歌を詠み、都に帰った後に、宮城野で萩を掘り取った萩を二条の大路で見せ物にした、時間的空間的推移を表現した。為仲の姿こそ描かれていないものの、異時同図法的趣向が用いられている。

右の作り物は、『風葉集』に引用される、鎌倉期成立の擬古物語『浅茅が露』の世界を再現したもの（図⑱）。巻子に、夕方にぼんやりと物思いにふける姫君（尚侍）の絵を描き、「あさちの露の内侍／たれとふべしと」と和歌の作者名「浅茅の露の尚侍」と和歌の四句目「たれとふべしと」を金泥の文字で描き、続く結句「松虫の声」をあえて文字では表記せず、虫籠となっている巻子の軸の部分から実際の「松虫の声」が聞こえるという趣向で造られている。なお、几帳には秋草が描かれ季節が秋であることも示されている。

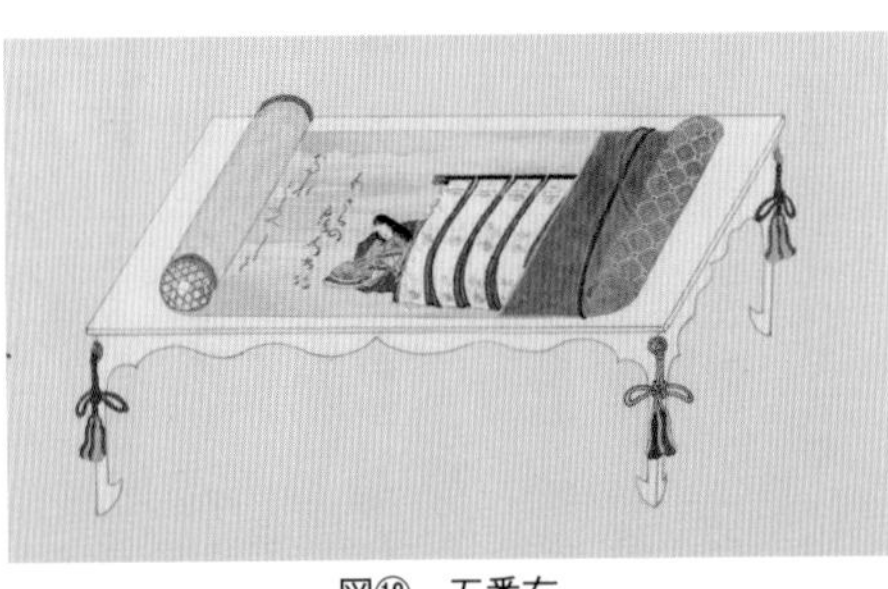

図⑱　五番右

左も右も絵巻物としての見立てを趣向とし、それぞれ出典を踏まえ、参加者が、視覚と聴覚を存分に使って古典の世界を追体験できるような仕組みが施されている。

読みのポイント

右の作り物の鳴海野は「ゆふぐれ」時、左の歌には「夕露」が見られることから、夕方頃に出された番であろう。

なお、左の作り物は、陸奥国の萩で有名な歌枕・宮城野および尾張国の鳴海の野辺を再現したものであり、左の歌は、同じく鳴海の野辺の鈴虫を詠んだものであった。これは、一番左の作者で、陸奥仙台出身・刈谷藩主の土井利徳（どいとしなり）への挨拶の意もあるだろう。

▼注

1　『中世王朝物語全集1　あきぎり　浅茅が露』（笠間書院、一九九九年）解題参照。

2　中野荘次・藤井隆『校本風葉和歌集　増訂版』（友山文庫、一九七〇年）。

六番

【校訂本文】

六番

左　　　　　　　　房子

乱れ葦の乱るる声も鈴虫のふり捨てがたき秋の夜半かな

右　　　　　　　　八十子

女郎花多かる野辺にふりはへて人まつ虫の声しきりなり

左、『元真集』、「昔語らひし人の、年頃ありて、津の国玉坂といふところにありけるを聞きて、まかりあひて、夕暮れに鈴虫の鳴きけるを聞きて、詠める」歌の心ばへにて、白銀もて井堰を作りて、そが中に虫を住ませて、香木もて橋柱作れり。右、『元輔集』、「村上の御時、女房の歌合せさせ給ひて、女房勝ちにければ、八月二十日負態して、糸を結べる籠に松虫鈴虫入れて、女郎花に付けたり」といふをまねびたるが、いとみやびて、左右いづれといはむかたなし。されど「たまさかの鈴虫こそ、その音まされるかたに侍らめ」と人々もいへれば、左を勝ちとせり。

左は、「ふり捨てがたき」といひ、右は「ふりはへて」といへる、とりどりに、げにふり捨てがたう、「女郎花の多かる野辺」は、判者の心も乱れ、「葦の乱るる」におとりまさりをつけ侍らば、あだなる名をや負ふべければ、良き持とこそ、申すべけれ。

【現代語訳】

六番

左　房子

乱れる鳴き声につけても、鈴虫を鈴を振るようにふり捨てがたく思う、秋の夜半であるなぁ。

右　八十子

女郎花の多くある野辺に、ことさらに、人を待って鳴く松虫の、声がしきりである。

左の作りものは、『元真集』に、「昔、親しく語り合った人が、数年たって、摂津の国の玉坂という場所にいるということを聞いて、逢いに行ったところ、そこで夕暮れに鈴虫が鳴いたのを聞いて、詠んだ」とする歌の趣向であり、銀を使用して井堰を作って、その中に虫を住まわせて、香木を使用して橋柱を作ってある。右の作りものは、『元輔集』に、「村上天皇の御代に、女房との歌合を行わせなさって、女房の方が勝ったので、八月二十日に負態を行い、その際に、糸を結んだ籠に松虫と鈴虫を入れて、それを女郎花に付けた」とあることを真似ているのが、大変雅びやかであって、左右のどちらが勝っていると言うことができない。しかし、「今ここで実際に、偶然に鳴いた鈴虫の、その音こそが勝っているというものである」と人々も言うので、左を勝ちとした。

左の歌は、「ふり捨てがたき」と詠み、右の歌は「ふりはへて」と詠むように、それぞれ異なる様相で、本当にふり捨てることが難しく、右の歌のように「女郎花が多くある野辺」では、判者の心も乱れ、左の歌のように「葦が乱れている」状態で和歌の優劣をつけたのであれば、誠実でないとの評判を負ってしまうであろうから、よい持であると、言うべきである。

【注釈】

房子　武家の娘か。季鷹（すえたか）の門人。→人物解題参照。

乱れ葦の乱るる声も鈴虫のふり捨てがたき秋の夜半かな

「乱れ葦の」　の「葦」は、いね科の多年草であり、水辺や湿地に群生する。古来より水辺の景を詠む際に使われる歌語として、多くの和歌でさまざまに詠み込まれてきた。中でも難波津の景は著名である。「みだれ葦」は、平安後期に「葦」をめぐる表現が模索されていく中で作り出された歌語であり、「葦」が乱立して生えるさまを表現したものとなっている。葦が生えている場所で、鈴虫が鳴く詠作例はほぼなく、非常に稀な取り合わせと言える。当歌の「乱れ葦」は「乱れ」を導く序詞として機能している。ただし、木母寺（もくぼじ）周辺の隅田川を描いた絵などには、葦がたびたび描かれる（図⑲）ことか

図⑲　歌川広重「東都名所之内」より「隅田川八景　木母寺秋月」（撮影 Scott Kubo）

ら、この詞は単なる序詞としてだけではなく、この歌合が行われた実際の場・情景を表現したものとも考えられる。作り物に、松と葦が作り込まれている点もまた、同様に実景を反映したものと捉えてよかろう。**「ふり捨てがたき」**の「ふり」は接頭語でありつつ、鈴を「振る」の意を掛ける。この「ふり捨てがたき」は、直前の五番右歌の「住み捨てし」を受けたものか。鈴を振り捨てるように、乱れて鳴いていることを示したか。「ふり捨てがたき」と「鈴虫」が同時に詠み込まれたものは、藤原敏行（?―九〇一もしくは九〇七）の「すずむしの声みだれたる秋の野はふりすてがたき物にぞ有りける」（『玉葉集』、秋歌上、六一四、秋歌とて）や、『源氏物語』鈴虫巻で女三の宮が詠んだ「おほかたの秋をばうしと知りにしをふり棄てがたき鈴虫の声」が古く、表現としてはこれらの作例を踏まえたものと考えられる。

八十子　季鷹の娘。→人物解題参照。

女郎花多かる野辺にふりはへて人まつ虫の声しきりなり

「女郎花」は、おみなえし科の多年草。初秋に黄色の小さな花を密生させて咲かせる。古来より秋の代表的な植物として扱われ、特に女性に見立てられることが多い。その際の女性は、『古今集』「名にめでておれる許ぞをみなへし我おちにきと人にかたるな」（秋下、二二六、題しらず、僧正遍昭）のように、好色なイメージを持つことが特徴である。「女郎花」と「虫」が同時に詠み込まれる和歌は、和歌史においてはあまり多くは存在していない。わずかに残る作例は、ほぼ『古今集』から『後撰集』の時代のものであり、躬恒詠や元真詠などが存在する。松虫との取り合わせであれば、昌泰元年（八九八）に催された『亭子院女郎花合』において、「ながきよにたれたのめけむをみなへしひとまつむしのえだごとになく」（一二、右）が見え、ここには当該右歌と同様に待つ女のイメージが確認できる。なお、和歌では人を待つと詠みつつ、ここでは月を待つこと（虫合が開催されているこの場全体が、月が昇るのを待っていること）をも指していよう。

『元真集』、「昔語らひし人の、年頃ありて、津の国玉坂といふところにありけるを聞きて、まかりあひて、夕暮れに鈴虫の鳴きけるを聞きて、詠める」歌　**『元真集』**は、中古三十六歌仙の一人である、藤原元真（生没年未詳）の家集。提示された詞書は、『元真集』には見えず、『忠見集』に見える。誤認、もしくは誤写か。『忠見集』は、同じく中古三十六歌仙の一人である、壬生忠見（生没年未詳）の家集。該当歌は「むかしかたらひし人のとしころありて、つのくにたまさかといふところにあるにありけるをききつけて、まかりあひて、夕くれにすすむしなきけれは、よめる／たまさかにけふあひみれと鈴むしは昔なからのこゑそ聞ゆる」（一四五）。当該の忠見歌は正保刊本（いわゆる歌仙家集本）によって示したが、この和歌には諸本でいくつか異同が見られ、大きなものであれば第四句に「昔ながらの」と「昔ならしし」との差異が存在する。後述するが、当該左方の作り物には「橋柱」が見られ、その「橋柱」が「昔ながらの」の「長柄の橋」を想起させるものとなっている。この「橋柱」をめぐる趣向も、忠見歌の「昔ながらの」の本文にちなむものであったと解釈すべきである。

「津の国玉坂」　は、摂津国豊島郡の地名。現在の大阪府池田市石橋にあたる。西国街道沿いにあり、同所にあった「玉坂山」は、「待兼山」とともに時鳥の名所であったとの指摘がある。▼1 参考「かたらひしわが恋づまやほととぎすたまさかやまに声のほのめく」（『六百番歌合』、七三三、七番（稀恋）、左、顕昭）。

井堰　水を堰き止めるために川の中に設置された、柵や石組などのこと（図⑳）。和歌では大井川の景として詠み込まれることが多い。参考「すみだ川ゐせきにかかるしら浪のたちかへるべき心ちこそせね」（『堀川百首』、川、一三八〇、師頼）。

橋柱　橋脚のこと。著名なものでは、摂津国の「長柄の橋」があり、『拾遺集』に「葦間より見ゆる長柄の橋柱昔の跡の

図⑳　井堰『増補頭書訓蒙図彙大成』巻二

しるべなりけり」（雑上、四六八、天暦御時、御屏風の絵に、長柄の橋柱のわづかに残れる形ありけるを、藤原清正）の詠が見えるように、平安期では橋柱のみが残った姿を歌に詠み込むことが一般的であった。左の作り物の橋柱は、「ふり捨てがたき」の「ふり」に「古り（経り）」が掛かり、玉坂と同じく摂津の名所である、長柄の橋等を念頭においた上での趣向と判断される。なお、長柄の橋が詠まれる際には、「昔ながら」「思ひながら」といった語と掛けられて用いられることが多い。また、当該左歌は二番左歌「昔ながらの」を踏まえたものか。

『元輔集』、「村上の御時、女房の歌合せさせ給ひて、女房勝ちにければ、八月二十日負態して、糸を結べる籠に松虫鈴虫入れて、女郎花に付けたり」 『元輔集』は、中古三十六歌仙の一人である、清原元輔（九〇九？—九九〇）の家集。『後撰集』の編者として著名。該当歌は「むらかみの御時、五月御かうしんに女房歌合せさせたまひて、女房かちにければ八月廿日まけわざして、いとをむすべるこにまつむしすずむしいれて、をみなへしにつけて侍りしに／をみなへし空にかかりてはふくずはまくるとや思ふ露のわかぬを／また／千代をへてくる秋ごとに聞えなんゆくすゑとほく松むしの声」（七五・七六）。**「負態」**は、相撲・競馬・歌合などの勝負事の際に、敗者側が勝者側に対して行う饗応のこと。歌合の負態は、風流を尽くした美麗な催しである点が特徴。

「たまさかの鈴虫こそ、その音まされるかたに侍らめ」「たまさか」には、先の『忠見集』に詠み込まれた歌枕「玉坂」と、思いがけない機会にめぐりあう意の「偶さか」が掛かる。この番が披講される時に、実際に鈴虫が鳴いたか。その偶然性が評価され、左の勝ちとなった。なお、左方の作り物に見える「葦」「橋柱」「井堰」といった要素は、判詞が典拠として示す元真歌（忠見歌）には出てこないものである。また、左方の和歌が詠む「夕」の要素も、元真歌（忠見歌）には見えない。これらは、典拠から大きく外れる部分であるため、否定的な評価が下されてもおかしくないが、判詞にはそういった見解は示されていない。この点は、当該歌において「たまさか」という点が勝ちの根拠として示されることと、関わろうか。千蔭にとって「たまさか」という点が絶対的な勝因であったために、左方のいたらない部分についてはあえて触れなかったとも考えられようか。

「葦の乱れ」　「葦」に「足」を掛け、「乱れ足」によってしっかりしていない足取りを述べることで、惑乱し正当な判を行えない判者の状況を卑下して述べたもの。

あだなる名をや負ふべければ　「あだなり」は、誠実でなく、浮気なさまを意味する語。「女郎花」とともに使用された場合は、女郎花の花自体が浮気な女のイメージを持ち、そこに通う男も不誠実な恋をする人物として理解されることが、『古今集』以来の伝統的な詠みぶりと言える。ここでの判詞も、『古今集』の「をみなへし多かる野べにやどりせばあやなくあだの名をやたちなむ」（秋歌上、二二九、題しらず、小野美材（おののよしき））や、「花にあかでなに帰るらむをみなへしおほかる野べに寝なましものを」（秋歌上、二三八、寛平御時、蔵人所の男ども、嵯峨野に花見むとてまかりたりける時、帰るとて、皆歌よみけるついでに、よめる、平貞文（たいらのさだふみ））を直接的に踏まえた表現と言える。

作り物の趣向

左方の作り物は、水辺の景を再現したもので、右側には松と水辺の井堰が、左側は川と川辺の葦、川中に残された橋柱が作られている（図㉑）。左方の作り物の判詞には、摂津の歌枕である玉坂が指摘され、作り物そのものには、同じく摂津の長柄の橋を想起させる橋柱や、松や葦によって特徴的に示される難波津があり、摂津を思わせる構成となっている印象を受ける。ただし、井堰が見えることからは、これが川辺の景を模したものと判断される。この歌合の会場である木母寺が隅田川のほとりにあることを踏まえると、実際の隅田川の河畔が踏まえられた作り物と考えられよう。当番の左方は、和歌と作り物とが直接的に連動していない面が多く、注意が必要である。

なお、門脇むつみによると、当該左方の作り物は土佐光祐（とさみつすけ）『栄花物語図屏風』（東京国立博物館蔵）右隻に描かれた、康保三年内裏前栽合の洲浜と似通うものであり、古画・粉本が参

図㉑　六番左

照された可能性が指摘されている。▼2 この『栄花物語』に見られる前栽合では、左方の和歌には松虫が、右方の和歌には女郎花が詠まれる。松虫が詠まれていない点や待つ女をイメージさせる女郎花詠ではない点などの相違からは、この前栽合が当該六番に共通する典拠であったとするにはなお慎重でありたいが、この『栄花物語』に代表されるような平安期の宮廷空間を再現しようとした姿勢は見て取れる。当該左方の作り物に長柄橋の橋柱が作り込まれている点も、こうした具体的な憧憬が反映されたものであり、自分たちが橋柱のように、今はなくなってしまった橋が一部ではあるものの残っている（平安期の宮廷空間が再現され、受け継がれている）ことを意図したものであったと捉えたい。

ちなみに、絵の井堰は、作り物の判詞に「白銀もて」とある通り、銀で描かれている。当番に限ったことではないが、描かれた洲浜は、実物をかなり忠実に再現している可能性が高い。

右方の作り物は、判詞で示された『元輔集』の詞書のように、糸を結んだ虫籠を置き、その上に女郎花を添えたものである。下には、女郎花襲の衣を敷いている（図㉒）。女郎花の襲色目は、『満佐須計装束抄』（国立国会図書館蔵本）に「きなるにあをたて、したにあをきかさね」とあるように、表が経青緯黄、裏が青である。これも、女房の歌合であったという詞書にちなみ、女房装束を意識した趣向である。女郎花に付けられた筒状に丸められたものは、和歌の奉書と考えられ、そこには八十子の詠んだ右歌が書かれていたと推測される。奉書も襲となっている点は、これが女性詠であることとも関わろうか。以上のように、右方の作り物は、和歌同様、女郎花を全面に押し出した作り物となっている。萩や女郎花は秋草を代表すると同時に、どちらも女性を強く意識させる語であるため、当該右方の作り物に女性的な要素、ことさら待つ

図㉒　六番右

女のイメージを反映させているかとも捉えられるが、なお検討の余地を残すか。待つ女に、月を待つ自分たちを重ねたとも考えられる。

読みのポイント

当該の虫合における唯一の女性による番である。両者とも、『元真集（忠見集）』『元輔集』と、中古三十六歌仙の和歌を踏まえた趣向となっているのは、詠者が女性であるという点とも関わろうか。両者とも、和歌、作り物ともに、非常に伝統的な和歌的世界を踏襲したものとなっている。ただし、趣向の性格は両者でまったく異なる。左方が景を具体的に再現した作り物であるのに対して、右方は女郎花がもつ和歌的世界を抽象的に表現している。和歌の判詞において、季鷹が和歌の詞を用いいながら持とする判断を下している点も、当番が和歌的世界を重視した番であったことを示していよう。

また、和歌と作り物を合わせて捉えると、左方が川辺の松と葦、右方は野辺の女郎花と、植物の対という要素も見えてこよう。続く七番が「草」の対となっている点とも合わせて考えるべきか。

なお、当該左歌において、はじめて「夜」を含む「夜半」の語が使用される。「夕」が用いられる語は、二番左・四番左右・五番左右と当番直前まではかなり強調されていたが、当番以降は、七番左歌に「夕露」が一例見られるるものの、ほぼ触れられなくなっていく。時間の推移を考えると、七番右歌には「月もうつろふ」とあるため、おそらくこの六番で日が沈み、月が登場し始めたのではないだろうか。歌合も後半に入るが、前半は夕、後半は夜（と月）といった実際の情景の変化が関与していたものと思われる。

▼注

1　廣川和花・鳴海邦匡「名所「待兼山」の成立―和歌と伝承の近世的受容をめぐって―」（『上方文芸研究』第六号、二〇〇九年六月）。

2　本書所収の門脇論考参照。

七番

【校訂本文】

七番

左　　芳章

思ひ草思ひあればや夕露に声ふり立てて鈴虫の鳴く

右　　正長

更（ふ）くる夜の月もうつろふ秋草の下露深みまつ虫の鳴く

左、四方（よも）に御簾を垂（た）れたる屋に虫を住ませて、竜胆（りんだう）の我（われ）は顔（がほ）に這（は）ひ出（い）でたるさま、おかし。右、「もみぢ葉の散りて積もれる我（わ）が宿（やど）に誰（たれ）をまつ虫ここら鳴くらん」といへる歌の心ばへにて、洲浜（すはま）にもみぢ散りたるさま作りて、楓（かへで）の木立（こだち）をやがて虫籠（むしご）にせり。左右、いづれまさりおとれりともいふべからねば、持（ぢ）とせり。

左は、秋の夕（ゆふ）べのならひ、心なき虫の音（ね）すら、思ひ草の思ひ有（あ）り顔に聞きなしたる心ことばおかしく、右も、「深き夜の月もうつろふ」などいへるわたり、何（なに）となく艶（えむ）に聞こゆれど、しひていはば、松虫のよせ見えわたらねば、左を勝たせ侍るにこそ。

【現代語訳】

七番

左　　　　　　　　　　　　　　　芳章

もの思いがあるからだろうか。夕方に置く露に声をふりたてて鈴虫が鳴いている。

右　　　　　　　　　　　　　　　正長

夜が深くなるにつれて月も移ってゆく。秋草から滴り落ちる露も深いので、松虫が鳴くことだ。

左の作りものは、四方にすだれを垂れた住まいに鈴虫を住ませて、竜胆が得意げな様子で這い出た様子は、風情がある。右の作りものは、「紅葉の葉が散って積もった誰も訪ねる者のない我が家の庭に、いったい誰を待つといって、松虫はこんなにもはなはだしく鳴くのだろうか」という歌の趣向で、洲浜に紅葉の散った様子を作って、楓の木の立っているものをそのまま虫籠にした。左も右も、どちらが優れ、どちらが劣っているとも言えないので、引き分けとした。

左の歌は、秋の夕暮れがいつもそうであるように、風流心のない虫の鳴き声すら、もの思いがあるかのような様子である、と聞きなしている歌の趣向も言葉も風情があり、右の歌も、「深夜の月も移ってゆく」などと言うあたりは、何となく優美に思われますが、あえて言えば、右の歌には松虫に関連することばが見当たらないので、左の歌を勝たせました。

【注釈】

芳章　田中芳章(たなかよしあき)か。装剣金工。↓人物解題参照。

思ひ草思ひあればや夕露に声ふり立てて鈴虫の鳴く　**「思ひ草」**は物思いの種という意の「思ひ種」を「思ひ草」（この場合は竜胆(りんどう)）になぞらえている。「思ひ草」が指すものとしては、ナンバンギセル（『日本植物名彙』〈一八八四〉）、おみなえし（『譬喩尽(たとえづくし)』〈一七八六〉）など諸説あるが、ここでは洲浜にあしらわれていることから竜胆と解すべきである。宗碩の『連歌不審詞聞書(れんがふしんことばききがき)』（宮内庁書陵部本）には巻頭に「思草ハリンタウ也。秋也。龍胆ト書也」とある。**「声ふり立て鈴虫のなく」**の「ふり（振り）」「すず（鈴）」は縁語。**本歌**は『うつほ物語』（吹上・下）、実忠の歌か。東宮はじめ懸想人たちがあて宮に歌を贈る場面で、実忠は、「鈴虫の思ふごとなるものならば秋の夜すがらふり立てて鳴け」（鈴虫がわたしの思うようになるものならば、長い夜の夜通し、わたしの代りに声をふり立てて鳴いておくれ）と詠んだ。「なる」に「鳴る」と「成る」が掛けられ、「鈴」「なる（鳴る）」「ふり（振り）」は縁語である。献上した鈴虫の鳴き声に、わが身の嘆きをよそえた。

正長　奈良正長(ならまさなが)か。装剣金工。↓人物解題参照。

更くる夜の月もうつろふ秋草の下露深みまつ虫の鳴く　参考歌として正徹の「虫の音も夜の草葉もからさずよ有明の月の霜の下露」（『草根集』、三五五九）、藤原家隆の「草の原夜深き霧の下露をわれのみわけて松虫の声」（『壬二集(みにしゅう)』、五二一）らを挙げることができる。

四方に御簾を垂れたる屋に虫を住ませて、竜胆の我は顔に這ひ出たるさま　**出典**は『源氏物語』夕霧巻か。一条御息所の亡くなった後、夕霧が、傷心の落葉の宮を小野に訪れる。時は晩秋。哀愁に満ちた山里の景色が描写される。夕霧は、御簾の奥に居る落葉の宮に会おうと小少将に話しかける。「九月十余日(よ)、野山(のやま)のけしきは、深く見知らぬ人だにただにやはおぼゆる。山風にたへぬ木々の梢(こずゑ)も、峰の葛葉(くずば)も心あわただしうあらそひ散る紛れに、尊(たふと)き読経(どきやう)の声かすかに、念仏などの声ばかりして、人のけはひいと少なう、木枯(こがらし)の吹き払ひたるに、鹿はただ籬のもとにたたずみつつ、山田の引板にも驚かず、色濃き稲どもの中にまじりてうちなくも愁へ顔なり。滝の声は、いとどもの思ふ人を驚かし顔に耳かしがましうとどろき響く。草むらの虫のみぞよりどころなげに鳴き弱りて、枯れたる草の下より竜胆のわれ独りのみ心長う這ひ出でて露けく見ゆるなど、みな例のころのことなれど、をりから所がらにや、いとたへがたきほどのもの悲しさなり」。**「我は顔」**は、自分だけがすぐれているといいたそうな顔つき。得意げな様子。

おかし　「をかし」の意。趣がある。風情がある。なお、「おかし」の表記に留意すべきである。楫取魚彦『古言梯』（明和元年成立、明和五年〈一七六八〉刊）では、「をかし　可咲」とあり、「おかし」の立項はない。賀茂季鷹の『正誤仮名遣』（天明八年〈一七八八〉刊、天明四年安田躬弦跋）では、「をかし」と「おかし」の両方を立項し、「をかし」には「可笑をかしさの義歟　おかしは感ずる心なればかなわくべし（仮名を書き分けるべきである）」と説明があり、「おかし」には「欣感」と説明がある。ちなみに底本ではすべて「おかし」と表記される。「声のかぎりをつくしたる、いとおかし」「おかしからぬには侍らねど、」（以上二番）、「左の歌、「鷹の尾のなら柴がくれ」などおかしくつづけられたる」（四番）、「左右ともにいづれもおかしければ」（五番）、「心こと葉おかしく」（七番）、「いとみやびにおかしければ」（八番）、「作者をおもへばなかなかにおかし」（九番）、「げにふりにたる世の心ことば、ともにあらましうおかし」（十番）である。

もみぢ葉の散りて積もれる我が宿に誰をまつ虫ここら鳴くらん　右の作り物について、虫の判者千蔭は同歌（『古今集』、秋上、二〇三、題しらず、よみ人しらず）を出典とする。紅葉の葉が散って積もった（誰も訪ねる者のない）わが家（の庭）に、いったい誰を待つといって、松虫はこんなにもはなはだしく鳴くのだろうか、の意。**「ここら」**は程度のはなはだしいさま。

やがて　そのまま

思ひ有り顔　いかにも何かありそうな顔つき。もっともらしい顔。わけあり顔。

聞きなす　聞いているものとして扱う。

心ことば　和歌の評語に用いる。歌の内容と用語のこと。

「深き夜の月もうつろふ」　右（正長）の和歌本文は「更くる

夜の月もうつろふ」となっている。諸本異同なし。

艶　四番参照。

よせ　三番注釈（六八頁）参照。

作り物の趣向

左の作り物（図㉓）は、注釈で指摘した『源氏物語』夕霧巻を踏まえているか。夕霧が晩秋の小野に落葉の宮を訪問する場面で、山里の景色を描写した文章、「草むらの虫のみぞよりどころなげに鳴き弱りて、枯れたる草の下より竜胆のわれ独りのみ心長う這ひ出でて露けく見ゆる」晩秋の空間を、洲浜の上の虫籠の鈴虫の声と生命力たくましい竜胆で表現しようとしている。

亡くなった母、一条御息所の喪に服している落葉の宮に会おうと一条の宮を訪れた夕霧は、妻戸のもとに立ち寄り、「なほ、なほ」（もっと、もっとこちらへ）と、御簾の中にいる取り次ぎの小少将を近くに呼び寄せ、御簾越しに喪服の小少将と言葉を交わす。御簾の奥には悲しみに沈む落葉の宮がいる。虫の判者の千蔭が「四方に御簾を垂れたる屋に虫を住ませて」と述べていることから、洲浜の上の御簾仕立ての虫籠

図㉔　七番右

図㉓　七番左

は、御簾越しに夕霧と小少将が言葉を交わすこの場面を出典とし、虫籠の中の鈴虫は、御簾の奥深くに居る落葉の宮を擬人化するための手法がとられたと考えたい。夕霧巻では亡くなった一条御息所の服喪中であるため御簾は鈍色（にび）だが、この虫合の場ではそのような喪を思わせる色を避けたか。洲浜は水色の唐草模様の布を伏せ組で覆っている。

右の作り物（図㉔）は注釈で指摘したように、「もみぢ葉の散りてつもれるわが宿に誰を松虫ここら鳴くらむ」（『古今集』秋歌上、二〇三、題しらず、よみ人しらず）を踏まえている。洲浜の上に、楓の木を作り、紅葉の葉を散らしている。楓の木は虫籠になっており、中では松虫が鳴いている。『古今集』二〇三の「紅葉の葉に埋って、誰も訪ね手のないわが家の庭であるが、降るように鳴く松虫は、いったい誰を待つとて鳴くのだろうか」という、誰も訪ね手のない閑寂な住いに、松虫だけが人待ち顔に鳴いているという世界観を洲浜の上に再現している。楓の木の周囲には紫苑などの秋草を生やすなど、凝った作りになっている。

左の作り物も右の作り物も古典作品に描かれた王朝の御代の晩秋の空間を再現しようとしている。

なお、左の鈴虫も右の松虫も、虫の姿が見えないように洲浜が作られている。鳴き声だけで、秋のわびしさを味わうという趣向であろう。

読みのポイント

左の歌には「夕露」、右の歌には「更くる夜の月」がみられることから、夕方から夜が深くなってゆく頃に会場に出されることを想定して作られた番であろう。左右の歌には次のような歌ことばの対照が見られる。

（左）思ひ草思ひあればや夕露に声ふり立てて鈴虫の鳴く

（右）更くる夜の月もうつろふ秋草の下露深みまつ虫の鳴く

共に「草」「露」を含む歌ことばを使用し、結句を「（鈴虫・まつ虫）の鳴く」で着地させていることから、あらかじめ左右の作者同士で趣向の打ち合わせがあったことも想定される。

八番

【校訂本文】

八番

左　　　　　　　　　　　　　真恒

はし鷹の尾鈴(をすず)の音(おと)にたぐふめりかりばの小野(をの)に鳴く虫の声

右　　　　　　　　　　　　　有之

たのしさは千歳(ちとせ)の秋もここに経(へ)むまつてふ虫に今日(けふ)を待ちえて

左、しもと机(づくゑ)に、鷹の大緒(おほを)とはし鷹の鈴を添へて、かたはらに虫籠(むしご)おきたり。右、文台(ぶんだい)の上に、松襲(まつがさね)の布(きぬ)しきて、『拾遺集』の、松虫を物名(もののな)に詠める「瀧つせの中にたまつむしら波は流るる水を緒にぞ抜きける」といふ歌を、金泥(きんでい)もて葦手(あしで)に書きて、虫籠は五色(ごしき)の糸を結び垂(た)れたり。いとみやびにおかしければ、右をまされりとせり。

左、「はし鷹の尾鈴の音にたぐふめり」といひて、鈴虫と聞かせたる心ことば、たくみに聞こゆ。右の歌、「まつてふ虫に今日を待ちえて」といへるわたり、げにさることと思(おぼ)えて、いとおかしく侍れど、「たのしさは」と、ふと出(い)だしたるや、いささか落ち着かぬ心したることばならん。左まさりぬべく人々もいへれば、勝の字をつけ侍りき。

【現代語訳】

八番

左　　　　　　　　　　　　　　　　真恒

はし鷹の尾に付けてある鈴の音に倣っているようだ。狩りをする雁羽の小野で鳴く虫の声は。

右　　　　　　　　　　　　　　　　有之

今日のこのたのしさは、千年の秋もここで経ようと思うほどだ。「まつ」という虫に、今日を待ち迎えて。

左の作りものは、しもと机に、鷹の大緒とはし鷹の鈴を付け加えて、わきに虫籠をおいてある。右の作りものは、文台の上に、松襲の織物を敷き、『拾遺集』にある、松虫を物名で詠んだ「瀧つせの中にたまつむしら波は流るる水を緒にぞ抜きける」という和歌を、金泥を用いて葦手書きで書き、虫籠は五色の糸を結び垂らしてある。大変風雅で趣があるので、右を勝っているとした。

左の歌は、「はし鷹の尾に付けてある鈴の音に倣っているようだ」と詠んで、「鈴虫」の語を用いずに、それが鈴虫であると承知させた心と言葉が、巧妙に思われる。右の歌は、「松（待つ）という虫に、今日を待ち迎えて」と詠むあたりは、本当にそのようなことであると感じられて、大変趣があるのですが、「たのしさは」と、初句で唐突に詠み出したのは、少し和歌として落ち着かない心がする詞であるだろう。左の歌が勝っているに違いないと人々も言っているので、左の歌に勝ちの字を付けました。

【注釈】

真恒　千賀真恒。建順と称する医者か。↓人物解題参照。

はし鷹の尾鈴の音にたぐふめりかりばの小野に鳴く虫の声

「はし鷹」は、鷹狩に使用する、小型の鷹。和歌においては、「すず（鈴・漫ろ）」や「こひ（木居・恋）」を導く枕詞として使用されることが多いが、当該左歌に関しては鷹の姿を実体的に詠み込むものとなっている。「鷹」については、四番参照。**「尾鈴」**は、鷹の尾に付けた鈴。四番参照。**「たぐふめり」**は、一緒になっているようだ、寄り添っているようだという意、もしくは、まねているようだ、倣っているようだの意か。ここでは、和歌の判詞に「〜といひて、鈴虫と聞かせたる心ことば」とあることから、倣っているようだ、と訳した。和歌の中では「鈴虫」の語は使用されていないが、この「虫の声」が鈴虫の鳴き声を指すことが自明となる詠みぶりとなっており、その点が「たくみなり」と高く評価されたのである。**「かりばの小野」**は、地名か。所在未詳の歌枕と捉える説と、狩りを行う野を意味する一般名詞と捉える説との、二つの解釈がある。「かりば」に、「狩場」と「雁羽」とが掛かっていると解釈すれば、地名となろう。ここでは、ひとまず名所として訳出した。**本歌**は、慈円「はしたかのをぶさのすずのころにこそかりばのをののあはれをばしれ」（『拾玉集』、一一九七、勒句百首、冬二十首）か。慈円歌は鷹の鈴の音が主眼であったが、当該歌はそれが鈴虫のものであると詠み替え、「野」の「あはれ」さを表現しているものとなっている。

有之　武田春庵。有之は歌人名。医者。↓人物解題参照。

たのしさは千歳の秋もここに経むまつてふ虫に今日を待ちえて

「千歳の秋」は、直接的には千年という期間を指すが、そこから転じて永遠の意でも捉えられる歌語。賀の場における寿ぎや予祝として扱われることが多い。ここでも、この虫合という催しが永遠に続くほど楽しく素晴らしいものである、と場を称讃する歌語として使用されている。**本歌**は、「松虫のたえずなくなるをみなへしちとせの秋はたのもしきかな」（『元真集』、六六、まつむし）か。本歌の「たのもしきかな」の部分を、当該右歌では「たのしさは」と詠み替えたと理解される。ここでの「たのしさ」は、開催された虫合の盛り上がりを指したもので、その盛儀に参加する人々の心情を規定しながら、場そのものを言祝ぐ要素を持つ。また、本歌には「をみなへし」が詠み込まれており、この点は六番右方の女郎花詠とのつながりが想定される。作り物に襲を用いる点では、六番右方で提示された女郎花襲と同様の趣向となっており、一番飛ばしているものの、右方の趣向の連続性を見て取れよう。なお、六番左方の作り物に対する判で、出典となる『忠見集』を『元真集』と誤る現象が見られたが、この誤認の背景には当該右方本歌の『元真集』との混同があったか。

しもと机　「しもと」は、長く伸びた若い小枝。この「しもと」を集め、簀子状に編み、足を取り付けたものが、「しもと机」。祭祀の調度としても用いられた。「しもと棚」とも。ここでの「しもと」は、「柴」とほぼ同義と考えられ、鷹にちなむものとなっている。四番参照。

鷹の大緒　鷹狩の際、鷹の足に革を巻き付ける。これを足革と言い、この足革に結びつける、大きな組糸が「大緒」。鷹狩の道具。

松襲の布　松襲は、襲の色目の名。表は萌黄、裏は紫。一説に、表は青、裏は紫。また、女房装束の五衣の場合は、上の二つは蘇芳の濃と淡と、次に萌黄、次に紅の単衣となる。ここでは女房衣装のしつらいとしている。女房装束としては、四季を通して着用されるものであり、また祝儀の際にも用いられる。ここでは祝儀の意での使用。

『拾遺集』の、松虫を物名に詠める「瀧つせの中にたまつむしら波は流るる水を緒にぞ抜きける」といふ歌　「物名」は、和歌の遊戯的な技法のひとつで、和歌の内容とは関係なく、物事の名称を含ませる方法。『拾遺集』の該当歌は、「たぎつ瀬の中にたまつむしら浪は流る水を緒にぞぬきける」（物名、三六九、松むし、忠岑）であり、「たまつむしら浪」の箇所に「まつむし」を詠み込んでいる。

金泥　粉末状にした金を膠で溶いた顔料。金色の絵の具。

葦手　三番（六八頁）参照。

「たのしさは」と、ふと出だしたるや、いささか落ち着かぬ心したることばならん　「たのしさ」という語を詠み込む場合、「みがきける心もしるく鏡山くもりなきよにあふが楽しさ」（『拾遺集』、巻十、六〇六、鏡山、能宣）のように和歌の末尾に用いられることが大半であり、初句に「たのしさは」と据えることはかなり異例である。二条派の流れをくむ参加者たちにとっては、馴染みのない表現であったものと思われる。

作り物の趣向

左方の作り物は、和歌で詠まれた鷹狩の情景を受け、鷹に関連する大緒、鈴、しもとを用いている（図㉕）。大緒は和歌では詠み込まれていないものの、作り物の中では鈴と結びつけられているように、その存在が強調されている。これらは、慈円の和歌世界を踏まえた趣向である。大緒と鈴の横には虫籠があり、その中には鈴虫と萩が入れられている。この虫籠は、虫合を行っているこの場そのものを表現したものと考えられる。鷹狩の道具とともに、虫が鳴く籠を置くことによって、狩と関わりの深い木母寺周辺の秋の景を参加者たちに意識させる作り物となっている。鷹狩を意識した和歌・作り物は、四番左方にも見えたが、四番左方が抽象的な意味合いが強い作り物であったのに対し、当番の作り物は当座の景をより意識した作り物となっていようか。

右方の作り物は、松襲の衣の上に、虫籠を置き、その衣に

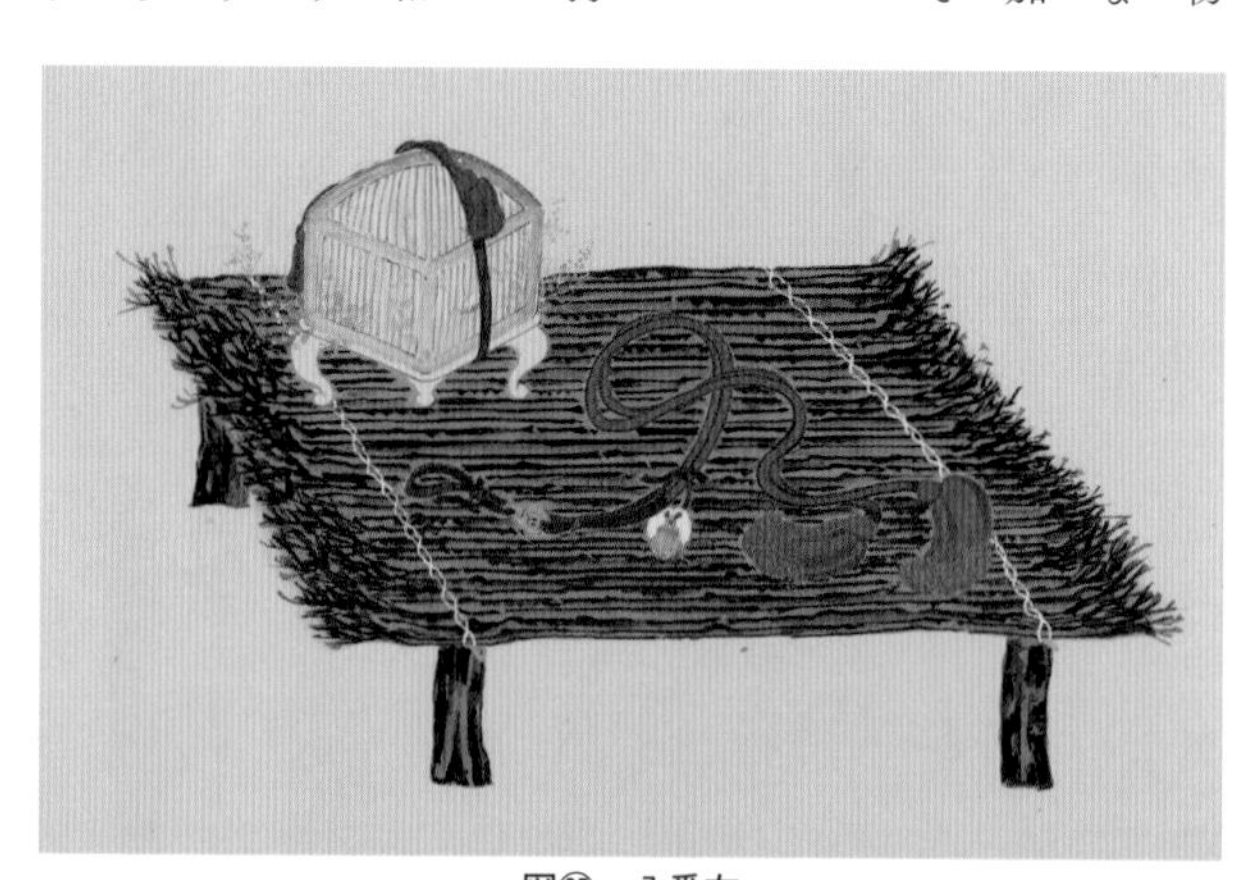

図㉕　八番左

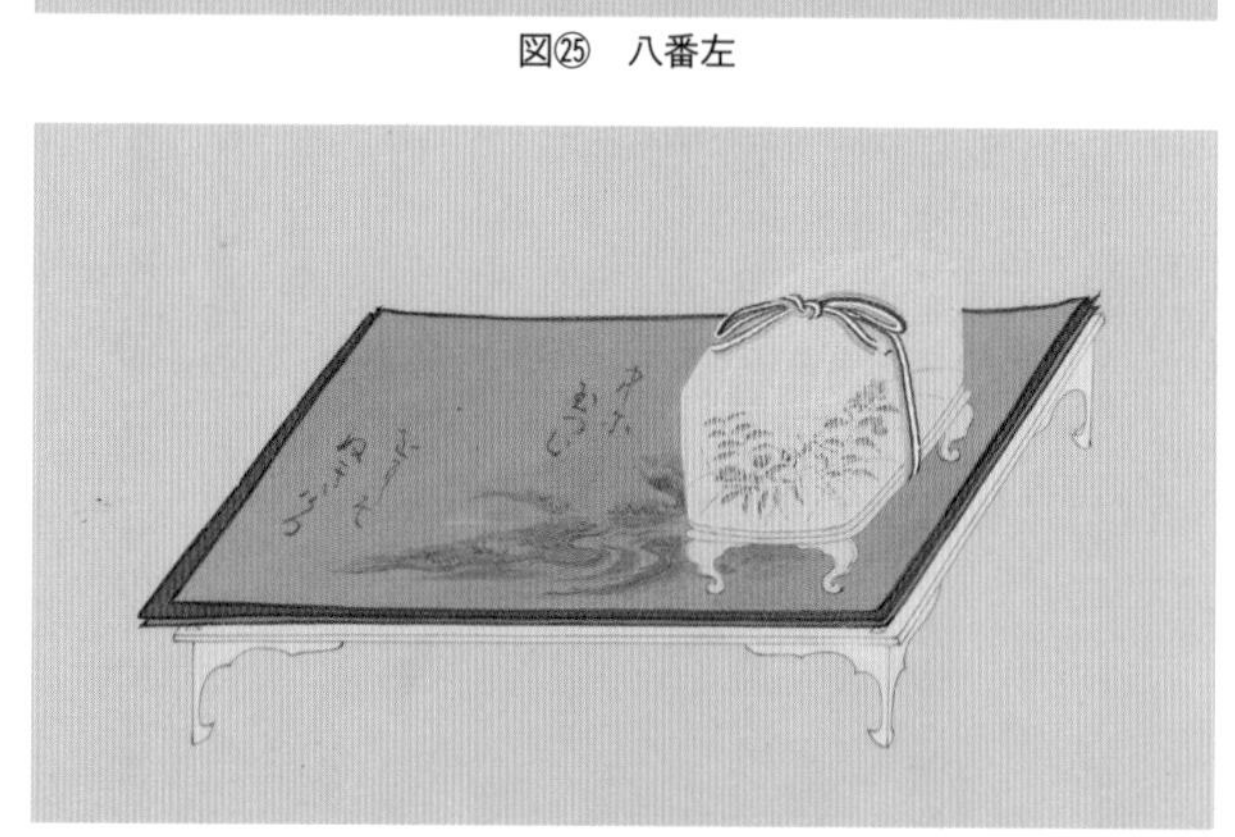

図㉖　八番右

は金泥にて、先に示した拾遺歌の一部を書いている（図㉖）。書かれた文言は、「中に／玉つむ／をにそ／ぬきける」である。拾遺歌の「たぎつ瀬の」「白波は」「流るる水を」の部分は、文字としては書かれていない。「まつむし（たまつむしらなみ）」の部分が書かれていないのは、虫によってその部分を示す意図があったからであろう。これら書かれていない部分は、すべて水に関わるものであり、描かれた絵によって示されている（白波や流れる水が見える。たぎつ瀬は確認できないが、虫籠の下あたりに描かれていたか）。虫籠に五色の糸が用いられている点も、拾遺歌の「水の緒」とも通じる趣向とも言えようか。なお、正確には本来の葦手書とは異なっているが、絵画によって文言を示したことを「葦手」と表現したと、ひとまずは理解しておく。

水が意識されている点と関わるが、右方が水に関する拾遺歌を示した意図は、ここが隅田川のほとりであることを踏まえた趣向であったと捉えたい。右歌には、当座の「たのしさ」を詠むものの、場（隅田川のほとり・木母寺）についての言及は見えない。この点を補うために、造りものによって、隅田川の要素を含ませたと考えられる。以上のように考えると、非常に簡略かつ観念的（抽象的）な造りものであるにも関わらず、強く実際の場・景を押さえた造りものであると位置づけられるのではないか。

また、右方の虫籠の中には、左方が萩であったのと同様に、紫苑が添えられている。右方の紫苑は、ひとつ前の番である、七番左歌からの連接を意味しよう。これ以前の番とのつながりという点では、襲を用いる点（六番右）、ものに和歌を書き付ける点（三番左、三番右、五番右、九番右）が指摘できる。これらの点は、右方の作り物の傾向としても捉えられようか。

なお、虫籠の中に植物を置く作り物は、当番以外には見られない。当番で左右ともに植物を虫籠の中に入れた点は、当番の特徴的趣向と言える。

読みのポイント

当番は、医者による対となっており、内容としても、左方の鷹の緒と、右方の水の緒という対が見える。興味深いのは、作り物と和歌で、勝負の判定が異なっている点である。作り物の判者である千蔭（ちかげ）は右方を勝ちとし、和歌の判者である季鷹（すえたか）は左方を勝ちとしている。

ここで注目されるのは、千蔭の判断基準である。千蔭は右方の作り物が「いとみやびにおかし」と、「みやび」であることを高く評価している。この虫合において、「みやび」の語が用いられるのは、すべて千蔭の作り物に対する判詞だけであり、当番右方以外では一番右方、四番左方、六番右方に見られる。「みやび」と評したものが必ずしも勝ちの評価を得ている訳ではないが、千蔭がそこに大きな価値を認めていたことはうかがえる。「みやび」とは、風雅や風流と訳されることが一般的であるが、原義としては、都にみられるような洗練された優雅な状態を指す語である。[1] 当該虫合における千蔭は、江戸という地にあって、京や宮中文化を思わせるような美――それは、かつて存在していたものという時代的な面と、東から見た都としての京という地域的な面との、どちらの面に対してもの憧憬である――を重視しているのである。

こうした観点から当番を振り返ると、左方に対する千蔭の判詞が少ないことに気が付く。作り物の状態を見たままに述べたものであり、本歌やそれを承けた趣向のあり方については一切触れられていない。季鷹の和歌判詞とは対照的である。想像をたくましくするならば、千蔭は、この番における左方の趣向、中でも本歌である慈円の和歌の存在に、気づかなかったとも考えられ、そのため事物の列挙に留まってしまった可能性も指摘できようか。本歌の存在を踏まえなければ、和歌の「たぐふ」という語についても、「寄り添う」の意で捉えてしまった可能性も十分に考えられ、そうとすると、まさに眼前の作り物は和歌に詠まれたものを、そのまま（何の工夫もなく）表現したものとなってしまい、左方の趣向は千蔭にとっては物足りないものとして映ったのではないか。

この千蔭の判詞に対して、季鷹は本歌を踏まえた理解を示しており、明らかに千蔭より深い解釈を示している。判者同士の対決の要素も見えてこようか。

▼注

1　今西祐一郎「「みやび」私論」（『国語国文』第四十三巻四号、一九七四年四月）。

九番

【校訂本文】

九番

左　　知宣

都にと急ぐ旅路(たびぢ)もふり捨てて誰(たれ)かは過(す)ぎん鈴虫の声

右　　躬弦

あはれさを誰(たれ)くみしらむ露深き筒井(つつゐ)のもとのまつ虫の声

左、「駅路ノ鈴ノ声ハ夜過グレ山ヲ」といへる心ばへにて、古きかたの机に、虫籠(むしご)と山なせる石と駅(うまや)づたひの鈴とをおけり。「桐の葉もふみわけがたくなりにけりかならず人を待つとなけれど」といふ歌を、台に葦手(あしで)に書きて桐の木立(こだち)のもとに井筒(ゐづつ)して、そが中に松虫住ませたり。左のことそぎたると、右のあはれ深きと、まさりおとりもなし。

左、都に急ぐ旅路にもふり捨てがたき心を、ことばを飾らで、やすらかにいひ流されたるが、物語にある僧都(そうづ)の歌めきて、作者を思へばなかなかにおかし。右の、筒井のもとに鳴くらむ虫のあはれさ思ひやられて、艶(えん)なる歌にこそ。左はおかしく、右は艶にて、歌のすがたあひ似(に)ずといへども、かれこれをなぞらふるに、なほ良き持(ぢ)とす。

【現代語訳】

九番

左　　　　　　　　　　　　　　　　　　　　知宣

都に着きたいと急ぐ旅路の心も、鈴を振るようにふり捨てて、誰が聞き過ごすだろうか、いや誰も聞き過ごすことはしない、この鈴虫の声は。

右　　　　　　　　　　　　　　　　　　　　躬弦

その情緒深さを、誰が汲み取って知るだろうか、いや誰も知らない、露の深い井筒のもとで、人を待つという、松虫の声を。

左の作りものは、『和漢朗詠集』の「駅路ノ鈴ノ声ハ夜過グレ山ヲ（駅路の鈴の声は夜山を過ぐ）」という詩句の情意であって、古い形の机に、虫籠と山になぞらえた石と駅鈴とを置いている。右の作りものは、「桐の葉もふみわけがたくなりにけりかならず人を待つとなけれど」という歌を、台に葦手書きで書いて、繁った木の下に、井筒を作って、その中に松虫を住ませている。左の作りものの、物事を省いて簡略にしたのと、右の作りものの詩情の深いのと、優劣はない。

左の歌は、都に急ぐ旅路であってもふり捨てることのできない心を、言葉を飾らずに、穏やかに言い流されたのが、物語に見える僧都の歌のようであり、作者のことを思うと、かえって趣がある。右の歌は、筒井の元に鳴いているだろう虫の哀れさが想像されて、まさしく優美な歌である。左は趣深く、右は優美で、歌のすがたは互いに似ていないが、かれこれを引き比べると、やはりよい持とする。

【注釈】

知宣　田代九助か。→人物解題参照。

都にと急ぐ旅路もふり捨てて誰かは過ぎん鈴虫の声　**「ふり」**と**「鈴」**は縁語。早く都に着きたいと急ぐ気持ち振り捨ててしまうくらい、この鈴虫の音は聞き過ごせない、の意。「鈴」と「ふり捨てて」の組み合わせは、西行「鈴鹿山うき世をよそにふりすてていかになりゆくわが身なるらん」（『新古今集』、雑中、伊勢にまかりける時よめる、一六一三）がある。『源氏物語』鈴虫巻の「大かたの秋をばうしと知りにしをふり棄てがたき鈴虫の声」（女三の宮）の歌も意識している。なお、藤原為家（一一九八—一二七五）に「いそぐとてよやま過ぐるたび人のふりやすてけんすずむしのこゑ」（『新撰和歌六帖』、二二四七、すずむし）の詠があり、これが本歌か。

「誰かは過ぎん」の先例としては、中院通村に「ながめすて誰かはすぎん清見がたともに関もる浪の月影」（『後十輪院内府集』、七二二）がある。

躬弦　安田躬弦。越前福井松平家藩医。→人物解題参照。

あはれさを誰くみしらむ露深き筒井のもとのまつ虫の声　**「くむ」**と**「筒井」**は縁語。露の深い井筒のもとの松虫の声（と同様、あなたを待つ私の心）を誰が汲み取って知っているだろうか（いや誰も知らない）の意。正徹に「つるべなは心ふか井におよばずはたれ汲みしらむおもふ水底」（『草根集』、七八〇四）の例がある。

駅路鈴聲夜過山　『和漢朗詠集』「山水」に、「漁舟火影寒焼浪　駅路鈴声夜過山（漁舟の火の影は寒うして浪を焼く　駅路の鈴の声は夜山を過ぐ）杜荀鶴」。「漁舟の漁火の光は寒々と（水面を照らし）波を焼くようだ。駅路を行く駅馬の鈴の音が夜の山を走り過ぎる（のが聞こえる）」の意。

心ばへ　作者の情意。気分。

古きかたの机　三番本文に「（右について）古きかたの机に

紅綣の伏組して」とあり、その形は図㉗の通り。当番と似た形。

駅づたひの鈴 令制で官人が重要な公用で旅行する時朝廷から賜わった鈴。駅鈴。「相坂の関のせき守いでてみよ駅づたひに鈴きこゆなり」（『匡房集』、一一九）、「駅路をよるやすぐるとことへば草のは山にすずむしの声」（『草根集』、三五二六）、「夜をこめていそぐ駅のすずかやまふりでてのみぞゆくべかりける」（『挙白集』、一八九二）らが、駅鈴を詠んだ歌の例。北村季吟『和漢朗詠集注』では、勅使が他国に行く時天子から賜る鈴と説明している。なお『連珠合璧集』でも、巻十八虫類の「鈴虫」寄合語に「むやまつたひ」がある。

図㉗　三番右

桐の葉もふみわけがたくなりにけりかならず人を待つとなけれど 式子内親王の歌（『新古今集』、秋下、百首歌奉りし時秋歌、五三四）が出典。「我が家の庭の桐の葉も降り続いて人も通らないため、踏み分けることができなくなってしまった。必ずしも人を待っているわけはないのだけれども」の意。この歌は僧正遍昭の「わが宿は道もなきまで荒れにけりつれなき人を待つとせしまに」（『古今集』、恋五、題しらず、七七〇）を本歌とする。「作り物の趣向」参照。

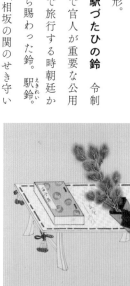

葦手 三番注釈（六八頁）参照。

井筒 謡曲「井筒」では、舞台に井筒が置かれ、薄があしらわれている（図㉘）。紀有常の娘が井筒の陰に隠れ、「人待つ女」と言われたと述懐する。

ことそぎたる 物事をはぶいて簡略にしている。

物語にある僧都の歌めきて 『源氏物語』の「北山のなにがし僧都」や「横川の僧都」を想定したいところだが、しかるべき歌は見出せない。具体的な歌があるわけではなく、イメージか。歌の意味（心）を無視して、「表現が似ている」という次元でのみ捉えられるとすれば、前出の西行歌「鈴鹿山うき世をよそにふりすてていかになりゆくわが身なるらん」が適当か。旅の途中で心うばわれた感慨を歌ったという点で、左歌の趣意は、西行「道のべに清水流るる柳かげしばしとて

図㉘　井筒の舞台装置（月岡耕漁「能楽図会」より「井筒」、撮影 Scott Kubo）

こそ立ちどまりつれ」（『新古今集』、夏、二六二）を想起させる。

作者をおもへばなかなかにおかし　「作者」は知宣を指すとも考えられるが、不詳。僧都の歌めくことと、奥医師であるとすれば知宣が坊主頭であることとも関わるかもしれない。いずれにせよ、「飾らず言い流して」いるのが、かえって趣深いという文脈だとおもわれる。**「おかし」**については、七番注釈（九九頁）参照。

艶なる　「艶」は歌学用語。四番注釈（七七頁）参照。

よき持　ともによい歌で勝負をつけがたい際の標語。三番注釈（六九頁）参照。

造り物の趣向

左は、古風な洲浜の上に、右に中国山水画風の岩山を置き、手前に駅鈴を置き、左に虫籠が置かれる（図㉙）。岩山は、典拠となっている『和漢朗詠集』の「駅路鈴声夜過山」を踏まえて中国山水画風としたもの。駅鈴も同じ詩句を踏まえているが、これは茶道具の「駅鈴蓋置」をそのまま用いているのであろうか。『茶道筌蹄（ちゃどうせんてい）』巻四「蓋置」の「禅鞠」に「座禅ニ頭ニ載スル具也。形丸シ。平ナルハ駅鈴ナリ」とある。『続新斎夜語』巻二には、登場人物の売茶翁が、蓋置の「駅路の鈴」を、そう呼ぶのは正しくないと指摘し、これは座禅の時頭に置いて、眠れば落ちて音がするので目を覚ます座禅の具だと説明する場面がある。洲浜である机の下に布を敷いている例は初出。ただし六番で、机はないが布を敷いている前例がある。敷物の重ねは、夏虫色（檜皮色と青）に近いか。

右の作り物の意匠は、桐の木立と散り敷いている桐の落ち葉、草花は紫苑（七番右にも用いられる）で、右歌の「露深き」に対応するように、多くの露が付着した秋草が描かれている（図㉚）。「かならず人を」「となけれど」のちらし書を施しているが、本文の千蔭の判詞にあるように、式子内親王の「桐の葉もふみわけがたく成にけりかならず人を待つとなけれど」の歌の一部である。「かならず人を」と「となけれど」の間に松の作り物が置かれているので、「かならず人を」↓「松=待つ」↓「となけれど」と読ませる趣向である。桐の葉は、いうまでもなく式子内親王の初句を踏まえる。井筒については謡曲「井筒」（『伊勢物語』二十三段「筒井筒」の段をモチーフとする）の舞台装置のイメージかと思われる。

「井筒」には「待つ女」のイメージがある。桐と組み合

図㉙　九番左

図㉚　九番右

わされることについては、絵入伊勢物語の影響が考えられる。たとえば、西川祐信（にしかわすけのぶ）画の『改正伊勢物語』（延享四年〈一七四七〉）の挿絵には、井筒の横に桐が描かれている（図㉛）。

なお、『十番虫合絵巻』諸本のうち都立中央図書館蔵本の本文のみ、「桐の本に香木もて井筒してける」とある。九番右の意匠の説明については、盛田帝子に触れるところがある。▼1

図㉛　『改正伊勢物語』

読みのポイント

左は『和漢朗詠集』の漢詩句を下敷きにし、作り物にも山水画風の岩山を再現しつつ、駅鈴のモチーフを強調して、「行く」という動的なイメージを呼び起こすのに対し、右は式子内親王の和歌をモチーフに秘め、井筒を取り合わせて、「松」＝「待つ」という静的なイメージを呼び起こす。漢と和の対照とも言える。さらには、前者には男性的な、後者には女性的な主体が想定されると言ってもよい。左の鈴虫は駅鈴とオーバーラップして旅のアクセントとして外在的に機能し、左の松虫は、井の中で「待つ」行為の持つ哀れさを伴う内在的な鳴き声として響く。左の作り物は「ことそぎたる」、右の作り物は「あはれ深き」と評され、左歌は「おかし」、右歌は「えん（艶）」と、あくまで対照的に評者が捉えているのが興味深い。

▼注

1　盛田帝子「十八世紀の物合復興と『十番虫合絵巻』」（『かがみ』第五十二号、大東急記念文庫、二〇二二年三月）

十番

【校訂本文】

十番

左　　　　　　　　　豊秋

鈴虫の鳴きよる軒の古簾千夜をふるとも声飽かめやも

右　　　　　　　　　蔭政

まつ虫の鳴く音露けき庭の面に月もあはれや添へて見ゆらむ

左、鈴虫の巻の、「中宮、はるけき野辺にわけて、いとわざとたづねとりつつ放たせ給へる」さまにて、御簾かかげたるさまに虫籠つくりて、秋の草々を添へたり。右、琵琶のかた作りて、撥面を薄物もて張りて、秋の野描きて、松虫を籠めたり。こは、横笛の巻の、想夫憐を弾き給ひけん時、「いにしへの秋にかはらぬ虫の声かな」と聞こえし心ばへ、いとめづらしうめでたければ、勝ちとなん沙汰し侍りぬ。

左、「古簾千夜をふるとも」などいへることば続きいひしりて、げにふりにたる世の心ことば、ともに飽くまじうおかし。右も、「月もあはれや」など、うるはしう承りて、わきがたう侍れど、今日の主の御歌なるうへ、左は、虫の音一首に残るくまなく聞え侍れば、かたがた、客人かたに勝ちを譲り給へや。

【現代語訳】

十番

左　豊秋

鈴虫が鳴き寄る軒の古い簾よ。その簾の古さのように千夜を経ても、鈴を振るような鈴虫の鳴き声に飽きることがあろうか、いや、そんなことはないなあ。

右　蔭政

人を待つ、その松虫の鳴く声が涙がちで、さもその涙の露で濡れているかのような庭の表に、月もあはれを添えて見ているのだろうか。

左の作りものは、『源氏物語』鈴虫巻の、「秋好中宮が、遠くの野辺を分けて、わざわざ探しとってこさせて庭にお放ちになった」様子で、御簾を巻き上げたように虫籠を作って、さまざまな秋草を添えた。右の作りものは、琵琶の形を作って、撥面を薄い絹織物で張って、秋の野を描いて、松虫を中に入れた。これは、『源氏物語』横笛巻の、夕霧が琵琶を取り寄せて想夫恋をお弾きになった時、一条御息所が「露しげきむぐらの宿にいにしへの秋に変はらぬ虫の声かな」とお詠みになったお気持ちが、大変すばらしく立派なので、勝ちと判定しました。

左の歌は、「古簾千夜をふるとも」などという歌ことばの続け方を心得ていて、実に古い時代の歌の内容と用語であり、ともに飽きることなく素晴らしい。右の歌も、「月もあはれや」など、整って端正にうかがって、判断しがたいですが、今日の主催者の御歌である上に、左の歌は、虫の音が一首の中にすみからすみまで余すところなく理解できますので、ご列席の皆さま、客人の方に勝ちを譲ってくださいな。

【注釈】

豊秋　大江豊秋。季鷹（すえたか）門人か。↓人物解題参照。

鈴虫の鳴きよる軒の古簾千夜をふるとも声飽かめやも　典拠として考えられるのは、「秋の夜の千夜を一夜になずらへて八千夜し寝ばやあく時のあらむ（長い秋の夜の、千夜を一夜とみなして、その八千夜の間も共寝をしたら、あるいは満足することもあろうか）」（『伊勢物語』二十二段）である。また、『源氏物語』鈴虫巻の光源氏の作中歌「心もて草のやどりをいとへどもなほ鈴虫の声ぞふりせぬ」（〈女三の宮に対して〉みずから進んでこの世をお捨てになったのに、相変わらず、鈴虫の声と同じように、昔と変わらずに美しくいらっしゃることです）をも典拠とするか。**「ふる」**は、「古」と「振る」の掛詞で、「鈴虫」の「鈴」の縁語。和歌に**「古簾」**を使用する例は、『国歌大観』に拠る限り、江戸時代まで見られない。「古き簾」なら「中たえしふるき簾のひまにきてかたみの水に入る蛍かな」（『草根集（そうこんしゅう）』、二七三〇）がある。また、村上天皇の応和二年（九六二）五月四日、庚申の夜に行われた男女対抗の形をとった内裏歌合の負態（負けた側が勝った側に対して行う饗応や贈り物）の記録（八月二十日）が参考になる。村上天皇の御記によれば、五月四日に献ぜられた和歌を翌日合わせ、男性側が負けたので、侍臣を召して女房の簾の前で飲酒唱歌したという。『内裏歌合応和三年』には、「このうたあはせのまけわざ、八月廿日、殿上人あつまりてしける、むしのかたどもをつくりて、しろがね、こがねのひげこどもにいれて、つけたるうたども」として「ほととぎすひとこゑよりもすずむしのあきをふるねのあかずもあるかな」（一九、すずむしのこに　なかつかさ）、「ちよをへてくるあきごとにきこえなむゆくさきとほくまつむしのこゑ」（二〇、まつむしのこに）の二首が載る。
負態では、虫（鈴虫と松虫）の模型を作って籠に入れ、歌を付けた。「ひげこ」は編み残した竹や針金の端を髭のように伸ばした籠。豊秋の歌は、右に引用した一九・二〇の両歌を参考にした可能性がある。他の参考歌としては、「うたがふなちよのあきまですずむしのよにふるしるしありとしらせむ」（『相模集』、三五七）「君がきく籬の草の鈴虫はちよの秋にも声な絶えせそ」（『和歌一字抄』、五二一）「鈴むしの声も幾代の千世の秋なほふるままに馴れてきかなん」（『広沢輯藻』、八八八）などがある。

蔭政　川村蔭政。十番虫合の主催者。↓人物解題参照。

まつ虫の鳴く音露けき庭の面に月もあはれや添へて見ゆらむ
参考歌としては、「露しげきあさぢが宿は月ならで何まつかまつてふ虫もなくらむ」（『新題林和歌集』、松虫、後水尾院）、「ふみ分けて誰かはとはん松虫の声も露けき蓬生の秋」（『芳雲集』、一九八一、武者小路実陰）などがあげられる。

中宮、はるけき野辺にわけて……放たせ給へる　『源氏物語』鈴虫巻で、源氏が女三の宮に向かって、「秋の虫の声いづれとなき中に、松虫なむすぐれたるとて、中宮の、遥けき野辺を分けていとわざと尋ねとりつつ放たせたまへる、しるく鳴き伝ふるこそ少なかなれ。名には違ひて、命のほどはかなき虫にぞあるべき。心にまかせて、人聞かぬ奥山、遥けき野の松原に声惜しまぬも、いと隔て心ある虫になむありける。鈴虫は心やすく、いまめいたるこそらうたけれ（秋の虫の声はどれも比べられないほどの中で、松虫が特に優れていると、秋好中宮が、遠くの野辺を分けてわざわざ採集させて庭にお放ちになったのですが、はっきりと野で鳴く声を伝えているのは少ないようです。名前とは違って、命のはかない虫なのでしょう。思う存分、人が聞かない山奥や、遥かな野の松原では、声を惜しまず鳴いているのも、まったく人には隔て心のある虫なのでした。鈴虫の方は気安く陽気になくのがかわいらしい）」と語りかける言葉の一部を引用したもの。「中宮」は秋好中宮。

撥面　琵琶の胴の中ほど、撥の当たるところに、横長に張られた革。

薄物　三番注釈（六七頁）参照。

横笛の巻の、想夫憐を弾き給ひけん時　『源氏物語』横笛巻、落葉の宮が箏の琴を掻き鳴らすのに触発されて、夕霧は琵琶を手に取り「想夫恋」を弾く場面を指す。**「想夫憐」**（恋）は雅楽の曲名。もともとは「相府蓮」と表記する。晋の大臣王倹が蓮を植えて愛した時の楽という。唐楽。新楽。平調の中曲。舞は絶えたとされる。男を恋慕する女心の曲と解されて「想夫憐・想夫恋」と書かれるようになった。小督局がこの曲を弾箏して天皇の愛をしのんだ『平家物語』の話が著名。以下横笛巻の本文を引用する。「風肌寒く、ものあはれなるにさそはれて、箏の琴をいとほのかに掻き鳴らしたまへるも、奥深き声なるに、いとど心とまりはてて、なかなかに思ほゆれば、琵琶をとり寄せて、いとなつかしき音に想夫恋を弾きたまふ（風が肌寒く、何となくしみじみとした思いに誘われて、落葉の宮が箏の琴をとてもほのかに掻き鳴らしていらっしゃいますのも、奥深い音色なので、夕霧は、心が惹きつけられて、かえって聞かない方がと思われるので、琵琶を取り寄せて、実に魅力的な音色で「想夫恋」をお弾きになる）」。

いにしへの秋にかはらぬ虫の声かな　『源氏物語』横笛巻の一場面。柏木の一周忌が過ぎて夕霧が秋の夕べに一条の宮（落葉の宮）を訪れる。「前栽の花ども、虫の音しげき野辺と乱れたる夕映え」を夕霧は見わたす。落葉の宮が箏の琴を掻き鳴らしている音色に心惹かれて夕霧は琵琶で想夫恋を弾く。夕霧が一条御息所から柏木遺愛の横笛を譲り受ける場面、夕霧はその横笛を少し吹き鳴らすが、故人柏木の演奏を思い出してきまりが悪くなり、吹きさして立ち上がった時に、一条御息所が「露しげきむぐらの宿にいにしへの秋に変はらぬ虫の声かな」と詠んだ歌を引用したもの。「盤渉調のなからばかり吹きさして、（夕霧）「昔を忍ぶ独りごとは、さても罪ゆるされはべりけり。これはまばゆくなむ」とて出でたまふに、（一条御息所）「露しげきむぐらの宿にいにしへの秋に変はらぬ虫の声かな」と聞こえ出だしたまへり。（夕霧）「横笛の調べはことに変はらぬをむなしくなりし音こそ尽きせね」（盤渉調の半ばあたりで吹きやめて、「故人を偲んで一人琵琶を弾いたの時には大目に見ていただきましたが、この笛はとてもきまり悪いことでございます」と言ってお立ちになる時に、一条御息所は「露を多く含む草深い宿に、昔の秋と変わらない虫の声がきこえます」とお詠みになった。夕霧は、「横笛の調べは特に変わりませんので、故人が吹かれた笛の音色は、いつまでも尽きせずにつたわっていくことでしょう」と詠んだ）。

作り物の趣向

左の作り物（図㉜）の出典は『源氏物語』鈴虫巻で、中秋の明月の夕暮れに女三宮を訪れる場面。光源氏は、女三の宮の部屋の西側の渡殿の前の中仕切りの塀の東側を、一面の野原のように造り、閼伽（あか）の棚などを設けて仏道修行ができるようにし、野原にいろいろな虫を放つ。中秋の明月の夕暮れに、野原のように造った庭で念仏を唱える女三の宮のもとを源氏が訪れるが、さまざまな秋の虫が鳴き乱れる中で、鈴虫が声を振り立てて鳴いているのは華やかで風情がある。源氏は、その声を聴きながら、秋好中宮が、秋の虫の声の中で特に優れているといって、遠くの野辺を分けて探しとってきた松虫を庭に放ったが声を惜しんで鳴かないのに対して、陽気に鳴いている鈴虫はかわいらしいと褒める場面を出典とする。御簾を巻いた形の虫籠の中では、（陽気に）鈴虫が鳴いており、そこに、女三の宮が仏道修行をする秋の庭を再現する、薄や萩、菊などの秋草を添えている。鈴虫巻の絵で巻き上げた御簾の描かれた『和泉市久保惣記念美術館『源氏物語手鑑研究』』から挙げておく（図㉝）。

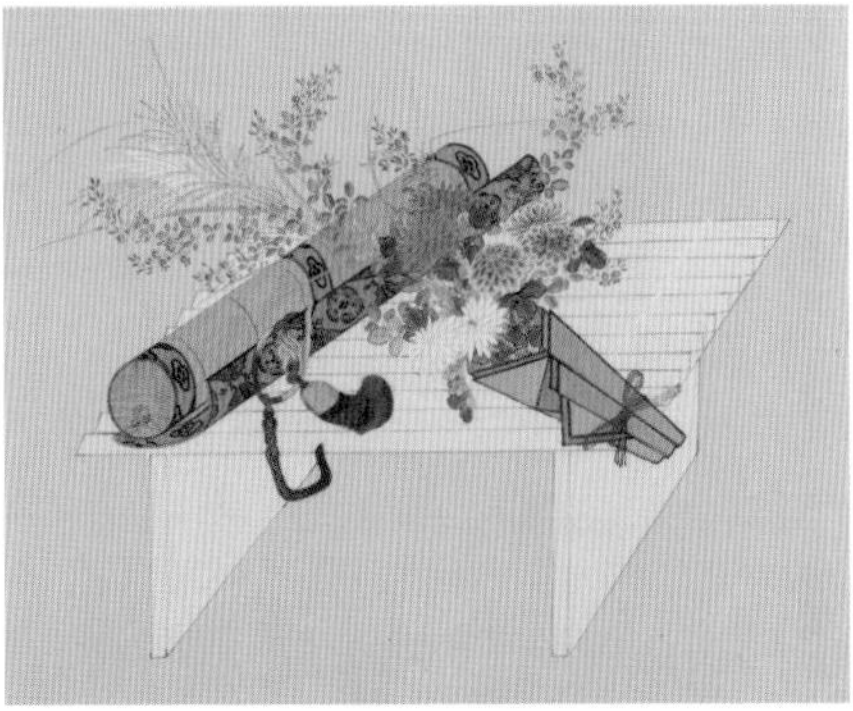

図㉜　十番左

図㉝　巻き上げた御簾（『源氏物語手鑑研究』より）

右は出典『源氏物語』横笛巻で、柏木の一周忌が過ぎた秋

図㉞　十番右

の夕べ、夕霧が一条の宮（落葉の宮）を訪れて、琵琶で雅楽「想夫恋」を弾く場面（図㉞）。野原のような庭の植え込みでは「君が植ゑし一群すすき虫のねのしげき野辺ともなりにけるかな」（『古今集』、哀傷、八五三、御春有助）の歌のように、はげしく虫が鳴き、秋の草花が咲き乱れている。落葉の宮が、羽を並べて仲良く飛ぶ雁に、柏木との夫婦仲を思い出して箏を弾くのに対して、夕霧は、琵琶を取り寄せて好ましい音色で雅楽の「想夫恋」を弾く。夕霧は、一条御息所（落葉の宮の母）から柏木遺愛の笛を受け取り、「露しげきむぐらの宿にいにしへの秋に変はらぬ虫の声かな」という歌を贈られる。

咲き乱れる秋の草花（萩・おみなえし）を琵琶の撥面の薄物に描き、琵琶の中に生きた松虫を入れて激しく鳴かせることで、この一条の宮での場面を再現した。台は脚がなく、台上には琵琶置きが設置されている。台の側面には、蝶と蜻蛉が描かれている。

読みのポイント

イベントが十番まで進み、夜も更けてきた。月が皓々と照らす「くまなき」状況で、虫たちが華やかに鳴き交わし、萩が咲き乱れているのが庭の状況である。これは跋文に描かれた状況に近い。季鷹は、左は虫の鳴くさまを、右は月のくまなきさまを、時宜をつかんだ歌とどちらも評価した。左の歌は鈴虫巻の女三の宮の中秋十五夜の場面とも重なる。本番は、横笛巻・鈴虫巻という『源氏物語』の連続する巻をそれぞれ背景とし、かつ、跋文の「月の光も隈なければ」「虫どものはなやかに鳴きかはしたる」という描写につながる形で両歌が詠まれている。

跋

【校訂本文】

鳰鳥の葛飾わたり隅田川のかたはらなる、木母寺といへる年ふる精舎にて、源蔭政ぬし、あるじにて、八月十日あまりに虫合のことありけり。鈴虫、松虫を、左右にかたわきて、種々の台を色々の心ばへして据ゑたり。その人々の名は、歌に著ければ、記さず。判の詞は、千蔭、季鷹、書きにたり。その折しも、日いと良く晴れて、暑さ耐へがたかりしも、夕べになれば、袖に待ちとる風涼しく吹きて、月の光も隈なければ、おのおの端つ方に出でて酒飲みつつ、庭の萩の今日待ち顔に咲き出でたるもおかしきに、虫どものはなやかに鳴きかはしたるも、いと興あり。かかることの、このままに止まんも、本意なきわざなればとて、その種々を形に描きて、二巻になしぬ。こは、その折の言草を、後々にしのぶの草のしのばんことを思ひてなり。天明二年八月の末つ方に記す。

源　景雄

【現代語訳】

葛飾付近の隅田川のすぐそばにある、木母寺という古びた寺で、源蔭政殿が主催者になって、八月十日過ぎに虫合の催しがあった。鈴虫と松虫を、左方と右方とに分けて、さまざまな作りものの台を色々な趣向を凝らして設えた。その集まった人々の名は、歌によって明白なので、ここには記さない。歌や作りものの判定を述べた詞は、加藤千蔭と賀茂季鷹が書いた。ちょうどその時節は、日が大変良く晴れて、耐えがたい暑さであったが、日が暮れる頃になると、袖に待ち受けて迎え入れる風が涼しく吹いて、月の光も隅々まで行き渡っているので、それぞれ寺の端の方に出て酒を飲みながら、庭の萩の花が今日の日を待っていたような様子で咲き出したのも味わい深く面白い上に、虫たちがはなやかに鳴きかわしているのも、とても面白い。このようなことが、このままに途絶えてしまうのも残念なことであると思って、そのさまざまな歌や洲浜を絵に描いて、二巻にした。これは、その折の話題を、後々に懐かしむことを思ってである。天明二年八月の終わり頃に書きとめる。

源景雄

【注釈】

鳰鳥の　枕詞。鳰鳥は「カイツブリ」の古名。よく水にもぐることから「かづく」に、息が長いことから「おきなが」にかかる。転じて同音の地名「葛飾」にかかる。「にほ鳥の葛飾早稲をにへすともそのかなしきを外に立てめやも」(『万葉集』巻十四、東歌、三三八六)。

隅田川　江戸(現在の東京都)の東部を流れ、東京湾に注ぐ川。武蔵国と下総国の境をなしていた。江戸時代には東岸が桜の名所となり、千蔭が「すみだ河夕漕ぎ渡り筑波嶺の端山に続く雪を見るかな」(『うけらが花』初篇、八七八)と詠んだように、江戸の人々の生活に密着した川である。一方で、古く『伊勢物語』九段(東下り)に「なほ行き行きて、武蔵の国と下総の国との中に、いと大きなる川あり。それを隅田川といふ」とあり、在原業平に擬せられる昔男が、都を思って都鳥の歌を詠んだことから、古来重要な歌枕となっている。『伊勢物語』の表現を踏まえた観世元雅作の謡曲「隅田川」は、人買いにさらわれた息子梅若を探す母親を描いた狂女物で、後の「隅田川物」と呼ばれる多くの演劇や読み物の源泉となった。本虫合が隅田川の畔で行われたことには、王朝の雅びを慕う千蔭ら参加者の思いが、伊勢物語東下りの都憧憬と重ねられているという見方ができる。四番の元著の歌「虫の音はあはれも深し葛飾の隅田川原の秋の夕暮れ」でも、この思いをもとに隅田川が読み込まれている。

木母寺　平安時代中期貞元二年（九七七）に忠円によって創建されたと伝わる天台宗の寺。現在東京都墨田区堤通にある。同寺に伝わる『梅若権現御縁起』によれば、吉田少将惟房の子梅若丸が父を失い、比叡山で修学中に嫉まれて下山途中、人買いの信夫の藤太に騙され東国に連れてこられたが、隅田川岸で病没する。これを哀れと思った里人らが塚を造り、翌年子を尋ね来た母と供養のため念仏堂を建てたのが始まりとされ、別名を梅若寺と称していたと言う。謡曲「隅田川」（観世元雅作）をはじめとして、歌舞伎、浄瑠璃、舞踊などが「隅田川物」として作られ、この伝説は有名になった。徳川家康は梅柳山と山号を定め五石の寺領を与え、のち二十石に加増された。慶長十二年（一六〇七）に前関白近衛信尹が梅字を分けて「木母寺」と名付け、寛文の初めには、将軍家綱が遊猟の際、新殿を作らせた。文人たちの交流の場となり、『江戸名所図会』巻七には、「木母寺に歌の会ありけふの月」という其角の句が載せられている（図㉟）。地理往来物の『隅田川往来』の寛政四年版（一七九二）・文化八年版（一八一一）

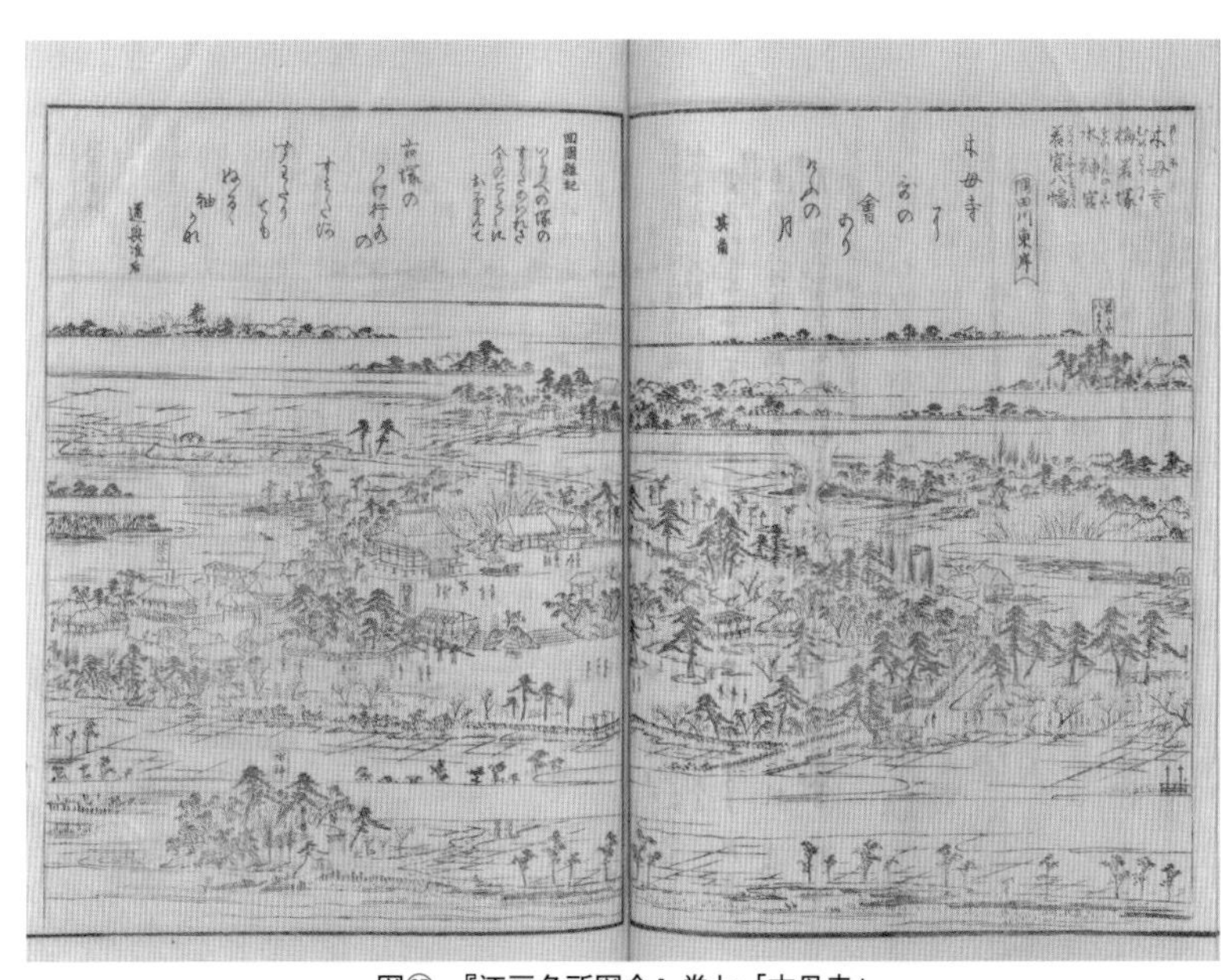

図㉟　『江戸名所図会』巻七「木母寺」

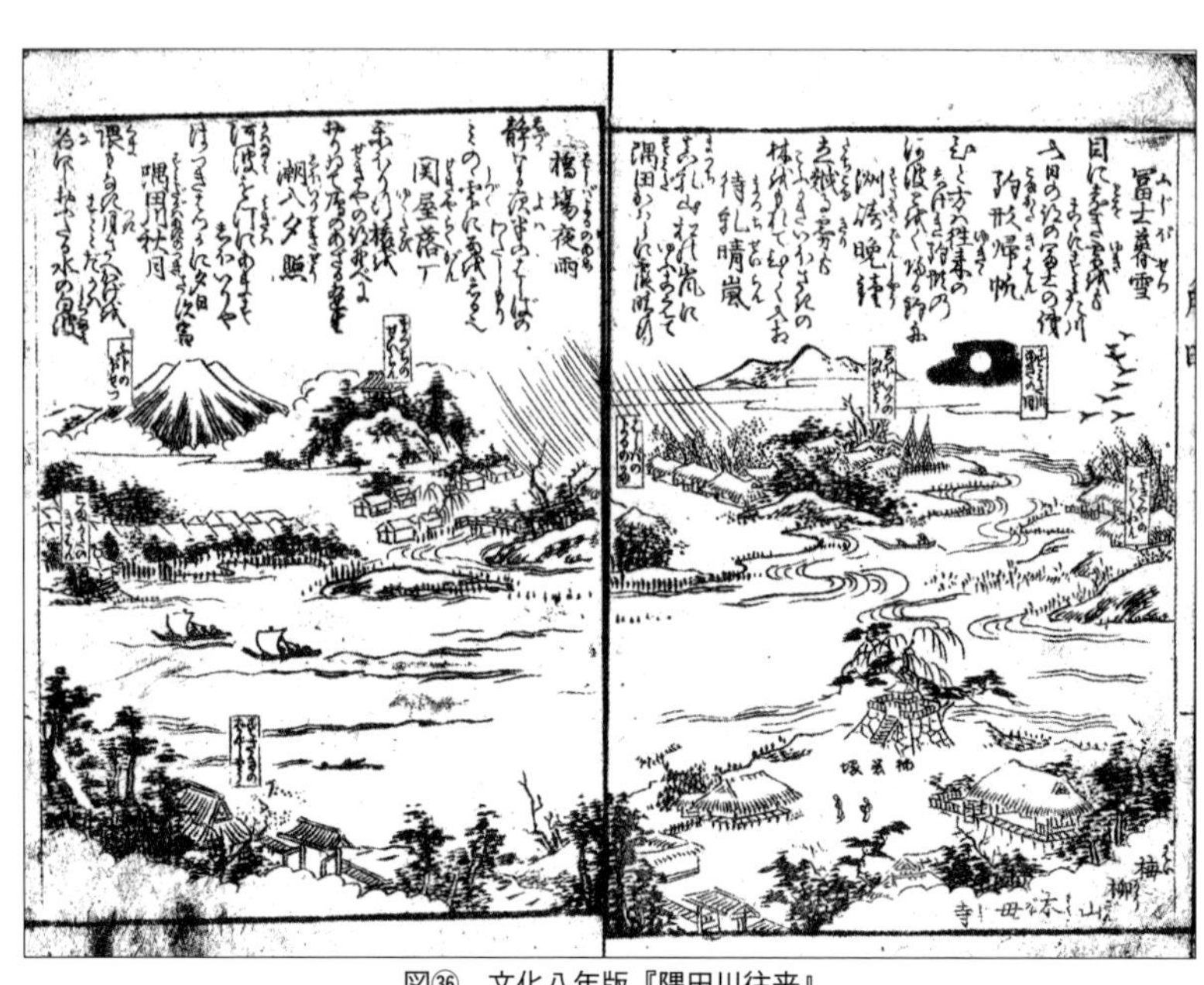

図㊱　文化八年版『隅田川往来』

に載る「隅田川八景」の図（図㊱）によれば、隅田川の勝景は木母寺から見た景色となっている。

源蔭政　川村蔭政。↓人物解題参照。

千蔭　加藤千蔭。作り物の判者。↓人物解題参照。

季鷹　賀茂季鷹。和歌の判者。↓人物解題参照。

庭の萩　「萩」は本虫合では重要なモチーフである。会場の木母寺の庭に咲いている萩を参加者一同が愛でながらこのイベントが行われている。一番左に主賓格として迎えられた土井利徳は仙台ゆかりの人であり、「宮木野の萩」を念頭に、みずから「萩が花笠」を詠み込み、造り物にも「萩」を用いた。以後も二番右、四番右、五番左、八番左、十番左で、造り物に用いられているのは、眼前の萩を意識したと考えるべきだろう。

暑さ耐へがたかりしも、夕べになれば、袖に待ちとる風涼しく吹きて　「あつかりし名残か夜は夏衣まちとる風の袖に涼しき」（『新明題和歌集』、一七三〇、三室戸誠光）を踏まえたか。

けふまちがほに　花を主語にしたこの表現は千蔭の歌に見出せる。「関こえて帰らむ人をまち顔に咲くやはこねのやまざくら花」（加藤千蔭『うけらが花』、二一六）「ふりはへてとはれん袖を待がほにさくやふせやの軒のたちばな」（同、三八八）。

本意なきわざ　「本意（ほい）」は、「ほんい」の撥音の無表記。本来の望み。「本意なし」は、それに反して、思うようにならないこと。「本意なきわざ」は、思うようにならず残念な事態。

ふた巻　ホノルル美術館所蔵本は、巻子二巻。

源景雄　三島景雄（みしまかげお）。底本の筆写者。人物解題参照。

読みのポイント

『天禄三年八月二十八日規子内親王前栽歌合（きこないしんのうせんざいうたあわせ）』に、「斎宮に、男女房分きて、御前の庭の面に、薄・荻・蘭・紫苑・芸（くさのかう）・女郎花（をみなえし）・刈萱（かるかや）・瞿麦（なでしこ）・萩などを植ゑさせ給ひ、松虫・鈴虫を放たせ給ふ。人々に、やがてそのものにつけて、歌を奉らせ給ふに、おのが心々我も我もと、あるは由ある山里の垣根に小男鹿の立ちより、あるは限りなき洲濱の磯づらに蘆田鶴の下り居る方をつくりて、草をも生ほし、虫をも鳴かせたり。（下略）」とあり、十番虫合の催しは、この前栽歌合に倣った可能性が高い。▼1

この歌合は夕方（月を待つ時間）から、夜（月が照るまで）にかけて行われた模様である。各番の和歌も、その時間の流れに即して歌われたように読める。和歌に詠まれた「夕暮れ」や「月」の語がその指標となっている。

また、各番の「読みのポイント」で示したように、虫合の歌や作り物は、前の番で使われた言葉や物の一部を使うことがしばしばあり、参加した歌人たちは前番とのつながりを意識しているようである。

▼注

1　盛田帝子「十八世紀の物合復興と『十番虫合絵巻』」、『かがみ』第五十二号、大東急記念文庫、二〇二二年三月

:Collection of the Honolulu Museum of Art. Gift of James A. Michener, 1991 (23442).

⑳ P91　井堰（『増補頭書訓蒙図彙大成』巻二）
Riverside coffer, p. 91
ホノルル美術館所蔵リチャード・レイン文庫　中村惕斎著・下河辺拾水画『増補／頭書　訓蒙図彙大成』（TD 2023-01-23）（寛政元年版）巻二
Nakamura Tekisai ／ Shimokōbe Shūsui *A Complete Collection of Pictures to Enlighten the Young, Expanded with Headnotes* : Collection of the Honolulu Museum of Art. Purchase, Richard Lane Collection, 2003 (TD 2023-01-23).

九番

㉘ P113　井筒の舞台装置（月岡耕漁『能楽図絵』より「井筒」）
p. 113 (but probably no need to cross reference this one)
ホノルル美術館所蔵　月岡耕漁「能楽図会」（3149b.14）より「井筒」
Tsukioka Kōgyo *The Well Curb from the series Illustrations of Noh Plays* : Collection of the Honolulu Museum of Art. Gift of Stephanie Frazier in honor of Harold and Frances Frazier, 2009 (31490b.14).

㉛ P115　『改正伊勢物語』
The well scene, from the *Tales of Ise*, p. 115
国文学研究資料館鉄心斎文庫所蔵　西川祐信『改正／伊勢物語』（98-494-1～2）
DOI　https://doi.org/10.20730/200024885

十番

㉝ P121　巻き上げた御簾（『源氏物語手鑑研究』より）
Room with rolled-up blinds, p. 121
『石山寺蔵四百画面源氏物語画帖』（和泉市久保惣記念館『源氏物語手鑑研究』一九九二年より引用）

跋文

㉟ P125　『江戸名所図会』巻七「木母寺」
Mokubo-ji Temple, with poem inscription: “Mokubo-ji: / a poetry party there / under tonight’s moon.” P. 125
味の素食文化センター所蔵『江戸名所図会』巻七　デジタル請求番号 DIG-AJNM-360
DOI　https://doi.org/10.20730/100249896

㊱ P126　文化八年版『隅田川往来』
from Eight Scenes along the Sumida River, p. 126
国文学研究資料館所蔵『隅田川往来』（禿帚子著、文化八年版　ヤ5-295）
DOI　https://doi.org/10.20730/200007590

注釈図版出典一覧 | List of sources for illustrations in the annotations

＊作り物（洲浜）の図版（一番左右の拡大図含む）は、すべてホノルル美術館所蔵リチャードレイン文庫『十番虫合絵巻』*A Match of Crickets in Ten Rounds of Verse and Image* : Collection of the Honolulu Museum of Art. Purchase, Richard Lane Collection, 2003（TD 2011-23-415）による。
All illustrations in the Arrangements are from *A Match of Crickets in Ten Rounds of Verse and Image* : Collection of the Honolulu Museum of Art. Purchase, Richard Lane Collection, 2003 (TD 2011-23-415).

一番

① P51 「まつむし」「すずむし」（『増補頭書訓蒙図彙大成』巻十五）
Pine cricket and bell cricket; p. 51
ホノルル美術館所蔵リチャード・レイン文庫
中村惕斎著・下河辺拾水画『増補／頭書　訓蒙図彙大成』（TD2023-01-23）（寛政元年版）第七冊・巻之十五「蟲介」。
Nakamura Tekisai ／ Shimokōbe Shūsui *A Complete Collection of Pictures to Enlighten the Young, Expanded with Headnotes* : Collection of the Honolulu Museum of Art. Purchase, Richard Lane Collection, 2003 (TD 2023-01-23).

二番

⑥ P61 木賊（『和漢三才図会』巻九十四本）
Horsetail rushes, p. 61 – no convenient place to enter a cross-ref in the English section
国文学研究資料館鵜飼文庫所蔵『和漢三才図会』（96-19-1〜81）巻九十四本「湿草」
DOI https://doi.org/10.20730/200018257

四番

⑪ P75 鈴板（『武用弁略』巻八）
***Suzu-ita*, p. 75**
奈良女子大学学術情報センター所蔵『武用弁略』（文化二年版）（DIG-NARA-852）巻八
DOI https://doi.org/10.20730/100258943

⑫ P76 「紫地鳳形錦御軾」
#4: Pillow with phoenix design, p. 76
掲載サイト　宮内庁ホームページ正倉院宝物検索 https://shosoin.kunaicho.go.jp/treasures?id=0000010161&index=0

⑬ p77 『聆涛閣集古帖』織紋
Phoenix design, p. 77
国立歴史民俗博物館所蔵［聆涛閣集古帖］織紋より
掲載サイト https://khirin-a.rekihaku.ac.jp/reitoukakushukocho/h-1660-31

五番

⑯ P83 『江戸名所図会』巻六「浅茅が原」
The Asajigahara fields (Edo Meisho Zue), p. 83
味の素食文化センター所蔵『江戸名所図会』巻六「浅茅が原」DIG-AJNM-360
DOI https://doi.org/10.20730/100249896

六番

⑲ P89 歌川広重『東都名所之内』「隅田川八景　木母寺秋月」
p. 89 (Hiroshige's Mokubo-ji)
ホノルル美術館所蔵　歌川広重「東都名所之内」より「隅田川八景　木母寺秋月」
Utagawa Hiroshige *Mokuboji Temple under Autumn Moon from the series Famous Places of Edo: Eight Views of the Sumida River*

解題——古典知の凝縮された『十番虫合絵巻』の魅力

盛田帝子

一　十八世紀後半の江戸で再興された物合

十八世紀後半、江戸で、平安時代の宮廷・宮家などで行われていた物合を再現しようとする試みが流行した。初めて再興された物合は、明和二年（一七六五）春に田安宗武が田安邸の母屋で再興した「梅合」である。[1]「梅合」は、王朝時代の装束を身に付けた参加者が男女の二組に分かれ、趣向を凝らした梅の洲浜を持ち寄って優劣を競った物合で、判定をする判者、勝った度数を数える数差の童が置かれ、催しが終わると、勝った側が雅楽の鼓笛の曲「乱声」を演奏した。かつて宮中で行われていた「曲水の宴」を江戸城で再興した父八代将軍吉宗と同様に、宗武は有識学・服飾学・雅楽・歌学の知識を集約して王朝時代の物合を江戸で再興したのである。[2]明和八年（一七七一）に宗武が亡くなると、古典テクストを典拠とする物合の再興は、江戸の県居派ではなく荷田派の古学者（荷田在満の妹蒼生子や、子御風に関係する人々）によって行われることとなり、[3]寛政改革で下火になるまで流行した。[4]中心となったのは、京都の堂上歌人有栖川宮職仁親王の門人で関東門人を束ねる三島景雄、同門の賀茂季鷹などであった。

二　京では絶えていた物合

賀茂季鷹は「物あはせは石上ふりにたる世の事にて、今は百師木(しき)の大宮わたりにもさることはたえて久しくや成にけん。まいて鳥がなく東のはてにには、かかることありきとだにしる人もいとまれらに侍るめり」（安永八年『角田川扇合』季鷹跋文）[5]と、物合は古い時代の催しで、今は、宮中のあたりでも絶えて久しい。まして、江戸の地では物合があったということを知る人も稀であろうという。京の有栖川宮家に諸大夫として仕え、職仁(よりひと)親王から歌道・歌学を学んだ季鷹が江戸に下向したのは、明和九年（一七七二）正月、十九歳の時である。[6]有栖川宮家門人として京都歌壇の状況を把握していた季鷹の言からは、宮廷でも物合が絶えて久しかったこと、また明和二年に田安家邸内で再興された「梅合」は江戸市中では知られていなかったことが知られる。[7]景雄も物合のひとつである扇合について「あふぎ合はあがれる世のことにして、さす竹の大宮うちの御たはぶれなりかし。貫之が「あふぐあらしの」とよめるは、ふりにたるためしにて、天禄の御門(みかど)もいと興ぜさせ給ひ、長寛・承安のころは、さかりに侍りしとか伝へ承りぬ。其後は又かかることも聞え侍らぬは、世のくだちたるゆゑにこそと思ひ給ふれ」（『角田川扇合』景雄跋文）と、王朝の御代に盛んに行われていた扇合が途絶えていたことを述べているが、仲間と集まっていろいろと話している最中に、景雄に扇合の再興をしきりに進める者がいて、自身の身分が低いことを理由に断ると、昔のことで規則もおぼつかないので、ただ遊びで行うのに、どうして人から非難されようかと強く勧められて、扇合を再興したという。景雄も季鷹も田安家での「梅合」の再興を知らず、また景雄は自身が地下身分だからという理由で一度は扇合の再興を断るが、最終的には遊戯で行うという建前で扇合を再興したのである。

三　江戸の雅文壇で催された物合

このような雅文壇の催しと並行して、俗文壇でも狂歌作者が中心となり、サツマイモ等の物につけた詞書や説明の狂文の着想・こじつけの巧拙を競う「宝合」等の物合が流行したが、[8] ここでは、明和～天明期の江戸の雅文壇で行われた物合を一覧する。

明和二年（一七六五）春　梅合（田安宗武主催）
明和四年（一七六七）正月　香合（春龍判）
安永八年（一七七九）八月　扇合（三島景雄主催、扇判・山岡明阿、歌判・荷物蒼生子、執筆・賀茂季鷹。他に千蔭・忠順・元著・総幸・有之・蔭政等）
天明元年（一七八一）六月　後度扇合（景雄・蒼生子・季鷹・千蔭・忠順・元著・総幸・有之・蔭政等）
　前栽合（景雄・蒼生子等）※蓬莱尚賢『亥丑録』に拠る。
天明二年（一七八二）八月　十番虫合（源蔭政主催、虫判・千蔭、歌判・季鷹。他に景雄・忠順・元著・総幸・有之等）
天明四年（一七八六）十一月　春秋のあらそひ（景雄・季鷹・千蔭・総幸・有之等）
天明六年（一七八八）　ふみ合（景雄・季鷹・千蔭・総幸・有之等）

安永・天明期の江戸では、幕府政治をリードし全権を掌握した田沼意次（たぬまおきつぐ）が、武士が武芸の余暇に遊芸を嗜むことを公認していたこともあり、[9] 大名・幕府旗本・幕臣などの武家が文化の担い手として社会の前面に出てきた時代でもある。宗武以後、幕府御用達の呉服商だった景雄が中心となって、経済的に豊かな武家・商家と古典学に優れた国学者・歌人、高い技能をもった江戸職人が邂逅し、豪華絢爛な王朝復古的物合が集中して再興されたのである。

しかし、平安時代の宮廷貴族社会で盛んに行われていた物合が、京ではなく江戸で再興されたのはなぜなのだろうか。

四　物合が京ではなく江戸で再興された理由

享和二年（一八〇二）に、僧大愚が判者となり、堂上歌人と地下歌人が身分の差を越えて行った『三十番歌合』（通称大愚歌合）が問題視され、歌合に参加した歌人が宮廷歌会から締め出されたり、宗匠家から破門されたりするという事件が起こった。時の関白鷹司政熙が、参加した堂上歌人の宗匠家に、弟子である参加者たちの処分を言い渡した「被仰渡之写」に、「一　此度歌合之事催達二上聞一、夫々宗匠家へ及二吟味一候処、則及二奏聞一候。別紙人々甚軽率之事、尤哥道之衰不レ過レ之。且者先王之御制禁之事、奉レ恐之至（下略）」（宮内庁書陵部松岡本『歌合』）とあって、京都では「先王」によって歌合が禁止されていたらしい。寛永十六年（一六三九）には後水尾院『仙洞三十六番歌合』が成立しているので、それ以降、享和二年（一八〇二）までの間に、京では公的には歌合が禁止されていたようだ。季鷹の師であった職仁親王は、霊元天皇の皇子で桃園天皇・後桜町天皇・後桃園天皇の歌道師範を務めた堂上歌壇の中心人物である。その職仁親王の傍らにいた季鷹が、歌合に準ずる物合について、当時は京都でも江戸でも途絶えていたと把握していたことを考えると、公には歌合が禁止されていた京ではなく江戸で、しかも表向きは遊戯として、物合が再興されたと考えられる。

五　江戸での虫聴の流行と「十番虫合」

さて、本書では、先に一覧に掲げた物合の内、天明二年（一七八二）八月に隅田川のほとりの木母寺で行われた「十番虫合」を取り上げる。この催しは、参加者が、古典テクストを出典とする世界観を洲浜の上に造り、鈴虫・松虫を鳴かせて、和歌と虫の鳴き声を競った王朝復古的物合である。京都では、堀河天皇の時代から、殿上人が野外に出て虫を採集し虫籠に入れて宮中に奉った「虫えらみ」という遊びがあったが、この頃の江戸でも、鈴虫・松虫などを虫籠に入れて売り歩く虫売りが現れ、秋の夕方、鈴虫・松虫などの声を愛でるために御座や酒を携えて名所を訪れる「虫聴」が流行していた。

このような虫ブームの中、景雄たちとは別に、八月十四日に、隅田川の堤で「虫聴」を行い、木下長嘯子「諸虫歌あはせ」に倣って恋の心を虫に寄せて詠んだ狂歌作者たちがいた。彼らの催しは、天明八年（一七八八）に喜多川歌麿画・宿屋飯盛（石川雅望）編『画本虫撰』二巻二冊として出版されたが、『画本虫撰』は虫類に季節の草花を添えて描いた多色摺り絵本で、虫を題に詠んだ狂歌合わせの形式をとっている。「虫聴」の催しが行われたのは天明六年以前[10]で、俗文壇の催しとしての出版ではあるが、天明二年（一七八二）八月に景雄グループが隅田川沿いで行った雅びな催し「十番虫合」、またこの催しを彩色画と和文・和歌で記録した『十番虫合絵巻』の影響を受けている可能性がある。

このように、当時の江戸の俗文壇にも影響を与えた可能性のある「十番虫合」の催しを、本書ではホノルル美術館所蔵『十番虫合絵巻』から繙いてゆく。

六　「十番虫合」の研究史

ここで「十番虫合」についてのこれまでの研究を振り返っておこう。『十番虫合』の存在をいち早く紹介したのは、安藤菊二「三島自寛の『十番虫合』はしがき」（『江戸の和学者』青裳堂書店、一九八四年）である。昭和十七年（一九四二）、当時名古屋図書館に所蔵されていた随筆『旅の行かひ』の中から、三島景雄の跋文と参加者を写し取って紹介した。しかし、その『旅の行かひ』は戦中に焼けてしまい今は存在しない。その後、拙稿「安永天明期江戸歌壇の一側面—『角田川扇合』を手掛かりとして—」（『雅俗』四号、一九九七年一月。後に増訂して『近世雅文壇の研究』汲古書院、二〇一三年に所収）によって、「十番虫合」の催しが安永・天明期の物合流行の中での荷田派における古典復興のひとつとして位置づけられ、国文学研究資料館所蔵『十番虫合』（『平家物語竟宴和歌』と合冊）、刈谷市立図書館所蔵『梅処漫筆』所収『十番虫合』、大東急記念文庫所蔵『虫十番歌合絵巻』（一〇五―二二―一、写一軸）が紹介された。その後、大東急記念文庫本を本格的に取り上げ、書誌調査および内容の検討によって、原本的位置にあると結論づけ、「十番虫合」の催しを「享保以降本格化した、田安宗武が主導し、あるいは輪王寺宮公遵親王が後ろ盾となって、荷田在満、真淵、明阿、貞丈らの江戸故実家、和学者が旗振り役を演じて推進した王朝風装飾文化復活の流れの中で見直す必要があろう」と提言したのは、鈴木淳『『十番虫合』と江戸作り物文化』（『橘千蔭の研究』ぺりかん社、二〇〇六年）であった。その後、大東急記念文庫本との比較により、ホノルル美術館所蔵『十番虫合絵巻』が原本と位置付けられ（拙稿「十八世紀の物合復興と『十番虫合絵巻』」大東急記念文庫『かがみ』第五十二号、二〇二二年三月）、一番の対戦を例に「十番虫合」の催しが、経済力が高く古典への造詣が深い人々と高い技術力を持った職人の邂逅・交流によって成し遂げられた王朝復古的物合であったこと（拙稿「安永天明期における王朝文化の復興―古典知の再創造と人的交流―」日本文学協会『日本文学』第七十一巻七号、二〇二二年七月）、「十番虫合」が行われた隅田川沿いの木母寺は、江戸の人々が京の都を思い浮かべ、王朝のみやびを呼び起こす歴史的な地点であったことが述べられた（拙稿「東都における宮廷文化再興の系譜―吉宗・宗武から景雄・季鷹・千蔭へ」古典ライブラリー『日本文学研究ジャーナル』第二十三号、二〇二二年九月）。

　これらの研究史を踏まえ、本書ではホノルル美術館所蔵『十番虫合絵巻』の翻刻・注釈・現代語訳・鑑賞を試みる。

七　「十番虫合」の諸本について

「十番虫合」の催しを記録した諸本の内、現在確認し得ているのは、以下の九点である。[11]

（1）ホノルル美術館所蔵『十番虫合絵巻』写本二軸。上巻：縦三六・二cm×横九八四・五cm、下巻：縦三六・一cm×横九八五・九cm。本文「三島景雄」写。彩色画有り。

（2）大東急記念文庫所蔵『虫十番歌合絵巻』（請求記号：一〇五―二二―一）写本一軸。縦二七・二cm×横一三九〇・〇cm。本文「加藤千蔭」写・彩色画「田中訥言」写。

（3）国立公文書館所蔵「拾番虫合」。『視聴草』第九十六冊（請求記号：二一七―〇〇三四、写本一冊、縦二八・三cm×横一九・二cm）に所収。本文写・彩色画写。

（4）国立国会図書館所蔵「虫合」。『視聴草』第五十三冊（請求記号：一二九―一五九、写本一冊、縦二四・三cm×横一六・五cm）に所収。本文写・彩色画写。

（5）神宮文庫所蔵『鈴虫松虫歌合』写本一冊。縦二七・八cm×横三九・六cm。本文のみの写し。

（6）国文学研究資料館所蔵長井文庫「十番蟲合」（写本）。『平家物語竟宴和歌』（刊本）と合冊（請求記号：五一―五三六、一冊、縦二二・一cm×横一五・九cm）。本文のみの写し。嘉永五年四月十八日「しけぬのかすゆき」の奥書あり。

（7）東京都立中央図書館丸山季夫旧蔵本「むし合」（写本）。「ふみ合」（写本）と合冊（請求記号：新収資料―和―1120、一冊、縦二七・七cm×横一八・九cm）。本文のみの写し。

（8）大阪公立大学図書館所蔵森文庫「十番虫合」（写本）。「みちくさ」等と合冊（請求記号：049.1//MIC、1冊）。本文のみの写し。

（9）刈谷市立図書館所蔵「十番虫合」。『梅処漫筆』（請求記号：村上文庫 5727/34/9 丙一）に所収。本文のみの写し。

（2）大東急記念文庫所蔵『虫十番歌合絵巻』は、絵と本文を交互に貼り継いだ一軸。本文筆者は、本文・跋文共に虫の判者を務めていた加藤千蔭であるが、脱字や衍字、補入やミセケチがまま見られるため、清書本の意識で書写した本文ではない。▼12 絵師は田中訥言（たなかとつげん）。▼13 例えば、三番左の千蔭の虫判に「ちひさきすはまに虫籠のせて菊のかざしをたて、うすもののおほひに歌をぬへり」（小さい洲浜に虫籠を載せて菊の挿頭を立て、薄物の覆いに歌の刺繡をした）と、自身の洲

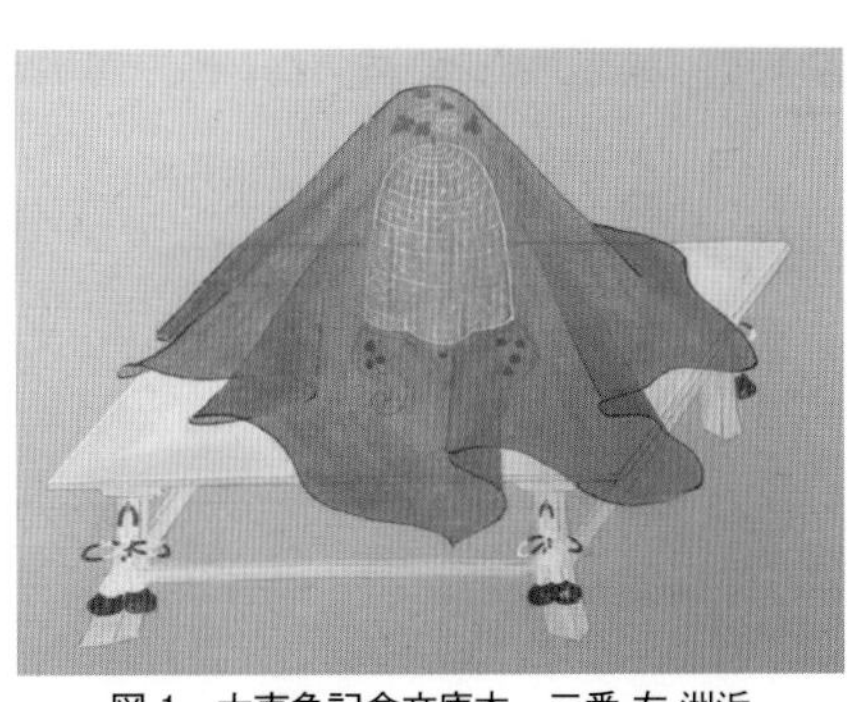

図1　大東急記念文庫本　三番 左 洲浜

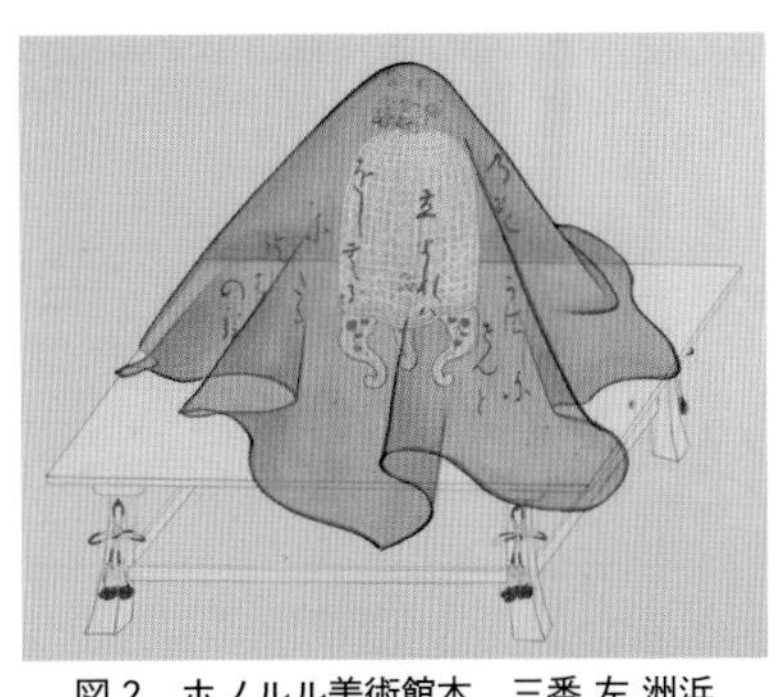

図2　ホノルル美術館本　三番 左 洲浜

浜の趣向についての説明があるが、訥言の挿絵には、薄物の覆いにあったはずの刺繍された和歌が描かれていない（図1）。参考としてホノルル美術館本の挿絵を掲げる（図2）。このように、訥言の画は、本来はあったはずのものが省略されていることから、写しと考えられる。

大東急記念文庫本は、千蔭が書写していた本文・跋文の一巻と訥言が書写していた絵の一巻を、後に何者かが、それぞれの番ごとに裁断して、絵と本文（跋文を含む）を交互に貼り継いで一軸としたものと考えられ、清書本の意識で作成され、成立したものではない。[14]

さて、諸本に掲載されている三島景雄の跋文には「かかることの此ままにやまんも、ほいなきわざなればとて、其くさぐさをかたにかきてふた巻になしぬ。こは、そのをりのこと草を後々にしのぶの草のしのばんことをおもひてなり。天明二年八月の末つかたにしるす。源景雄」（このようなことが、このままに途絶えてしまうのも残念なことであると思って、その様々な歌や洲浜を絵に描いて、二巻にした。これは、その折の話題を、後々に懐かしむことを思ってである。天明二年八月の終わり頃に書きとめる。源景雄）とあり、八月十日過ぎに催された「十番虫合」の原本は二巻の絵巻物の体裁をとり、景雄によって二十日間ほどで編集されたことがわかる。

諸本の中で、この条件を満たすのは、本文・跋文ともに景雄の自筆で、二巻二軸の（1）ホノルル美術館所蔵『十番虫合絵巻』のみである。

ホノルル美術館所蔵『十番虫合絵巻』（写本、二軸）は、リチャード・レイン旧蔵本の内の一点で、「十番虫合」と蓋表に墨書された箱の中に、二軸（上巻・下巻）が収められている。大きさは、上巻が縦三六・二㎝×横九八四・五㎝、下巻が縦三六・一㎝×横九八五・九㎝。緞子表紙で、上巻には「十番虫合　上」、下巻には「十番むし合　下」と墨書された外題簽が貼付されている。見返しは、白色布目地に金切箔金砂子散らし。目の詰まった上質な料紙に、各番ごとにまずは濃彩の洲浜画、次に本文という順番で、上巻は一番から五番まで、下巻は六番から十番までと巻末に源（三島）景雄の跋文が記録されている。字高は一番が三二・五㎝、他は三二・〇～三三・〇㎝。本文・跋文、外題、箱書すべてが景雄の自筆であることから、景雄によって書写・編集され、装丁されて箱に収められたことが知られる。二巻であること、すべてが景雄の自筆であることは、跋文とも齟齬しないので、ホノルル美術館所蔵『十番虫合絵巻』こそが、景雄の作成・編集した原本ということになる。▼15 ただし、絵師が誰であるかは現在のところ不明である。

（3）国立公文書館所蔵「拾番虫合」と（4）国立国会図書館所蔵「虫合」は、『視聴草（みききぐさ）』に所収されている。『視聴草』は、幕府編纂事業に従事した幕臣 宮崎成身（みやざきせいしん）が、文政十三年（一八三〇）から三十年以上にわたって手元資料や記録から作成した雑録。国立公文書館所蔵『視聴草』が原本なので、（4）は、（3）から、本文・彩色画ともに書写されたもの。（5）神宮文庫所蔵『鈴虫松虫歌合』には絵がなく、本文のみの写しだが、本文は（3）（4）と同じ系統のもの（本書「校異」を参照）。

（6）国文学研究資料館所蔵長井文庫「十番蟲合」は本文のみの写本。嘉永五年（一八五二）四月十八日の「しげぬのかずゆき」の奥書によれば、もともと三島景雄の所持していた原本二巻（現在ホノルル美術館に所蔵されている（2）『十番虫合絵巻』）は、既に別人が所蔵していたが、その所蔵者から二巻を借り受け、歌と判詞のみ（本文のみ）を書写し、嘉永五年に清書し、同年四月十八日に奥書を記したもの。

（7）東京都立中央図書館丸山季夫旧蔵本「むし合」、（8）大阪公立大学図書館所蔵森文庫「十番虫合」、（9）刈谷

市立図書館所蔵「十番虫合」も、本文のみの写本となる。

以上の調査を経た上で、本書では三島景雄が編集・作成した原本（1）ホノルル美術館所蔵『十番虫合絵巻』を取り上げて紹介する。画と本文を解読することで、十八世紀後半の日本で、京都の王朝文化にあこがれる江戸の人々が、どのように古典知を抽出し、何を再創造しようとしたのか。彼らの古典知を活かす才知を探ってみたいと思う。

八　王朝古典を主な典拠とする「十番虫合」と概要

三島景雄の跋文によれば、「十番虫合」の催しは、天明二年（一七八二）八月十日過ぎに隅田川のほとりの木母寺で行われた。主催者は幕府旗本であった源（川村）蔭政。参加者は各番二名ずつで男女合わせて二十名。大名、旗本、幕府御用達商人や医師、職人などの男性歌人に女性歌人も含め、身分の上下に関係なく同座しての催しであった（本書「人物解題」参照）。幕府御用達の呉服商であった三島景雄は、先に述べたように、江戸にありながら、宝暦八年（一七五八）七月、有栖川宮職仁親王に入門し（宮内庁書陵部所蔵マイクロフィルム『入木門人帖〔寛延二年―明和六〕有栖川宮家』ネガ番号一三〇）、関東の歌目代として、江戸の有栖川宮門人を束ねるという位置にあった歌人で、安永八年（一七七九）「扇合」、天明元年（一七八一）「後度扇合」、「前栽合」、天明二年（一七八二）「十番虫合」、天明四年（一七八六）「春秋のあらそひ」、天明六年（一七八八）「ふみ合」に参加しており、物合再興の中心人物で、明和九年（一七七二）に江戸に下向した季鷹の庇護者でもあった。季鷹は歌の判者を務めているが、参加者二十名の内、季鷹の邸宅の義慣亭で行われた月次歌会（天明元年～七年）に参加していた歌人は十二名にも及ぶ。また、虫の判者の加藤千蔭も景雄や季鷹と親しい。このように、参加者の構成をみると、「十番虫合」の催しは、季鷹と季鷹の庇護者で『十番虫合絵巻』を作成した景雄の人的交流を中心に、三河国刈谷藩主の土井利徳といった主賓を迎えて行われた物合だったといえる。

景雄の跋文によれば、当日は大変よく晴れて耐えがたい暑さだったが、二十人の男女が、左方と右方に分かれて、左方は鈴虫にちなむ洲浜に鈴虫の歌を添え、右方は松虫にちなむ洲浜に松虫の歌を添えて勝ち負けを競った。本文と絵からは、洲浜がいずれも職人の高い技術に裏付けられた豪華絢爛な作りで、洲浜の上に薄や萩などの草花を生やし、生きた鈴虫や松虫を鳴かせていることがわかる。洲浜を造るのに多大な費用と時間が要されたことが推察されるので、歌も当日の即詠ではなく、あらかじめ詠まれていたものであろう。日が暮れる頃になると風が涼しく吹いて、秋の月の光も隅々まで行き渡ったころ、参加者は、それぞれ木母寺の端の方に出て酒を飲みながら、咲き出したばかりの庭の萩の花や華やかに鳴きかわしている虫の声を楽しんだようだ。

ところで、このように男女が同座し、庭には萩の花が咲いて虫が鳴き、参加者は洲浜に歌を付けて出す。その洲浜の上には薄や萩や紫苑などの秋草を生やし、生きた鈴虫や松虫が鳴いているという「十番虫合」の催しの趣向は、何を出典としているのだろうか。

以下に、村上天皇第四皇女規子内親王が主催し、天禄三年（九七二）八月二十八日に行われた規子内親王前栽歌合（判者源順）の催しについて記された部分を掲げる。

斎宮に男女房分きて、御前の庭の面に、薄・荻・蘭・紫苑・芸・女郎花・刈萱・瞿麦・萩などを植ゑさせ給ひ、松虫・鈴虫を放たせ給ふ。人人に、やがてそのものにつけて、歌を奉らせ給ふに、おのが心心、我も我もと、あるは由ある山里の垣根に小男鹿の立ちより、あるは限りなき洲浜の磯づらに芦田鶴の下り居る形をつくりて、草をも生ほし、虫をも鳴かせたり。（下略）

（「天禄三年八月廿八日規子内親王前栽歌合」廿巻本『平安朝歌合大成　二』同朋舎、一九七九年）

男女が出座し、庭には薄や萩などの秋草を植えて松虫・鈴虫を放ち、物（洲浜）と歌とを合わせ、洲浜の上には草を生やし、虫を鳴かせたという趣向は「十番虫合」と極めて似ている。

また、「十番虫合」の各番の洲浜の典拠を掲げると以下のようになる。**太字**は平安時代の古典作品。

一番　左『古今和歌集』『源氏物語』　右「大井川行幸和歌序」
二番　左『源氏物語』　右『古今和歌集』
三番　左『兼盛集』　右『古今和歌集』仮名序
四番　左〔鷹狩の道具にちなむ趣向〕　右『新千載和歌集』
五番　左**『詞花和歌集』**『無明抄』　右『浅茅が露』
六番　左『忠見集』　右『元輔集』
七番　左『源氏物語』　右『古今和歌集』
八番　左『拾玉集』　右『新古今和歌集』
九番　**左『和漢朗詠集』　右『拾遺和歌集』**
十番　左『源氏物語』　右『源氏物語』

洲浜の多くが平安時代の作品を典拠として造られていることが知られる。「十番虫合」は、その催しや洲浜の趣向など、多くを王朝の古典を典拠として再興されていたことが知られるのである。各番の具体的な趣向については、本書注釈の「作り物の趣向」および「読みのポイント」を参照されたい。

九　「十番虫合」が木母寺で行われた理由

さて、王朝の文学作品に憧れる彼らが隅田川のほとりの木母寺で「十番虫合」を再興したのはなぜなのだろうか。寛政四年（一七九二）に刊行された『隅田川往来』には、以下のような記事がある。

> 隅田川、東武第一の名所にして、代々歌人秀逸を残されし中に、取わけ伊勢物語に業平朝臣の英吟は、普く世にしれり。扨、このすみだ川、もとは隅田川と云しよし。謂はすだ村の川なれば也。川上は荒川といふ。梅若丸の寺は梅柳山木母寺といへり。本堂の傍に柳を植てしるしとし、柳のもとに小社有て、梅若の塚とす。殊勝なる道場なり。此往来も此地を第一として其辺一二里の間を順行せんと欲する趣向なり。来てみればむさしの国の江戸からは北とひがしのすみだ川かな。

『隅田川往来』の本文には、隅田川は武蔵国第一の名所であり、代々歌人が優れた歌を残している所であるが、とりわけ『伊勢物語』の主人公に擬せられた業平が隅田川のほとりで「名にしおはばいざ言問はむ都どりわが思ふ人は有りやなしやと」と詠んだことが有名だという趣旨のことが記されている。十八世紀後半、宮廷のみやびにあこがれて、王朝の「虫合」を再興しようとした彼らにとって、『伊勢物語』の業平に擬せられる男が隅田川を眺めながら遠くにある京都を思い浮かべ、また江戸時代に入ってからも近衛信尹や有栖川宮幸仁親王などの堂上歌人が業平歌を本歌とする和歌を多く詠んだ（『紫の一本』）隅田川沿いは、京の都のみやびを呼び起こす歴史的な地点として「虫合」を再興する格好の場所であっただろう。

また、『隅田川往来』（寛政四年版）には「梅柳山木母寺」から眺めた「隅田川八景之図」（待乳晴嵐、潮入夕照、駒形帰帆、橋場夜雨、隅田川秋月、関屋落雁、富士暮雪）が描かれており、本文には、隅田川のほとりの木母寺の本堂の傍らに柳の木があり、その下に梅若塚があって、木母寺からの眺めは、隅田川沿いの中でも第一の景勝地であったことが記されている。景雄の跋文に、隅田川が眺められる木母寺の端の方に出て酒を飲みながら、秋の月や庭の萩や虫の音を楽しんだことが記されていたことを思い出せば、当時景勝地として有名であった木母寺は「虫合」という典雅な催しを行うには最適の場所だっただろう。

さらに、『江戸名所図会』巻七には「寛文の始、大樹此地に御遊猟の砌、当寺を御建立ありて、新殿など造らせ給ひぬ」とあり、徳川家綱が遊猟の際に建立し新殿などを造らせたという木母寺は、歴代将軍の鷹狩の休憩所でもあり、江戸の武家歌人・堂上派地下歌人たちが、歴史上、長らく途絶えていた「虫合」を再興するのに、ふさわしい場所だったのである。

十　歌ことばと挿絵から見る「十番虫合」の趣向

洲浜につけて出された和歌から、時間帯を表現する歌ことばを上巻・下巻ごとに抜き出すと以下のようになる。

《上巻》（催しの前半部分）→夕暮・月出の前の時間帯を表現

一番　左「露」　右「月まつ虫」
二番　左「夕露」　右「まだ出でやらぬ月」
三番　左　右
四番　左「夕暮の声」　右「秋の夕暮」
五番　左　右「夕露」

《下巻》（催しの後半部分）→月出の後・夜半・更くる夜の時間帯を表現

六番　左「秋の夜半」　右

七番　左「夕露」　右「更くる夜の月もうつろふ」
八番　左　右
九番　左　右
十番　左「千夜をふる」　右「露けき庭の面に月」

催しの前半部分が記録された上巻（一番〜五番）の和歌には、夕暮れ時、月が出る前の歌ことばが使用され、催しの後半部分が記録された下巻（六番〜十番）には、月が出た後、夜半・更くる夜の歌ことばが使用されている。これは、虫合の催しが進行する速度（現実の時間）に合わせて、提出する和歌に使用する歌ことばも変化させる趣向があったためであろう。先に述べたように会場の木母寺は、歴史的にも由緒のある景勝地であった。木母寺から眺める眼前の隅田川の景色は、時間につれて刻々と表情を変化させてゆく。室外の秋の夕暮れや庭の夕露、移り変わる月と室内の洲浜や和歌との連続性・体感をねらいとして、洲浜や和歌は前もって準備されていたと考えられる。

さて、洲浜の上には生きた鈴虫・松虫が置かれたことを先に述べたが、和歌にはどのように表現されていたかを見てみよう。

▼一番　左　利徳
雨ならでふりつつ**虫の鳴く**なへにきてもみるべく萩(はぎ)が花笠(はながさ)
右　季鷹
玉琴(たまこと)のしらべにいつの秋よりか**まつ虫の音**もかよひ初めけむ
▼二番　左　桃樹
夕露のふりぬる宿の浅茅生(あさちふ)に昔ながらの**鈴虫の声**

右　　元貞

山の端にまだ出でやらぬ月影をなれもわびてや**まつ虫の鳴く**

▼三番　左　　千蔭

菊の花挿頭にせむと立よれば惜しむに似たる**鈴虫の声**

右　　景雄

松虫の鳴くなる声にひかれては秋も子の日の心地こそすれ

▼四番　左　　忠順

鷹の尾のならしばがくれ**鈴虫のふり出でてなく**夕暮の声

右　　元著

虫の音はあはれも深し葛飾の隅田川原の秋の夕暮

▼五番　左　　総幸

千種咲くなるみの野辺の**鈴虫は**汝がふるさとか錦着て**鳴く**

右　　芳充

住み捨てし浅茅が原の夕露に思ひ乱れて**まつ虫や鳴く**

▼六番　左　　房子

乱れ葦の**乱るる声も鈴虫**のふり捨てがたき秋の夜半かな

右　　八十子

女郎花多かる野辺にふりはへて人**まつ虫の声**しきりなり

▼七番　左　　芳章

思ひ草思ひあれぱや夕露に声ふり立てて**鈴虫の鳴く**

右　　　　　　　　　　　　正長

更くる夜の月もうつろふ秋草の下露深み**まつ虫の鳴く**

▼八番　左　　　　　　　　真恒

はし鷹の尾鈴の音にたぐふめりかりばの小野に**鳴く虫の声**

右　　　　　　　　　　　　有之

たのしさは千歳の秋もここに経むまつてふ虫に今日を待ちえて（⇩鳴く声の表現無し・負けの判定）

▼九番　左　　　　　　　　知宣

都にと急ぐ旅路もふり捨てて誰かは過ぎん**鈴虫の声**

右　　　　　　　　　　　　躬弦

あはれさを誰くみしらむ露深き筒井のもとの**まつ虫の声**

▼十番　左　　　　　　　　豊秋

鈴虫の鳴きよる軒の古簾千夜をふるとも**声**飽かめやも

右　　　　　　　　　　　　蔭政

まつ虫の鳴く音露けき庭の面に月もあはれや添へて見ゆらむ

一番～十番までの二十首のほとんどに、「鈴虫の声」「まつ虫の鳴く」など虫の鳴いている様子が詠み込まれていることが知られる。唯一の例外は、八番右の有之の和歌である。傍線を引いているように、松虫が鳴いている様子や声の表現はない。この和歌は、負けの判定を受けている。例えば、十番の歌の判詞に「左は、虫の音一首に残るくまな

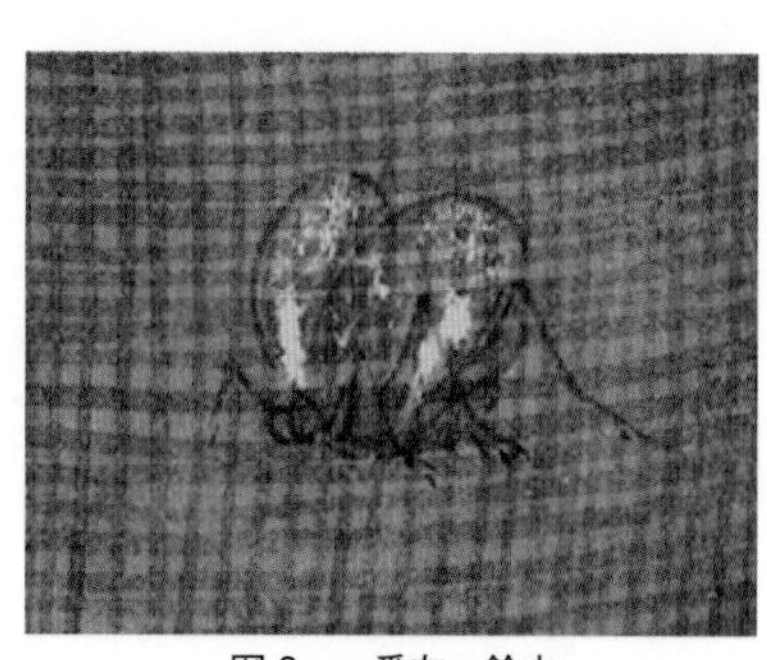

図３　一番左　鈴虫

図４　一番右　松虫

く聞え侍れば、かたがた、客人かたに勝ちを譲り給へや」（左の歌は、虫の音が一首の中にすみからすみまで余すところなく理解できますので、ご列席の皆さま、客人の方に勝ちを譲ってくださいな）とあるように、鈴虫・松虫の声（音）がきちんと表現できているかどうかが、和歌の勝敗のポイントのひとつであった。

ここで、一番の洲浜の絵から、左の鈴虫、右の松虫の拡大写真をみてみよう（図３・４）。

翅を広げた鈴虫や松虫が描かれている。鈴虫や松虫が鳴く時の翅が動いている状態が現実に即して描かれているのである。このように、和歌と一緒に出される洲浜の上では、生きた鈴虫や松虫が、今まさに鳴いている。当座で鳴いている鈴虫の声や松虫の声を想定して和歌は詠まれていなければならなかったのである。

十一　まとめ

昭和十七年（一九四二）に安藤菊二氏が「十番虫合」の景雄跋文を紹介してから、足掛け八十三年が経った。たくさんの方々のご協力を得て、ホノルル美術館に所蔵される原本の写真、翻刻、校訂本文、現代語訳、注釈、鑑賞、英訳、そしてWEBで『十番虫合絵巻』を公開することができることとなった。十八世紀後半の日本で、京都の王朝文化にあこがれる江戸の人々が、時間も空間も越えて、どのように王朝文学を再創造したのか。視覚、聴覚、嗅覚、秋風に触れる肌感覚などのすべてを想定して造られた洲浜や和歌、催し当日の彼らのパフォーマンスにも思いを馳せながらら、古典知の凝縮された『十番虫合絵巻』の魅力に触れていただけたら、この上ない喜びである。

▼注

1 鈴木淳「田安家の学問―梅合を巡って―」（国文学研究資料館編『古典講演シリーズ9 田安徳川家蔵書と高乗勲文庫 二つの典籍コレクション』臨川書店、二〇〇三年）。

2 盛田帝子「東都における宮廷文化再興の系譜―吉宗・宗武から景雄・季鷹・千蔭へ」（大谷俊太・長谷川千尋編『日本文学研究ジャーナル』第二十三号、二〇二二年九月）。

3 盛田帝子「賀茂季鷹と荷田御風」（『近世雅文壇の研究―光格天皇と賀茂季鷹を中心に―』汲古書院、二〇一三年）。

4 物合再興のメンバーの一人であった加藤千蔭は、天明八年（一七八八）六月に辞表を出し、七月に与力の職を辞し（丸山季夫『泊洦舎年譜』）、寛政元年（一七八九）二月には百日の閉門を申し渡され、禄二百石の内五十石を減ぜらる（関根正直『からす籠』）。同年（一七八九）春「花歌合百番」、同三年（一七九一）「十七番歌合」が行われたが（丸山季夫『泊洦舎年譜』）、寛政の改革で中断した後は、文政七年（一八二四）四月に清水浜臣が門弟を集めて行った五十一番の扇合（『泊洦舎扇合』）などが見られる。

5 翻刻は、盛田帝子「付 翻刻『角田川扇合』」『近世雅文壇の研究』（汲古書院、二〇一三年）に拠る。『角田川扇合』の本文の引用は、以下、同書に拠る。

6 盛田帝子「賀茂季鷹と諸大夫時代」（『語文研究』八六・八七号、一九九九年六月）。

7 「梅合」が催された経緯や『梅合』原本について記された大石千引「うめあはせの序」、催しの詳細がわかる賀茂真淵「うめのこと葉」が掲載された『賀茂下流梅合』が出版されたのは文政八年（一八二五）であり、安永八年（一七七九）の江戸市中では田安家邸内で「梅合」が再興されたことを知る人は稀だったのだろう。

8 濱田義一郎「宝合―安永・天明年間の江戸文学の一断面―」（『江戸文藝攷』岩波書店、一九八八年）、小林ふみ子・鹿倉秀典・

延広真治・広部俊也・松田高行・山本陽史・和田博通『『狂文宝合記』の研究』（汲古書院、二〇〇〇年）。

9 藤田覚『日本近世の歴史4　田沼時代』（吉川弘文館、二〇一八年）。

10 菊池庸介『歌麿『画本虫撰』『百千鳥狂歌合』『潮干のつと』』（講談社選書メチエ、二〇一八年）など。

11 「十番虫合」を記録した諸本の詳細については、盛田帝子「十八世紀の物合復興と『十番虫合絵巻』大東急記念文庫『かがみ』第五十二号、二〇二二年三月）を参照のこと。

12 注11掲載論文を参照。

13 鈴木淳「『十番虫合』と江戸作り物文化」（『橘千蔭の研究』ぺりかん社、二〇〇六年）。

14 注13掲載論文で鈴木淳氏は、伝記研究の上で訥言に江戸下りの事実がないことに加え「本書の描画が天明二年だとすると、当時十六歳であるから、景雄が下り絵師として京都から呼び寄せるにしては、いささか年齢が若すぎるというべきか。あるいは大東急記念文庫本の絵のみ、後に書き直された可能性もあろう」とされた。

15 詳細については注11掲載論文を参照。

※ 本解題は、十番虫合絵巻研究会と注釈検討会の成果を踏まえた部分がある。参加された皆様にあらためて深謝申し上げます。

※ 本稿をなすにあたり、閲覧および写真掲載を許された大東急記念文庫・ホノルル美術館に深謝申し上げます。ホノルル美術館所蔵『十番虫合絵巻』の掲載写真（スコット・クボ氏撮影）は、Collection of the Honolulu Museum of Art. Purchase, Richard Lane Collection, 2003 (TD 2011-23-415). に拠ります。

※ 本研究はJSPS科研費JP20KK0006の助成を受けたものです。

ホノルル美術館所蔵 リチャード・レイン・コレクション

南　清恵

ホノルル美術館は、宣教師の娘であったアナ・ライス・クック（一八五三―一九三四）により一九二七年アメリカ合衆国ハワイ州に開館し、米国博物館協会の認定を受けた総合美術館である。所蔵品の総数は五〇、〇〇〇点以上、その作品群の制作年代は約五、〇〇〇年にもわたり、中でも日本美術のコレクションには特筆すべきものが多くある。二〇〇三年その日本美術コレクションにリチャード・ダグラス・レイン博士（一九二六―二〇〇二）が蒐集（しゅうしゅう）した江戸時代を中心とする約六、〇〇〇点の版本と日本、中国、韓国の約三、〇〇〇点の絵画、そして約八五〇点の春画と浮世絵が加わり現在ではその質、数ともに全米でも有数の日本美術コレクションとなっている。今回の『十番虫合絵巻』もこのレインコレクションに含まれる。

リチャード・レインについて

戦後の日本美術界における著名な人物であり浮世絵研究家・蒐集家そして美術商でもあったレインは、一九二六年にフロリダで生まれ、ニューヨーク州クィーンズで育ち、第二次世界大戦中には日本語通訳として米国海兵隊に勤務。終戦後ハワイ大学にて日本語と中国語を専攻し、カリフォルニア大学バークレー校、ミシガン大学、そしてロンドン大学でアジア諸国の言語を勉強し、一九四九年にコロンビア大学にて井原西鶴（一六四二―一六九三）の研究で日本文学の修士号を取得。一九五〇年から一九五二年には日本に留学し、東京大学、早稲田大学、京都大学で日本文学を学ぶかたわら江戸川乱歩（一八九四―一九六五）や伊藤晴雨（一八八二―一九六一）らと交流を深めた。一九五三年から一九五四年にかけてドナルド・キーン（一九二二―二〇一九）の前任者としてコロンビア大学で初級の日本語と日本文化を教えた後、一九五八年コロンビア大学で日本古典文学の博士号を取得。映画「南太平洋」の原作者でピューリッツアー賞作家でもあるジェームズ・A・ミッチェナー（一九〇七―一九九七）からホノルル美術館に五、四〇〇点もの浮世絵が寄贈されるのを機に、レインは一九五九年からホノルル美術館のスタッフの一員となり、一九七一年まで浮世絵の研究および目録製作に携わり、その後もホノルル美術館との深い交流が続いた。*Image from Floating World: Japanese Print*（1978）や*Hokusai: Life and Work*（1989）など多くの優れた著書で知られ、浮世絵に書かれているくずし字や落款を流暢に読み解き、日本の古典文学や日本美術に造詣が深いレインは学者として多くの功績を残した。

レインコレクションについて

晩年は京都の山科で暮らしていたレインは二〇〇二年慢性の心臓病で七十六年の生涯を閉じた。妻に先立たれ、遺言も跡継ぎもなく亡くなった彼のコレクションは、交流の深かったホノルル美術館によって購入されハワイへ渡ることとなった。そのレインコレクション最大の特徴は一七世紀から一九世紀にかけての日本の版本で、特に師宣絵本など一七世紀の絵入り本が豊富であり、黒本や青本に関してもこのコレクションでしか確認されていない稀本が多数存在する。また絵画では中国仏教や元（一二七一―一三六八）・明王朝（一三六八―一六四四）の道教絵画や風景画、そして学者たちの集いを描いた李朝（一三九二―一八九七）時代の貴重な契会図など中国、韓国の作品にも秀作がそろっている。日本美術に関してはレインが晩年を京都で過ごした影響で、京狩野派の作品が多く、他には今回の『十番虫合絵巻』のように江戸における王朝文化復興の様子を描いた絵巻や、ホノルル美術館で三回に渡り特別展を開くことが可能となった春画、幕末から明治にかけての浮世絵の数々など、そのジャンルは多岐にわたる。膨大なレインコレクションは現在まだ調査中で、その全貌は明らかにはなっていない。そんな中、こうしてコレクションの中のひとつの作品にスポットライトが当たり、研究成果が書籍という形で世の中に紹介されることは非常に喜ばしいことである。レインの学者としての実績はすでに国際的に認知されているので、次に彼のコレクションの素晴らしさが世界に紹介されることをレイン自身も喜んでいるに違いない。

Ⅱ　論考・コラム

美術史研究から見た『十番虫合絵巻』の作り物

門脇むつみ

本作の「作り物図」は、天明二年（一七八二）八月十日あまりに開催された歌合の当日に飾られた「モノ」、すなわち「判詞が説明する王朝物語や古歌の世界を洲台（しまだい）等の上に器物や樹木のミニチュアを配し表したもの」を描き留めた記録という体裁をとる。確かに描写は具体的かつ丁寧でモノの様相を伺う記録としての側面がある。しかしより興味深いのは、これらが単なる記録ではなく、絵画作品として工夫が凝らされ整えられ、見応えのある画面となっていることだろう。本稿では、各図を関係作品も含め検討し、作り物がその姿かたちで発想された背景、それをめぐって虫合関係者が共有した情報・知識・美意識等について、美術史学の立場から気づいたこと少々述べたい。なお、作品実見の機会を得ないまま執筆することをお断りしておく。

一　作り物の系譜

そもそも物合に伴う作り物は、平安時代に始まったとされる。鈴木淳氏によれば、物合はその後も細々と命脈を保つものの次第に廃れ、江戸時代後期になって本書の主題である「十番虫合」を含む一連の物合が、江戸で武家や町人により執り行われたのが目立った事例となる。しかし「十番虫合」以外に、その際の作り物を描き留める例はないようである。

一方で、洲台の上に景物や人形を置く作り物は、近世以降はもっぱら高砂人形を置く婚礼のそれが知られるが、婚礼に限らず宴の場を飾る例もある。たとえば四条流の料理指南書『節用料理大全』（一七一四年刊）にて宴席の飾り物としての洲台の例を四季に応じて紹介するうちの「秋　慈童　きくすい」（早稲田大学図書館蔵、図1）、全国の歌枕と古歌を載せる地誌・鳥飼酔雅著・月岡雪鼎画『東国名勝志』巻二（一七六二年序）の薄野に鶉を置いた洲台を描く「武蔵のゝ名月」（早稲田大学図書館蔵、図2）など図を伴う例がその様相をよく示す。

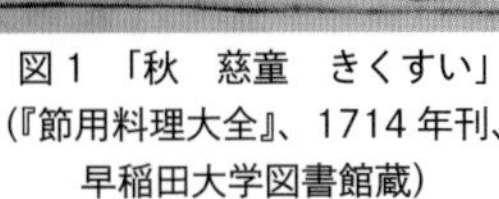

図1　「秋　慈童　きくすい」
（『節用料理大全』、1714年刊、
早稲田大学図書館蔵）

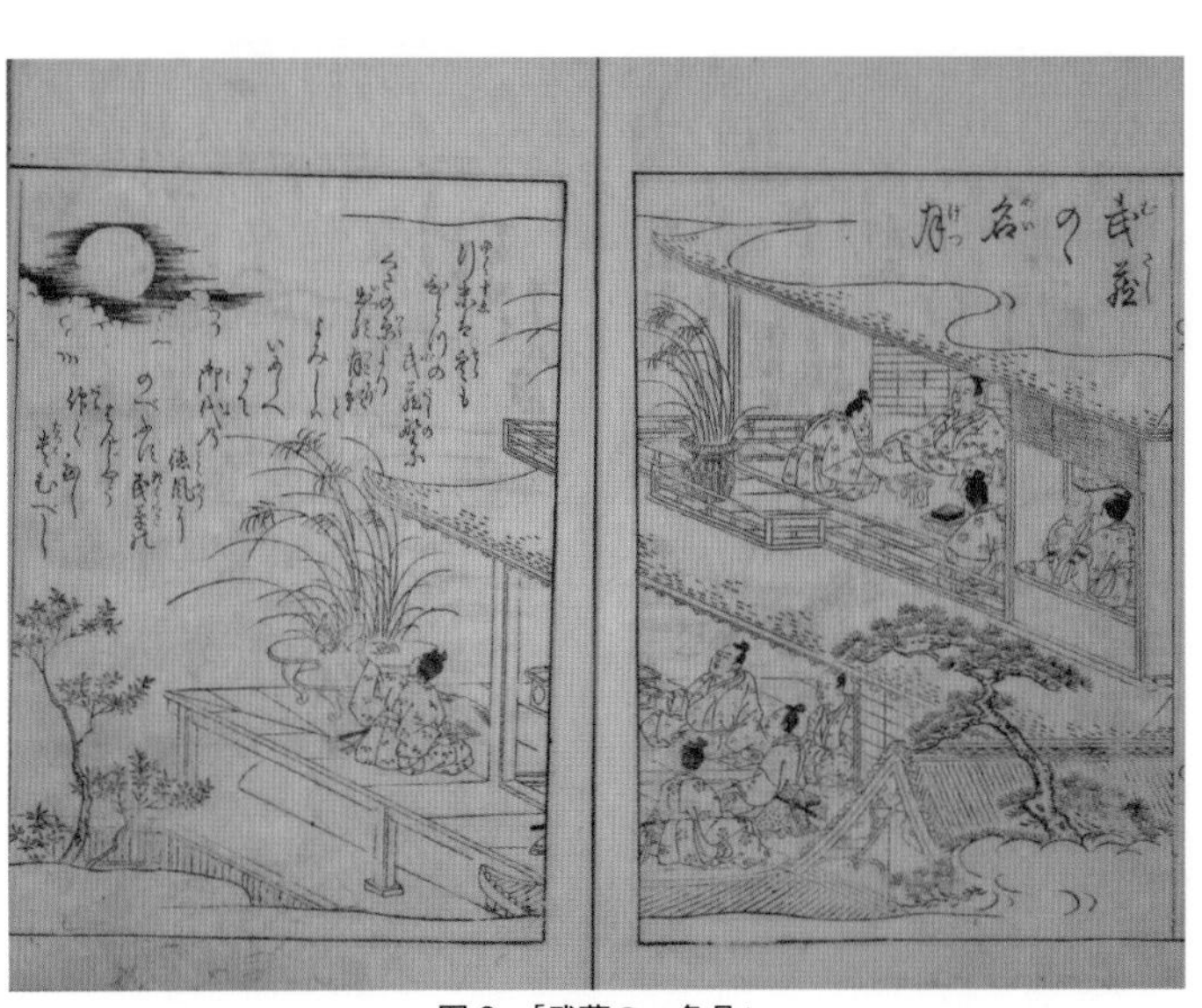

図2　「武蔵のゝ名月」
（鳥飼酔雅著・月岡雪鼎画『東国名勝志』巻2、1762年序、早稲田大学図書館蔵）

本作は、このような作り物の系譜上にある。すなわち、王朝文化復興の意識のもとに行われた営みであり、実際の制作にあたっては図1、2に描かれた洲台のようなものの制作に携わった職人や技術に基づくと言ってよい。たとえば、幕府お抱えのやまと絵師・住吉具慶（一六三一―一七〇五）晩年の筆である「洛中洛外図巻」（東京国立博物館）、「都鄙図巻」（興福院）の京の町中の場面には、洲台を制作・販売する店が登場する。後者には、職人が洲台の上の高砂人形を手で整えるような仕草をし、その膝の周囲に鶴等の造り物が散らばる様子が描かれるが、本作の作り物はまさにこうした職人によって制作されたのだろう。

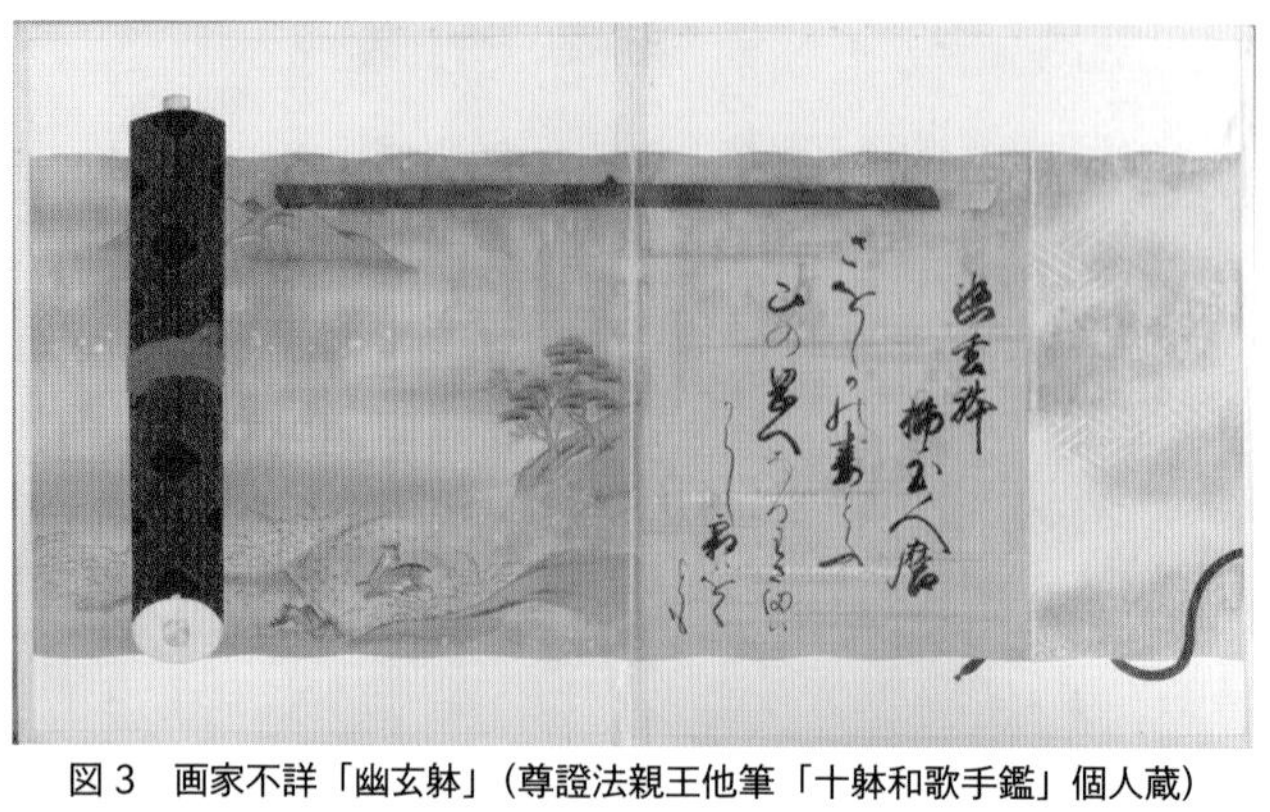

図3　画家不詳「幽玄躰」（尊證法親王他筆「十躰和歌手鑑」個人蔵）

二　王朝文化憧憬の造形

それでは具体的に各図をみてみたい。《三左》《八右》《九右》は、作り物の上に古歌を書すが、その際、一部の詩句を書さず、作り物のモチーフで示唆する。たとえば《三左》は薄物に刺繍で歌「菊の花挿頭にせむと……」を表す。しかし「菊の花」の文字はなく、菊花そのものを詩句に替えている。これは、本阿弥光悦（一五五八―一六三七）作「舟橋蒔絵箱」（東京国立博物館蔵）で箱蓋表に歌を書すも「舟橋」の文字のみを欠き、鉛板を貼って表した舟橋をもって示すといった例があるように、中世以降の歌意図（絵画、工芸品）における手法のひとつである。

また《三右》は「古今集」の冊子形、《五右》は『浅茅が露』の内侍が描かれた画巻形の虫籠の作り物を描く。これによって《五右》であれば内侍は「絵の中の画巻形の虫籠に描かれた絵」となり、メタ的趣向が立ち現れる面白さがある。これらに類似する、絵が描かれた冊子、画巻、屏風、掛け軸を絵画作品中に表し「絵の中の絵」を楽しむ風潮は、たとえば青蓮院尊證法親王（一六五一—九四）ら十人の公家の書を伴う「十躰和歌手鑑」（個人蔵、図3）はじめ主に近世前期の宮廷周辺にある程度まとまって認められる。図3は、絹本に描いた画巻を、画巻のかたちに切り取って紙の台紙に貼り、はみだした紐は台紙に直接描き、文鎮は紙を切って貼っている。「細工物」とでも呼ぶべきこの種の作品は、現実のモノをミニチュア的に表現する点で作り物の一種であり、その趣向は本作によく通じる。

以上はいずれも近世前期の京都、宮廷を中心とする王朝文化復興の動向の中で流行し、以後も近世を通じて継承された造形である。そして近世中後期には江戸、宮廷以外でも行われたようで、本作はまさにその例と位置づけ得る。

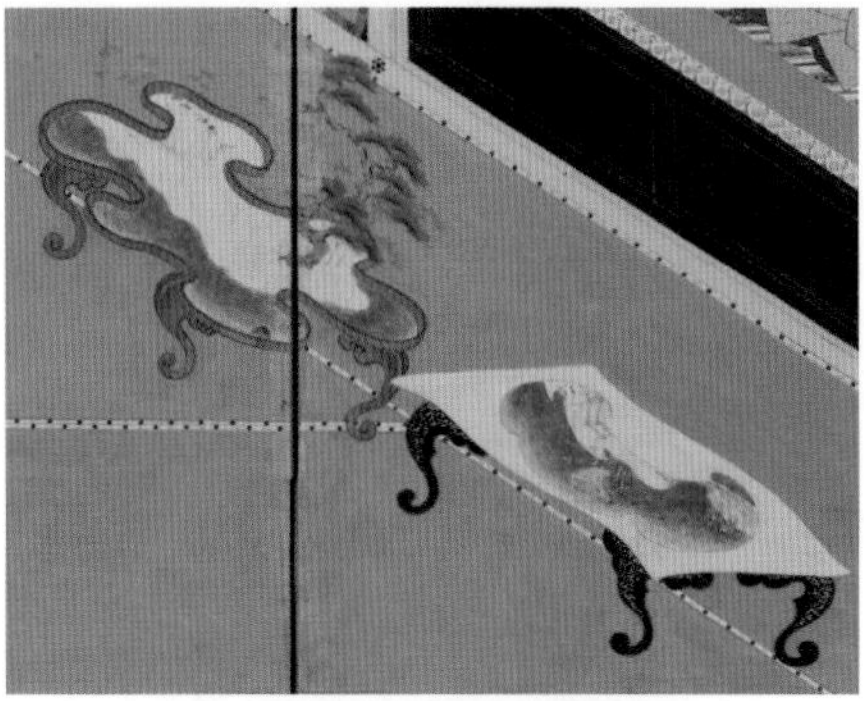

図4　土佐光祐「栄華物語図屏風」
（東京国立博物館蔵）　部分
ColBase（https://colbase.nich.go.jp/）

三　『栄華物語』との関わり

《六左》の作り物は、洲台の半分を海面とし残り半分を白砂として松を配しており、判詞では『元真集』（正しくは『忠見集』、前掲鈴木氏論文）所載の歌の心によるとして「白銀もて井堰を作りて、そが中に虫を住ませて、香木もて橋柱作れり」と説明される。興味深いことに、この作り物は土佐光祐（一六七五—一七一〇）「栄華物語図屏風」（東京国立博物館蔵）右隻に描かれた村上天皇御前の前栽合（巻一「月の宴」）の画面奥に描かれるそれ（図4）とよく似る。この前栽合せは左＝絵所、右＝造物所の別当が担当しており、奥は右方の前栽である。ところが『栄華物語』本文では図4手前すなわち左方の前栽を「遣水、巌みな書きて、銀を籬のかたにして、よろづの虫どもを住ませ」と、本作《六左》の全体の様子や虫籠、判詞を思わせる文言で説明する。一方《六右》について、判詞は『元輔集』所収の「村上の御時、女房の歌合せ」に基づくとし、ここにも村上天皇の名が出る。

すなわち《六左》の作り物は姿かたちにおいて「栄華物語図屛風」村上天皇御前の前栽合右方に、判詞において『栄華物語』本文の左方と通い合っており、《六右》も村上天皇御前の歌合に所縁とする。冒頭に述べた通り、物合に伴う作り物が平安時代に始まり、中でも村上天皇御前の天徳内裏歌合が王朝時代を代表する歌合であることを思えば当然かもしれないが、虫合の主催者たちは『栄華物語』、村上天皇御前の前栽合や歌合を意識していたと考えてよいだろう。そして、《六左》と「栄華物語図屛風」に描かれた洲台との類似は、そもそも作り物の制作にあたって、古画、粉本の蓄積が参照された、あるいは画家から何らかの情報提供があった可能性も考えさせるように思う。

既述の《三左》《八右》《九右》でも確認した王朝文化への眼差しは、虫合の舞台となった木母寺が京都の公家の子であった梅若丸（うめわかまる）に始まること、さらに江戸時代を通じて勅使が参詣する寺であったことに関わるに違いない。木母寺（もくぼじ）は、江戸にあって宮廷文化の香を格別に色濃く醸す場であり、それが本作のこうした趣向を引き寄せた部分は少なくないと思われる。

四　木母寺と鷹狩り

木母寺は宮廷文化につながる土地であると同時に、寛永二十年（一六四三）頃に徳川将軍家の鷹狩り用の御殿である隅田川御殿が境内（もしくは傍ら）に建てられており、鷹狩り縁の場でもあった。

《四左》《八左》判詞は将軍家鷹狩りや隅田川御殿との関係を言わないが、それぞれ「錦の打飼袋（うちがいぶくろ）」、「しもと机に、鷹の大緒とはし鷹の鈴を添へて」と鷹狩りに関わる器物を選ぶのは、それゆえだろう。打飼袋は通常は布製の両端を括っただけのもの、あるいは鷹狩りのそれは鷹の餌となる生きた餌鳥を入れるため竹組で制作されるのが通例で、ここに描かれた錦のものは目的にそぐわない。打飼袋について何らかの誤解がある可能性もあるが、美麗なそれが描かれるのは、この地が将軍家の鷹狩りの場であるために違いなく、有職裂かとみえる雲鶴文のそれも実際の特定の品を反映した描写なのかもしれない。

五　正倉院の枕とぶりぶり

《四右》は判詞に「虫籠は枕のかたせり。その枕は、東大寺にあなる、御倚掛枕の錦の綾を、縫はせたり」とあり、現在も正倉院に所蔵される「紫地鳳形錦御軾（むらさきじほうおうがたにしきのおんしょく）」の鳳凰文（七六頁参照）を表したと知られる。とはいえ、本作の関係者が正倉院の蔵品を直接目にしたわけではなく、参照したのはいわゆる元禄図だろう。元禄図は元禄六年（一六九三）の開封の際に東大寺別当宮・勧修寺済深法親王（一六七一―一七〇一）の命で宝物の図が描かれたもので、明治時代に至るまで多数の転写本が制作された。たとえば国会図書館本（制作年不明）は「御倚掛」として橙色地に鳳凰を一羽大きく描いており（図5）、本作詞書に「御倚掛枕」とあるのに通じる。ただし、本作は鶏冠の赤色等の彩色をはじめ国会図書館本にはない描写が認められるので、本作が参照した元禄図は国会図書館本よりは情報の多い写本であったとみなせる

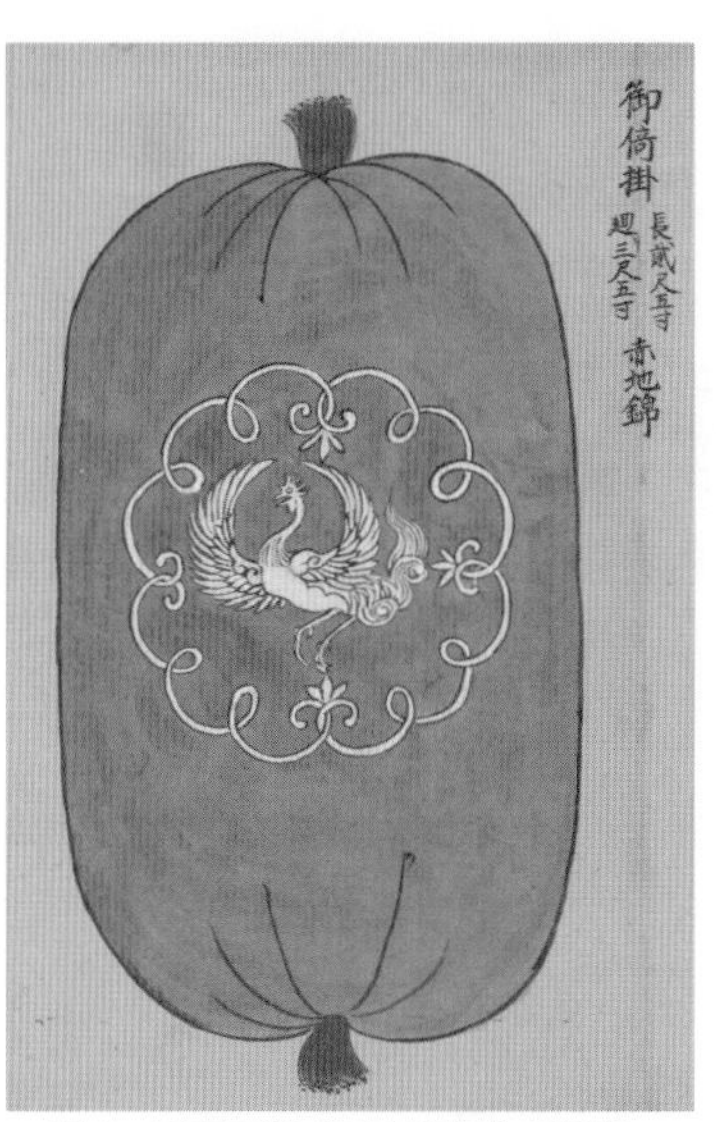

図5　画家不詳「正倉院御物見取圖」（国立国会図書館デジタルコレクション）部分

なお、五角形で両端を紐で縛る形状は、ぶりぶり（振々）も想起させる。たとえば喜多川月麿（生没年不詳）の摺物「ぶりぶりと福寿草・梅の鉢」（一八一六年、町田市立

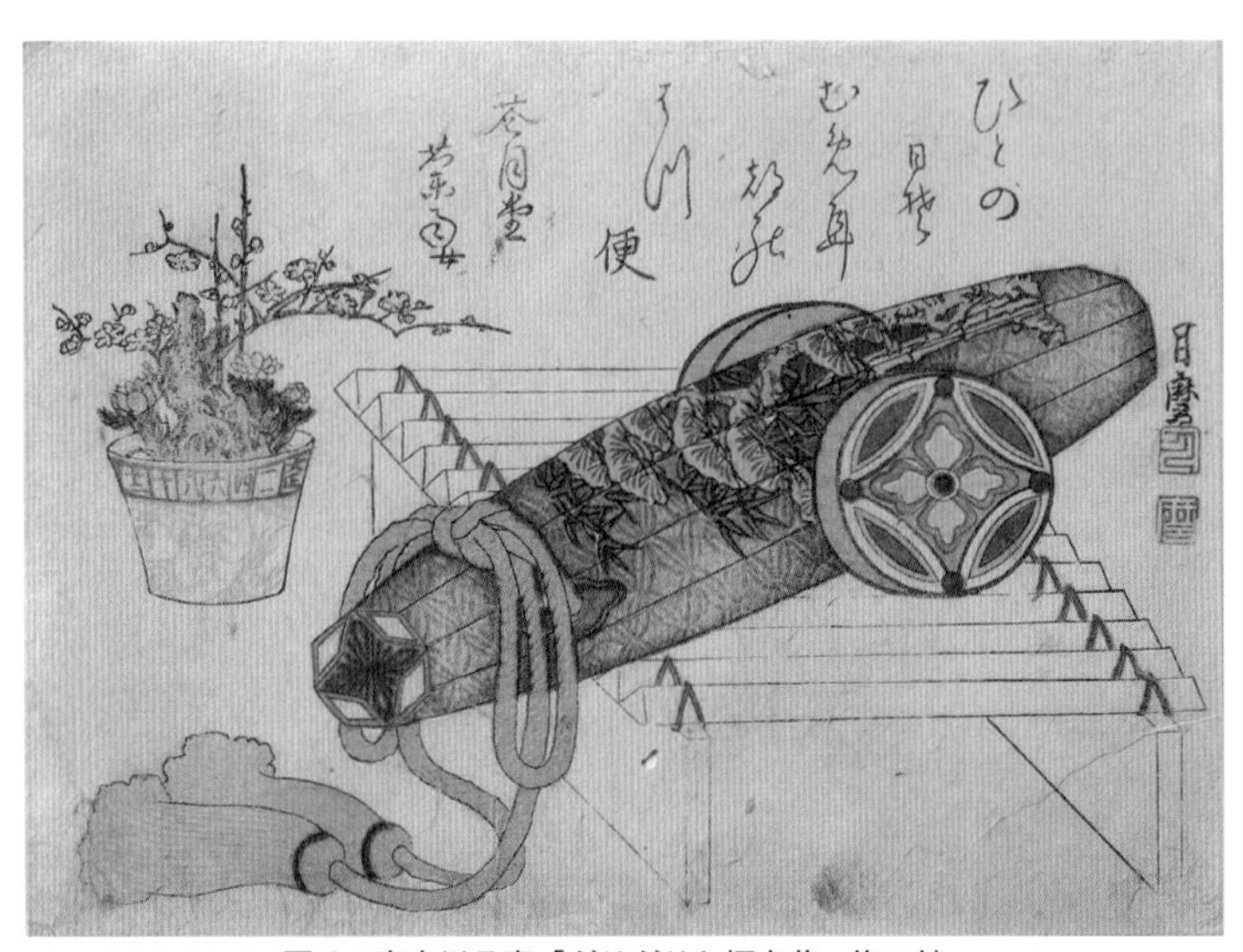

図6　喜多川月麿「ぶりぶりと福寿草・梅の鉢」
（町田市立国際版画美術館蔵）

国際版画美術館、図6）は柳筥に載ることも、その向きもよく似ている。本作と月麿が共通して知り得た先行図様があった可能性が想像される。

さらに、摺物は静物画が多く、歳旦の配り物として制作される例が相当数を占め松等を飾った洲台が描かれる場合が少なくない点、また複数からなる組み物が多い点でも、本作の趣向に通じる。摺物の全盛期は化政期（一八〇四〜三〇）で本作に遅れるが、その背景にあった江戸の狂歌連の教養や美意識に本作と通底するところが少ないないゆえだろう。

六　画家

最後に画家について述べておく。本作は、一見してやまと絵師の仕事と判断できる。しかし、落款等を伴わず、通常、画家の個性が表れやすく比定のよりどころとなる人物、樹、岩等が大きく明確に描かれる部分がないため、画家名を明らかにすることは難しい。当時のやまと絵界は、土佐派は別家の土佐光貞（一七三八―一八〇六）、土佐派から分かれた住吉派は広行（一七五五―一八一一）が率い、広行の父・広当（一七二九―九七）が板谷家を興していた。これらの画家の作品と本作を比較すると、基本的な描法は似ており、松の枝ぶり等に通じる部分もあるため、本作の画家は、このような画家たちの影響下にあった者ではあるだろう。

虫合の主催者の一人で本文筆者にして作り物の判者も務めた加藤千蔭（かとうちかげ）の肖像画（一八〇七年自賛、東京国立博物館蔵）は長谷川貞忠（阿波藩士）と渡辺広輝（阿波藩御用絵師）による。広輝は前述の広行を師としており、千蔭はこの系統の画家に何らかの縁があったのかもしれない。

ちなみに本作跋は「かかることの、このままに止まんも、本意なきわざなればとて、その種々を形に描きて、二巻になしぬ」と歌合後に「記録画」制作が発案されたとする。しかし、既述の通り、本作の図様すなわち作り物の形状は、先行する絵画作品等を参照していると考えられ、そもそも作り物の構想段階において主催者らが手元に集めていた図を参考にする、さらには画家が構想にも関与し参考資料を提供したといった可能性も想定できるように思う。

なお、本作の類品として知られる『虫十番歌合絵巻』（大東急記念文庫蔵）は田中訥言（とつげん）（一七六七―一八二三）の落款を備える。訥言は前記の光貞門下である。鈴木淳氏は訥言に江戸下りの事実がないこと、天明二年時は十六歳で若すぎることを指摘される。ただし、盛田帝子氏によって本作が大東急本に先行することが明らかにされているため、『虫十番歌合絵巻』の絵の制作年代が下る可能性があり、絵の写しは江戸でなくとも可能なことから、訥言筆の可能性も検討に値するように思われる。とはいえ、こちらも実見しておらず、これ以上のことを述べるのは差し控えたい。

以上の通り、本作の作り物図を絵画作品として観察し関係作品も合わせて検討すると、判詞のみでは知り得ない造形上のよりどころや工夫、関係者の知識や嗜好が看取できるように思う。本作は、そうした絵のあり方も含めて、江戸の文化人たちの雅で洒落た営みをありありと示す誠に興味深い作品と改めて言えるだろう。

▼主要参考文献

・松原茂「第31図　加藤千蔭像」(『日本の美術386　画家・文人たちの肖像』至文堂、一九九八年)。
・鈴木淳「『十番虫合』と江戸作り物文化」『橘千蔭の研究』(ぺりかん社、二〇〇六年)。
・白幡洋三郎「島台考　序説」(『表現における越境と混沌』三十五、二〇〇五年)・同「島台考(一)島台と婚礼」(『日本研究』三十五、二〇〇七年)。
・松島茂「将軍の御鷹場　向島」(『すみだ地域学情報 We!』二十九、二〇一四年)。
・東京国立博物館編・田沢裕賀研究代表『板谷家を中心とした江戸幕府御用絵師に関する総合的研究　平成23〜27年度科学研究費補助金研究成果報告書基盤研究(A)(一般)』(東京国立博物館、二〇一六年)。
・関根俊一「宝物絵図—正倉院宝物・社寺伝来の宝物を描く—」(奈良大学図書館、二〇一七年)。
・根崎光男「徳川御殿の時期区分試論　将軍の鷹狩りを中心に」(『人間環境論集』二十一、二〇二〇年)。
・大和文華館編『(図録)住吉広行　江戸後期やまと絵の開拓者』(大和文華館、二〇二二年)。
・盛田帝子「十八世紀の物合復興と『十番虫合絵巻』」『かがみ』五二(大東急記念文庫、二〇二二年)。

＊『東国名勝志』、「栄華物語図屏風」については早稲田大学大学院博士後期課程・池田泉氏、長谷川貞忠については徳島城博物館学芸員・小川裕久氏のご教示を得た。

物合と歌合

加藤弓枝

はじめに

『十番虫合絵巻』（以下『十番虫合』と称す）は、物合の一種である。物合とは、左右に分かれて決められた事物を持ち寄り、その優劣を争う遊戯のことである。優劣を競うことは素朴な行為であるため、物合の起源を特定することは難しいが、平安時代には貴族社会で盛んに行われるようになった。

物合は、勝敗を決める「判者」と呼ばれる審判が置かれることが基本的な形式であり、その判定には「勝」「負」のほか、引き分けの「持」を用いた。判者が記した判定理由のことを「判詞」という。また、各チームの構成員のことを「方人」と呼び、公の席では判者のほかに、左方と右方の双方に進行を取り仕切る「方人頭」、応援や世話をする「念人」、勝負の記録を担当する「籌刺」などが置かれた。このように、平安時代の貴族社会における物合が、儀式的なものとして整備されていった背景には、同じように左右に分かれて優劣を競う「相撲の節会」「賭弓」「競馬」などの影響があったのではないかと言われる。

『枕草子』に「物合せ、何くれといどむ事に勝ちたる、いかでかはうれしからざらむ（物合せとか、何やかやの勝負事に勝ったのは、どうして嬉しくないことがあろうか）」（二五八段）と記されるように、物合は平安時代の宮廷貴族社会を中心に行われ、次第に普及し後世に及んだ。貝合、歌合、絵合、物語合、根合をはじめ数多の種類があり、物合は植物・動物・文学・文具や器具など多方面にわたって行われたことで知られる。競技の際には、和歌とその歌によせて装飾された「洲浜（すはま）」と呼ばれる文台が添えられ、物と一緒に歌が判定の対象となることがあった。そして、歌合が隆盛した平安時代後期以降は、和歌が占める比重が大きくなっていき、物合は文学的遊戯の色合いを濃くしていくのである。なお、歌合も物合の一種であるが、記録として残る物合のうちもっとも古いものは歌合であり、物合のなかでもっとも行われたものも歌合であった。

『十番虫合』が虫を判じた虫判と、添えられた和歌を判じた歌判によって判詞が構成され、洲浜が添えられているのは、このような物合の変遷や歌合の隆盛と関係する。よって、『十番虫合』が成立した背景には、物合と歌合の歴史が深く関わると言えよう。十八世紀における物合の復興と『十番虫合』成立の関係については、本書に掲載されている盛田帝子の解題に詳しい。そこでこのコラムは、『十番虫合』の成立背景を理解するため、歌合がいかなる歴史を辿ってきたのかについて、物合の変遷にも留意しつつまとめるものである。

一　歌合の様式と時代区分

さて、歌合は他の物合と同様に、左方と右方という二つの組に分かれて、和歌を一首ずつ組み合わせてその優劣を競う行事である。その開催方法はさまざまあり、主催者をはじめ参加者が実際に集まって、和歌を読み上げる披講（ひこう）をした後、相互の批評をし合って、判者が優劣を判定する場合もあったが、『六百番歌合』のように披講のみを行って（評定（ひょうじょう）まで行うこともあった）、判者に和歌を送って判定を記入させて後日披露する場合や、『千五百番歌合』のように披講は行わずに和歌を組み合わせて、あるいは判詞も記して主催者に提出する場合などがあった。また、自作の和歌のみを番える「自歌合（じかあわせ）」と呼ばれる形式もある。

実際に集まって歌合を行う際は、歌読と呼ばれる作者の和歌を講師と呼ばれる人が読み上げて、全員で吟じた後に、方人たちが互いの和歌を批評しあった。判定は衆議判と言われる左右の方人の合議による場合もあれば、勝負色が濃い場合は判者が設けられ勝ち負けを決することもあった。当初は平安貴族による遊戯的な行事として始まり、その頃の主催者は、ほぼ天皇であったが、ほどなくして上級貴族も開催するようになった。その後は徐々に、歌人や女房、そして僧侶たちによる歌合も催されるようになる。その隆盛期は平安時代から鎌倉時代前期とされ、平安時代だけでも四〇〇回以上の歌合が行われた。

平安時代から明治時代に至るまで、千年以上にわたり開催され続けた歌合は、勅撰集に次いで和歌史において重要な位置を占める営為とされる。平安朝の歌合については、萩谷朴が研究の基礎を築いた。しかし、鎌倉時代以降の歌合はいまだ諸本や本文の研究が十全とは言えず、近世に至っては歌合の出版や写本の伝播の様態が概説されるに留まっており、その研究は端緒に就いたばかりと言える。

歌合には先述した通り、さまざまな様式があり、加えて催された時代や場所、主催者や参加者の身分や立場などによっても、同じ歌合という行事でも開催の意図や和歌史における意義が異なる。そこで次に、時代ごとの代表的な歌合やその特徴についてまとめることとする。なお、峯岸義秋は歌合の歴史を古代・中世・近世の三期に区分し、古代は平安時代、中世は鎌倉・室町時代、近世は江戸時代から明治時代末期までとした。このコラムでもおおよその時代区分に従って記述するが、近世については江戸時代のみを対象とする。

二　平安時代の歌合

現存最古の歌合は、在原行平が開催した『民部卿家歌合』(八八五―八八七年)である。光孝天皇(在位:八八四―八八七年)ならびに宇多天皇(在位:八八七―八九七年)の両朝において、和歌再興の手段として歌合が奨励された。この時代に開催された『寛平御時后宮歌合』（八八九―八九三年）や『是貞親王家歌合』（八九三年頃）の和歌が、約十年後に編纂された『古今和歌集』に入集していることからも分かるように、最初の勅撰和歌集の成立以前から歌合は行われていた。

その後、急速に公の儀式としての歌合の形式は整っていき、村上天皇が清涼殿で盛大に開催した『天徳四年内裏歌合』（九六〇年）で最初の完成に至る。天徳期に催された歌合はこれ以外にもあるが、この歌合は『天徳歌合』と略しても通じるほど著名であり、後世の歌合の規範ともなった。左方と右方で服飾や調度品の色調を合わせ、煌びやかな衣装をまとった参加者たちが集まり、絢爛豪華な空間が作り上げられた。午後三時過ぎから始められた歌合は夜通し続けられ、酒を酌み交わし、管弦の演奏も伴ったことが記録される。このように『天徳歌合』は王朝文化の粋を集めたような遊宴的な行事であった。なお、『天徳歌合』の判者は藤原実頼であり、最後の二十番目に登場した壬生忠見と平兼盛の和歌がいずれも優れていたことから判定に苦慮し、帝が口ずさんでいたことから、兼盛の勝ちを宣言したという逸話が有名である。この両歌は後の『拾遺和歌集』や『百人一首』でも、並んで採られている。

ところで、『天徳歌合』の和歌の作者は、いずれも時代を代表する有力歌人であったが、歌合で実際に歌を戦わせる方人たちに比べると脇役的な存在であった。内裏歌合は清涼殿で行われたことから、公卿や殿上人でなければ、表だって参加することさえ叶わなかったのである。『天徳歌合』は極端な例であるが、このように平安時代中期までの歌合は遊宴的な意義が強く、概して和歌の作者の存在は目立つものではなかったと言える。

しかし、平安時代後期の院政期に入り、院側近の中流貴族が政治的な実権を握ると、歌合は歌人たちを中心とする文芸的なものへと変化する。主催者も中流貴族や僧侶・神官が目立つようになり、歌壇や歌人仲間単位での歌合が数多く行われた。また、それまでとは異なり、方人が同時に和歌の作者であることが常態化し、判者の地位も向上し、著名な歌人が作者や判者となり、歌合は和歌に関する真剣な議論の場となった。議論の内容は判詞に反映され、自らの和歌への見解を歌論書として著すものも登場した。よって、この時代以降の歌合の性格や意義を考える際には、主催者がいかなる人物かということに加え、参加歌人や判者が何者かということも重要な要素となる。

平安時代末期になると、『天徳歌合』に代表されるような、歌合の遊宴的な意味はいよいよ失われ、京都で起こった内乱を契機に治安や政情が不安定になると、その傾向は一層顕著となる。この頃から番える和歌の数が増加し、二人判や追判といった新しい判定方法も生まれたが、一方で行事としての歌合を行う空間は失われていった。先述した通り、歌合には番えた和歌を書き記した巻物を判者へ送って、その判定を記入させて後日披露するという様式があるが、それはこうした時代の情勢を背景に、行われるようになったのである。

三　鎌倉・室町時代の歌合

鎌倉時代に入ると、歌合は空前の隆盛期を迎える。その背後には、朝廷の威信回復を目指す後鳥羽上皇の存在があった。催された歌合は文芸的なものであるという点で平安後期の流れを受け継いだものであったが、その規模は次第に大きくなっていった。代表的な歌合の一つが、藤原良経が催した『六百番歌合』(一一九三年)である。参加した歌人は、六条藤家の藤原季経・顕昭らと、御子左家関係の藤原定家・寂蓮らに、慈円・中山兼宗ら権門を加えた十二名であった。これらの参加歌人が百首ずつ詠進した計一二〇〇首の和歌を、歌合として結番(けちばん)したものである。この歌合は左方と右方が「難陳(なんちん)」と呼ばれる論争を、激しく繰り広げたことで知られる。判者は藤原俊成が担当し、その判詞には彼の歌論が示された。「源氏見ざる歌よみは遺恨の事なり(源氏物語を読んだことがない歌人は残念な人だ)」といった俊成の評言は、後世に多大な影響を与えた。

それから数年後に、後鳥羽院によって開催されたのが、史上最大の歌合とされる『千五百番歌合』(一二〇一―一二〇二年)である。後鳥羽院の命により、新古今時代を代表する歌人三十名から詠進された百首の和歌を、左右一組とする歌合形式に番えたものである。判者は後鳥羽院、俊成、良経、定家、慈円、顕昭など十名が務め、一五〇番ずつ分担して判じた。その判詞形式にも趣向が凝らされ、良経は七言絶句、後鳥羽院は折句、慈円は和歌を用いた。そして、この『六百番歌合』と『千五百番歌合』の開催が、『新古今和歌集』の編纂へと結実するのである。

鎌倉時代前期は、判者としての藤原俊成・定家親子の歌論が注目され、左右の方人の合議によって判定する衆議判が盛んになる。『六百番歌合』は新しい歌風を生み出す記念碑的なものとして、『千五百番歌合』は後鳥羽院歌壇の様相が知られる資料として重視され、いずれの歌合も文芸的に高く評価されている。また、特定の個人の和歌を番える「自歌合」や、秀歌を選んで番える「撰歌合」、和歌と漢詩を番える「詩歌合」、物語に登場する和歌を番える「物語合」のほか、時代不同歌合、影供歌合、職人歌合など、後世の規範となる、さまざまな歌合の様式が続出した時代でもあった。

ところで、鎌倉時代前期を歌合の文芸的な最盛期ととらえ、その後は目立つこともなく文芸様式のひとつとして継続したと、和歌史上で歌合は位置付けられてきた。しかし近年、室町時代の歌合研究が進み、より具体的な特徴が明らかとなり、その評価も変わりつつある。

この時代の歌合における判定は衆議判が多く、室町時代中期から後期にかけて歌合は相当に流行し、一条兼良や飛鳥井雅親を中心として、判者の権威を回復したとされる。なお、小川剛生は、この時代の歌合の特徴のひとつとして、鎌倉時代中期から始まる当座歌会の方式である「続歌（つぎうた）」が用いられたことを指摘する。続歌とは、歌題を記した短冊を用意し、出席者にクジで分け取らせたり（これを「探題（たんだい）」と呼ぶ）、実力に応じて配分したりし、分担してすべての歌題を詠んで提出し、それを披講するというものである。

集めた短冊は、はじめに出された歌題の順に並べて、その上部に小さな穴を開けて水引（みずひき）などで綴じた。探題による続歌形式で和歌を詠み、その和歌を作者がおのおの短冊に記し、さらにそれを冊子か巻物に清書し、かつ左右の作者を規則性なく組み合わせる「乱合（らんあわせ）」（乱番（らんばん）とも）と呼ばれる方法で歌合として仕立てたのである。また、続歌の場から延長した歌合では、参加者による褒貶や衆議で完結し、判詞の執筆依頼には及ばなかったという。

また、小川は新古今歌人のあいだで流行した「自歌合」が、戦国期に再び流行したことや、飛鳥家や冷泉家といった歌道師範家が歌合の判詞を執筆しようとしない事態があったこと、参加者の投票によって勝負が決定されたことなどを指摘する。

四　江戸時代の歌合

江戸時代は商業出版が開花した時代であるが、この時代に成立した歌合は、印刷された板本より、圧倒的に手書きされた写本が多かった。元禄期から京都・大坂では官位を持たない地下人によって、褒貶歌会や衆議判の歌合が徐々に行われるようになり、やがて国学諸派が成立すると、その流派の中で多くの歌合が催された。神作研一は、江戸時代における歌合の特徴は、特定のグループや結社における歌人たちの学修と研鑽が目的であったことから、流派内で完結するものであり、中世までのはとは異なり、他の流派や結社とは基本的に交差しなかったところにあるとする。よって、彼らにより催された歌合は基本的に流派内で、写本によって流通したのである。しかし、当代歌合が刊行されることもあった。寛保元年（一七四一）に江戸で催された、賀茂真淵が判者を務めた『荷田在満家歌合』は、開催から七十年近く経ての刊行ではあるが、その嚆矢とされる。これ以降、各結社の統率と門流の学修機会として、地下においては当代歌合が出版されるようになった。

一方で、公家たちによる歌合は、寛永十六年（一六四一）に後水尾院によって行われた仙洞歌合が確認されるのみである。この歌合は宮廷和歌の催しを出版した唯一の事例としても知られる。これ以降、堂上人と称される公卿や殿上人たちが公の行事として歌合を行った記録は残されていない。公家たちは『六百番歌合』をはじめとする、中世までに成立した歌合から歌学を学んではいたが、江戸時代の歌合主催の中心は、堂上ではなく地下にあったのである。なお、江戸時代中期には狂歌合の類いが多く刊行され、江戸の地では国学者たちの間で物合も盛行し、『十番虫合』

の成立に至るが、それに関しては本書に掲載される盛田帝子の解題を参照されたい。

おわりに

以上のように、歌合や物合は、時代によってその様式や意味合いを変化させていった。和歌や物を対決させ、その優劣を競う行為は、ときには激しい議論を生んだ。『十番虫合』は『天徳歌合』のような、極めて遊宴的な物合であったが、対決には和歌や物のみを用意すれば良いわけではない。渡部泰明が指摘するように、そこには対決に相応しい舞台が必要とされ、精神的な求心力となる存在が不可欠であった。『十番虫合』では、いかなる空間が設えられ、主催者や参加者たちの精神的支柱はどこにあったのか。ぜひ本文や挿絵を味読することで感じてもらいたい。

▼参考文献

1　古事類苑刊行会『古事類苑　遊戯部　洋巻』第一巻「物合」の項目（吉川弘文館、一九二七年復刊）。
2　松尾聰・永井和子校注・訳『日本古典文学全集　枕草子』（小学館、一九九七年）。
3　峯岸義秋『歌合の研究』（三省堂、一九五四年初版、パルトス社、一九九五年復刻）。
4　萩谷朴『平安朝歌合大成　増補新訂』全五巻（同朋舎出版、一九六九年初版、一九七九年復刊、一九九五年増補新訂）。
5　橋本不美男『王朝和歌史の研究』（笠間書院、一九七二年）。
6　萩谷朴「歌合」（『世界大百科事典』平凡社、一九五五年初版、二〇〇七年改訂）。
7　安井重雄「歌合」（『和歌文学大辞典』古典ライブラリー、二〇一四年）。
8　渡部泰明『和歌とは何か』（岩波新書、二〇〇九年）。
9　錦仁『歌合を読む―試みの和歌論』（花鳥社、二〇二二年）。

10　岩津資雄『歌合せの歌論史的研究』（早稲田大学出版会、一九六三年）。

11　小川剛生『武士はなぜ歌を詠むか—鎌倉将軍から戦国大名まで』（角川学芸出版、二〇〇八年）。

12　小川剛生「室町・戦国の武家と歌合—為和判歌合をめぐって」（龍谷大学世界仏教文化研究センター講演会、二〇二二年九月）。なお、本講演を論考化したものが、佐々木孝浩・佐藤道生・高田信敬・中川博夫編『古典文学研究の対象と方法』（花鳥社、二〇二四年三月刊行予定）に所収される情報を校正時に得た。

13　神作研一「近世歌合の諸問題」（安井重雄編『歌合の本質と展開—中世・近世から近代へ』法蔵館、二〇二四年）。

14　加藤弓枝「集積される歌合—小沢蘆庵と歌書収集」（『文学・語学』二三八号、二〇二三年八月）。

知識人たちの遊びと考証
――十八世紀末から十九世紀初頭の江戸に注目して

有澤知世

はじめに

木母寺での十番虫合が行われた天明二年（一七八二）前後、江戸は空前の物合ブームであった。鈴木淳氏[1]は、「江戸期も後半になると、王朝文化復古の風潮に加え、俳諧の句合からの影響も受けたものか、武家、町人を中心に催行した例が認められるようになる」と指摘し、明和二年（一七六五）の梅合を筆頭に、十番虫合をふくむ主要な物合を六件あげ、さらに、その後立て続けに行われた狂歌師による物合の流行に言及する。

雅文化の最たるものである和歌に対し、狂歌はその俗体である。狂歌師たちの物合も、本歌たる物合のパロディであって、憚るべき営為ではあったが、貴人たちを交えた知的遊戯の場であるという点においては共通するものである。

本稿では、十八世紀末の江戸において盛んに行われた狂歌師の物合に注目し、十番虫合との共通点と相違点について述べた上で、十九世紀初頭の考証の会についても言及し、近世後期の江戸という時空間における知的遊戯の在り方について私見を述べたい。

一　十八世紀末の江戸における物合とパロディ

狂歌師による有名な物合の会には、たとえば天明三年（一七八三）四月二十五日、江戸両国柳橋の料理茶屋河内屋半次郎方にて行われた宝合会がある。▼2 この催しは、狂歌師・戯作者たちが、宝とは似て非なる物を持ち寄り、その由来をこじつけた狂文を披講し合い、見立ての着想を競うというものであった。つまり、もっともらしい顔をしながらふざけるというもので、みやびな物合会の流行を踏まえたパロディ的行為である。

この会の記録は、『狂文宝合記』▼3（天明三年七月刊、北尾政美・政演画）として出版されており、当日披露された作物の姿とその趣向を綴っている。会の様子を絵と文とでとどめる点はホノルル美術館蔵『十番虫歌合絵巻』と共通するが、そちらは絵巻物であり、『狂文宝合記』は冊子形態の版本であることも、雅俗の意識の差があらわれて興味深い。

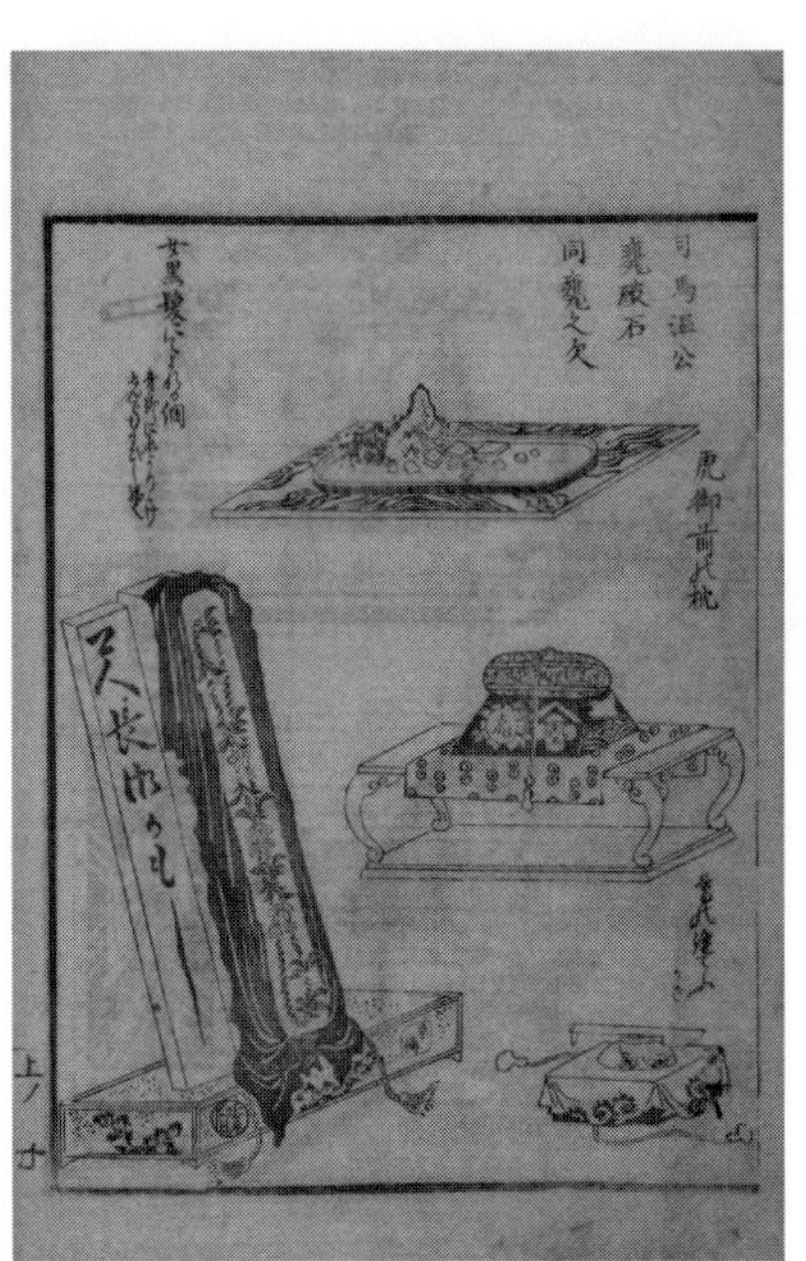

図１　『狂文宝合記』
右下が「うぐひすの縫ふてふ笠」

この会で出品された「宝」のひとつに、「うぐひすの縫てふ笠」がある（図1）。むろん本当に鶯が縫った笠ではなく、伏せた茶碗を笠に見立て、その上に、女房詞で「鶯」と称する切匙を載せ、見た目（笠）と名前（鶯）とで、現実にはあり得ない「宝」を出現させてとぼけてみせているのである。「うぐひすの縫てふ笠」は、「あをやぎをかたいとによりて鶯のぬふてふ笠は梅の花がさ」「鶯の笠に縫ふてふ梅の花折りてかざむ老いかくるやと」（『古今集』）といった、梅を笠に見立てた表現を踏まえたのであり、和歌における見立てを、器物を用いたさらなる見立てによって俗化する遊びである。

十番虫合一番左歌にも「萩が花笠」とあり、作り物の銀の笠を萩の傍らに置くことで視覚的に表現した例があるが、『狂文宝合会記』では、「鶯」とはまったく形が異なる切匙の別名を頼りとしたこじつけが、気づきの一瞬におかしみを生むのであって、狂歌師たちが奇想を競った会であることがよくわかる。

二　参加者と場所にみる雅俗の物合の共通点

十番虫合は雅、宝合は俗の物合であるが、会という場に注目してみると、いくつかの共通点が見出せる。『狂文宝合記』によると、「うぐひすの縫てふ笠」は、身軽の織輔（戯作者山東京伝。『狂文宝合記』の絵を描いた北尾政演も同一人物）による「女の髪にてよれる綱」と一緒に出品されたものだが、彼の案ではなく、狂歌檀に関係する身分の高い家の人が案じたものを、身軽の織輔が代理で出品したようである。『狂文宝合記』を引用する。

附ていふ、うぐひすの縫てふ笠は、貴家の珍蔵なるを申うけてむしろにつらぬ。記録長ければもらしつ。

「貴家」の正体について、『『狂文宝合記』の研究』の注釈では、手拭の見立て図案集『手拭合』[4]（山東京伝編・画、天明四年〈一七八四〉跋）に名前が載る雪川公（雲州松平公の次男衍親）・香蝶公（酒井抱一の兄忠以か）・杜綾公（酒井抱一、狂名尻焼猿人）等を想定している。画業で名をはせた抱一が播州姫路藩酒井忠仰の次男であったことは有名だが、天明期の狂歌界は貴人たちが遊ぶ場でもあった。狂歌師たちのパロディ物合にも、大名筋の貴人たちが別名を用いて登場している点は、虫合に通うところであり、江戸における物合文化が、身分を一時的に超越して遊べる場所として機能していたことを示す。

ところで、『手拭合』[5]とは、天明四年六月、上野不忍池畔のある寺院において、手拭図案者の作品をあつめて展覧し、その図案を一冊に再現したものであるという。先述の杜綾が出品した手拭は、鷹狩用の鷹を配した図案であった

（図2）。手拭に描かれた鷹の足からは実際の紐がのびて手拭掛けに結ばれ、手拭掛けが止まり木の一部であるような見立てとなっており、図案の世界が平面から立体へと立ち上がる面白さがある。

これは、十番虫合四番左方が、鈴虫の「鈴」から連想して、鷹狩の道具を取りそろえてみせたことにも通じ、武家らしい趣向による挨拶であろう。『たなぐひあはせ』では、貴人である雪川公・香蝶公・杜綾公の出展作を冒頭に配していること、他の出品作品と異なり、それぞれ一丁をゆったりと使った配置であること、立派な手拭掛けを描いていることなど、格式の違いをさまざまな形で表現している。

貴種と町人が入り混じる遊びとはいえ、題材や表現の在り方によって、出品者の出自に配慮したことがうかがえることに注目しておきたい。

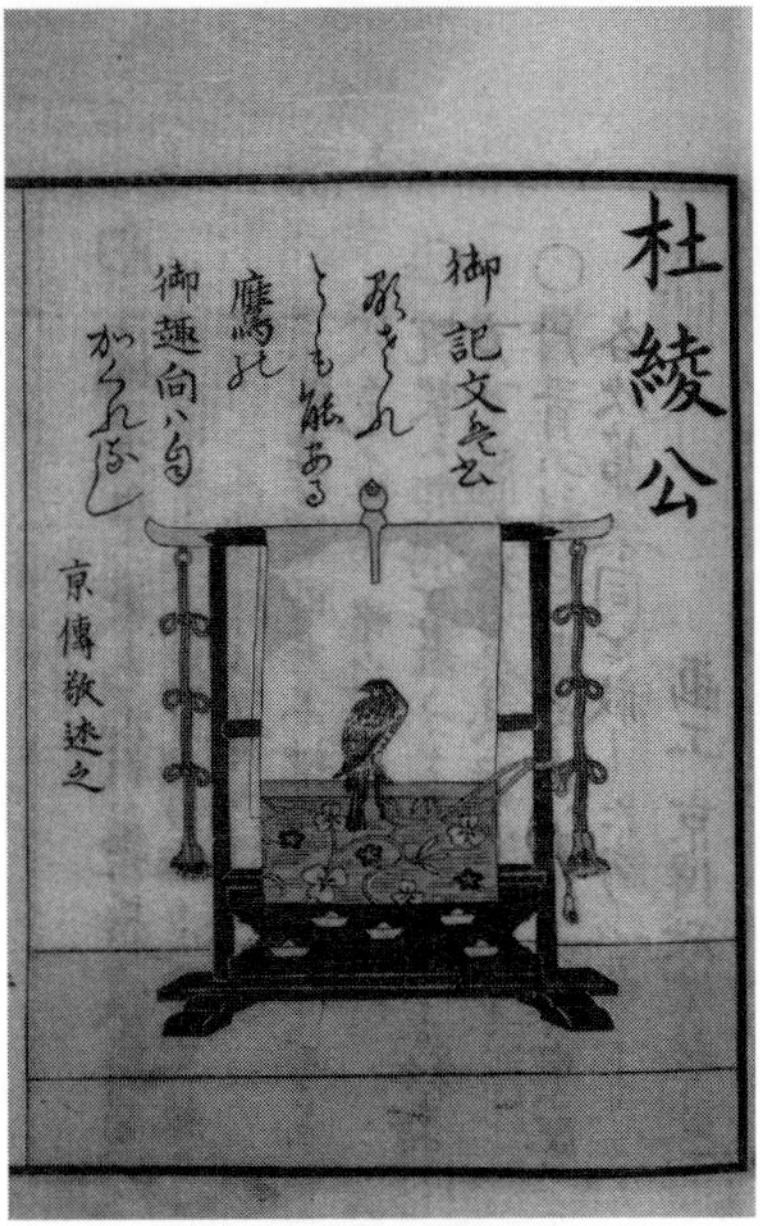

図2 『たなぐひあはせ』
杜綾出品の図案

なお手拭合の会は実際には開かれておらず、冊子上でのみ行われた架空のものであるとする論がある一方、黄表紙『当字／片言 指南所』（桜川杜芳作・山東京伝画、天明六年〈一七八六〉刊）に、不忍池畔の有名な小料理屋「どんどん庵」と思われる座敷での席書（求めに応じて即興で書画を書く催し）の場面に、「黒鳶式部が、手拭合の時、ここへ参りました」という詞書があり、花咲一男氏[6]はどんどん庵の位置から考証して、「稲仰院」（ママ、称仰院か）が手拭合の会場であったのではないかと推定している。

虫合の場合もまたそうであるように、物合の会場として選ばれるのが寺院であることも、江戸におけ

る「会」を考える上でのひとつの鍵かもしれない。▼7

三　十九世紀初期の江戸における考証の会

さて、十八世紀末に盛んだった物合会は、寛政の改革の影響をうけて下火になるが、こうした社会的身分を超えた知的な会合が江戸から失われたわけではなく、むしろ上方から影響を受けた考証ブームを背景として、十九世紀初頭には、古器古物等を持ち寄り考証する会が多数行われていた。

そのうちの重要な会のひとつが、秋田藩江戸邸お抱えの狩野派画師・菅原洞斎が主催した古書画展観会である。洞斎は、文化三年（一八〇六）十月頃から月に一度、古書画を持ち寄り鑑賞する会を自宅で開いていた。単に珍品を眺めるだけではなく、書画の落款を隠したままで、参加者が思い思いに鑑定し、それぞれの鑑定結果を紙に書いて筒に入れ、後にそれらを開けるという遊戯性を持つ会であったという。▼8

参加者は、画師の谷文晁や渡辺崋山、国学者の屋代弘賢、幕臣の石川大浪、鑑定家の檜山担斎といった錚々たる顔ぶれで、書画の鑑賞と同時に和漢の典籍が参照され、各分野の知識人たちの間で考証が行われていた。▼9

玉蟲敏子氏▼10は、当時の子が古画趣味、研究会、鑑賞会等の担い手のうち、幕臣層や大名諸侯の重臣層、町人層の鑑定家といった階層の人々が古画趣味を推進し、研究といえるレベルにまで引き上げたと指摘しており、まさに洞斎主催の展観会は、当時の書画考証を牽引した存在であっただろう。

洞斎が日本の画師の伝記と落款・印章を集めていろは順に配列した『画師姓名冠字類鈔』▼11は、この会での成果の集大成と目され、同書の中には、展観会の参加者を含む資料・情報提供者の名前が見られる。会の参加者であった文晁の『文晁画談』や、弘賢の『己卯掌録』、『輪翁画譚』といった書留類を併せ見ると、展観会にてどのような古書画が披露され、いかなる書物を典拠に議論が交わされたのかが明らかになる。目の肥えた参加者たちによる会の求心力は、披露される書画の魅力そのものにあり、また、書物に出典を求めて行われる議論であった。

会の参加者の目的がまったく同じであるというわけではなく、それぞれの関心や仕事上の必要性に応じて、さまざまな姿勢で会に寄与したり、その場から恩恵をうけたりしていたということは前提として、会の中心的人物と思われる文晁や弘賢、担斎が、古物古美術木版図録である『集古十種』編纂に携わる人物であったことには注目すべきである。たとえば、幕府の祐筆を務めた弘賢が、徳川家ゆかりの増上寺より貴重な絵画を借り出し展覧会に持参した例は[12]、寺院の什物を特権的に見られる人物を擁する会の特色を示すだろう。また、縮図の方法について議論したという記録は、各地の古書画を臨模縮図し、『集古十種』を編纂する事業を担う人物の集まりであること、彼らにとって、縮図が実用的な古書画収集方法であったことを裏付ける[13]。

さらにいえば、『画師姓名冠字類鈔』には資料提供者として、『集古十種』編纂を主導した松平定信の名や秋田藩主佐竹義和の名が見え、この展観会が完全に私的な性格のものではなく、定信による古器古物取集事業の大きな流れの中に位置することを示唆するのである。

おわりに

先述した梅合は田安宗武が自邸で主催したもので、彼が御三家卿の筆頭格の文学的行事として行ったものであること、続く物合もまた、田安家に縁ある人々によって行われたこと、そしてそれらが、有職故実への高い関心と深い知識に基づきなされたものであることは、鈴木淳『橘千蔭の研究』や本書において指摘されるところである。

狂歌師たちの物合会や十九世紀初頭の古書画考証の会も、同じ流れを汲むものであり、同好の士による「古」への関心と知見が、公家から武家、武家から町人へとゆるやかにつながりながら、個々の会の主催者・参加者の関心や社会的立場に即して現出し、知を共有したり遊ばせたりしていたのである。

また、こういった場において、公的な側面と私的な側面とを併存させながら、社会的身分を超えた交流が行われていることは、近世後期の江戸という時空間の特殊性を示すのではないだろうか。

▼注

1 鈴木淳「『十番虫合』と江戸作り物文化」(『橘千蔭の研究』ぺりかん社、二〇〇六年)。

2 宝合会および『狂文宝合記』については、延広真治ほか編『『狂文宝合記』の研究』(汲古書院、二〇〇〇年)に拠るところが大きい。

3 国書データベースにて画像の閲覧が可能。本書で参照した国文学研究資料館蔵本の情報は以下の通り。URL：https://kokusho.nijl.ac.jp/biblio/200014753/1?ln=ja　DOI：https://doi.org/10.20730/200014753

4 国書データベースにて画像の閲覧が可能。本書で参照した国文学研究資料館蔵本の情報は以下の通り。URL：https://kokusho.nijl.ac.jp/biblio/200008234/1?ln=ja　DOI：https://doi.org/10.20730/200008234

5 『手拭合』については、谷峯蔵・花咲一男『洒落のデザイン―山東京傳画「手拭合」―』(岩崎美術社、一九八六年)に拠るところが大きい。

6 注5同書、「『手拭合』解題」。不忍池畔で町屋敷があるのは池の西側であるとされているが、「稲仰院」は確認できない。称仰院は池の西側に位置する。

7 江戸における展観会の初期のものに数えられると指摘される、谷文晁が寛政六年(一七九四)二月二十二日に主催した書画展観会も、感応寺を会場とした(ロバート キャンベル「観照のながれ―書画会四席その二―」『文学』第八巻第三号、一九九七年七月)。

8 加藤曳尾庵『我衣』巻二(森銑三ほか編『日本庶民生活史料集成』第十五巻、三一書房、一九七一年)。

9 安田篤生「江戸時代後期における書画展覧会と鑑定―谷文晁とその周辺」(中村俊春編『前近代における「つかのまの展示」研

究』平成十七年度~平成二十年度科学研究費補助金　基盤研究（B）研究成果報告書、課題番号一七三二〇〇二九、二〇〇九年三月）、有澤知世「菅原洞斎の古書画展観会」（『上方文藝研究』第十六号、二〇一九年六月）。

10 玉蟲敏子「『古画備考』にみる朝岡興禎の日本絵画観」（古画備考研究会編『原本『古画備考』のネットワーク』思文閣出版、二〇一三年）。

11 国立国会図書館に全十三巻の転写本が、慶應義塾大学附属研究所斯道文庫センチュリー文化財団委託品の中に、直筆稿本と目される三冊が存する。

12 有澤知世「文化五年―異国情報と尚古　知のダイナミズム」（鈴木健一編『輪切りの江戸文化史―この一年に何が起こったか？―』勉誠出版、二〇一八年）。

13 注9有澤論文。

『十番虫合』と『源氏物語』

瓦井裕子

『源氏物語』を研究する私から見て、『十番虫合』を読んで真っ先に興味をひかれたのは、十番目の洲浜の趣向であった。十番の洲浜は、左右ともに『源氏物語』から趣向をとっている。少なくとも、虫判を務めた千蔭はそう言っている。王朝復古のイベント『十番虫合』の最後を飾る十番において、「王朝」の代表格である『源氏物語』を出してくるのはいかにもふさわしい。

ここで左右の洲浜を見ておきたい。左方の洲浜は、巻き上げた御簾を虫籠として、その傍らに菊、萩、薄などの秋の草花を添える。千蔭はこれを、『源氏物語』鈴虫巻での光源氏の発言によるとした。この発言は、光源氏が不義密通の末に出家した正妻・女三の宮が誦経しているところにやってくる場面で出たものである。二人がいる部屋の前栽では秋の虫が鳴いていて、その中でもひときわ鈴虫の声が美しい。光源氏はそれを聞いて、「秋好中宮（注：源氏の養女で冷泉帝の皇后）は松虫の声が優れているとおっしゃって、わざわざ遠くの野辺から松虫を集めさせて前栽に放ったのです」と女三の宮に語りかける。これが左方の洲浜の典拠である。

さて、『十番虫合』の左方は、鈴虫の洲浜をつくり、鈴虫の和歌を詠むグループである。大切なはずの十番で、右方に割り当てられた松虫を賞賛する秋好中宮のエピソードを持ち出して洲浜をつくるのは、いったいなぜなのだろうか。これが第一の疑問だった。もっとも、光源氏はその後、「秋好中宮が放った松虫の声は聞こえなくなってしまったから、めでたい名前に反して寿命が短いらしい。松虫は声も出し惜しみするから、人懐っこい鈴虫のほうがかわいい」と鈴虫の賞賛に続いていくのだが。この場面全体で見れば、光源氏によって鈴虫と松虫が比較され、鈴虫のほうに軍配が上がっていて、たしかに鈴虫と松虫を対置させた『十番虫合』の最後にふさわしいけれども、それならば鈴虫を褒めている源氏の発言を典拠にするべきだったのではないか。わざわざ秋好中宮が松虫を賞翫したエピソードを取り上げて洲浜にする左方の意図がどこにあるのか、私の目にはたいへん面白かった。

しかも、この場面のどこを取っても、左方が洲浜につくったような巻き上げた御簾は出てこない。千蔭はなぜ松虫を賞賛するエピソードに言及したのか？　そして、その場面に出てこない巻き上げた御簾をなぜつくったのか？　この疑問を考えるのは、右方の洲浜を確認した後にしよう。

右方は、琵琶を虫籠にする。琵琶の撥面には、女郎花（おみなえし）と萩を描いた薄い紙がはられている。千蔭はこれが『源氏物語』横笛巻に着想を得たものだという。横笛巻は、柏木という人物が亡くなった後、遺された人々の様子を描いた巻である。柏木は優れた貴公子だったが、光源氏の正妻・女三の宮への恋心を消せず、ついに密通を果たし子供まで産ませる。それが光源氏の知るところとなり、気に病んでついに死んでしまう。問題の場面は、遺された柏木の妻・落葉の宮を、光源氏の息子であり柏木の親友だった夕霧が訪問して慰めるところである。夕霧は、柏木から落葉の宮のことを頼まれたという建前があるが、ひそかに落葉の宮に想いを寄せている。夕霧は落葉の宮の琴を聞きたいと思い、自ら琵琶で想夫恋（そうふれん）という曲を弾いて、落葉の宮に合奏を求めた。

左方は、この夕霧が弾く琵琶をもとに洲浜をつくったという。しかし、これも面白いことに、この場面のどこにも松虫は出てこないのである。落葉の宮邸の前栽には「虫の音」が聞こえ、夕霧の応対に出た落葉の宮の母も「虫の声」の和歌を詠むが、このような「虫の音」であれば『源氏物語』のあちこちに見られる。松虫を推すべき右方が、松虫の場面ではなく、単に秋の虫が鳴いているというだけの場面から最後の洲浜をつくるのも一見不思議なことである。『源氏物語』から松虫が出てくる場面を取りたいというのであれば、たとえば作中でもたいへん好まれた野宮の別れ（光源氏が伊勢に下る六条御息所と別れを告げる作中屈指の名場面）など、松虫も物悲しく雅な風情の演出に一役買っているのだが。『十番虫合』の最後に、左方も右方もこのような場面選択をするものだろうか。というのが、最も興味をひかれたことであった。

この趣向の不思議さに対する答えを得るのは容易ではなかった。というより、結局自分で納得できる答えはまだ見つかっていない。見つかってはいないが、考えたことを一応書き留めておきたい。

ひとつには、現代の私たちにはわからない『源氏物語』に対する理解が、当時存在した可能性である。左方でいうと、たとえば、鈴虫巻で語られる秋好中宮のエピソードが、次の秋好中宮のエピソードと結びつけられたと考えることはできないだろうか。

> 御格子二間ばかり上げて、ほのかなる朝ぼらけのほどに、御簾捲き上げて人々ゐたり。高欄に押しかかりつつ、若やかなるかぎりあまた見ゆ。うちとけたるはいかがあらむ、さやかなる明けぐれのほど、いろいろなる姿はいづれともなくをかし。童べ下ろさせたまひて、虫の籠どもに露かはせたまふなりけり。

これは、野分の翌朝、夕霧が秋好中宮のもとを野分の見舞いに訪れた場面である。夕霧が見ると、御簾を巻き上げて秋好中宮の女房たちが座っており、庭では童女たちが虫籠に露をあてていたという。秋好中宮の御座所の巻き上げられた御簾と彼女が賞翫したと思しき虫がセットで出てきている。この場面は頻繁に絵画化もされる有名な場面で、光源氏の発言によってこの場面が喚起されるのは不自然ではない。この場面も含めると、巻き上げた御簾を虫籠とした左方の洲浜は、いくらか腑に落ちやすくなる。ただ、これはあくまでも憶測で、当時の注釈書などを見ても、この二つの場面を結びつけるような記述を見出すことはできない。

別の可能性として、『源氏物語』の柏木を『十番虫合』の最後に取り上げるべき特殊な理由があったか。左方の洲浜に対して千蔭が指摘するのは、柏木と密通して出家した女三の宮が登場する場面である。右方の洲浜は、柏木の未亡人・落葉の宮に関わる。ともに、亡き柏木と関係した女君が出てきている。まったく詳細はわからないが、最後は左右ともに柏木をめぐるエピソードで終わろうという申し合わせがあり、柏木に関連するところから半ば強引に探してきたのがこれらの場面であったなら、不思議な場面選択もある程度理解できる気がする。

あるいはまた別の可能性として、実は左右の洲浜の典拠は『源氏物語』ではなかったとも考えられる。つまり、千蔭がそう思っただけではないのか。この『十番虫合』の虫判である千蔭の判詞は、なかなか摑みがたいものがある。たとえば、一番左の、

雨ならでふりつつ虫の鳴くなへにきてもみるべく萩が花笠

の本歌として、千蔭は『古今和歌集』の和歌「みさぶらひみ笠と申せ宮城野の木の下露は雨にまされり」を指摘して、洲浜の鈴虫はわざわざ和歌に詠まれた宮城野から持ってきたのだという。鈴虫の「出身地」など、左方からの情報がないとわからないから、千蔭は洲浜について事前に十分な情報を得ていたとも見える。

しかし一方で、六番左の洲浜の典拠として、『元真集』（もとざねしゅう）の和歌の詞書が典拠だと千蔭は指摘するが、実は『忠見集』（ただみしゅう）が正しい。単なる事実誤認ではない可能性も考えなくてはいけないが、やはり引っかかる。

また、一番右の洲浜の典拠を、千蔭は大堰河御幸和歌序の「ある時には、山の端に月まつむしうかがひて、琴の声にあやまたせ」だという。だが、和歌を見ると、

玉琴のしらべにいつの秋よりかまつ虫の音もかよひ初めけむ

とあって、これが斎宮女御の有名な和歌、

琴の音に峰の松風かよふなりいづれの緒よりしらべそめけむ

を引くことは明らかである。となると、洲浜の琴にも当然この和歌は響いてくることになるだろうが、千蔭はそれを（おそらく、あえて）とらず、松虫と琴の関係から大堰河御幸和歌序のみを指摘する。

このように、千蔭は意図してか意図せずか、洲浜の趣向を正確に指摘しないことがある。となると、十番についても、千蔭が言うように本当に『源氏物語』なのだろうか、という疑問は浮かんでくる。

あれこれ述べてはみたが、やはりわからない。『十番虫合』は虫判の千蔭が洲浜の解説をしているし、幸運なことに美麗な絵も残っている。絵まで残っているというのは、平安文学を研究する私からすると奇跡のようなことで、千蔭のわかりやすい判詞もあいまって、なんとなくわかった気になってしまう。しかし、そのわかりやすさによって、かえって『源氏物語』享受、王朝復古の複雑さが鮮明になったように個人的には感じた。一般的な古典文学が持つ「わかりにくさ」のために見過ごしてきた問題を、『十番虫合』は虫判と詳細な絵によってクリアにして突き付けてきたように思う。十番の左方右方の意図が『源氏物語』にあったのかどうかはわからない。しかし、千蔭が虫判で『源氏

物語』の名を出した以上、これは『源氏物語』享受なのだから、その言葉を受け止めて意味を考えることも王朝復古イベントとしての『十番虫合』の位置を知る手がかりになるのだろうと思う。

『十番虫合絵巻』と漢文脈
——草虫詩から花鳥画まで

山本嘉孝

本稿では、虫の声にあわれさを感じること、また虫のいる場面を美しい画として描くことが、漢文脈の中でどのように展開したかを概観する。『十番虫合絵巻』に収められた鈴虫・松虫の和歌や、色鮮やかな洲浜の絵は、概ね和文脈に即した日本的な様相を呈している。しかし、それらは突然変異のようにしてどこからともなく出現したのではなく、草虫詩や花鳥画といった、漢字圏で共有された文化を土壌として培われたものとして考えられる。

一　『和漢朗詠集』の「虫」

『十番虫合絵巻』第九番の左歌は、平安中期に編まれた漢詩と和歌の選集である『和漢朗詠集』雑部の「山水」項に載る漢詩句に基づく。[▼1] この虫合に参加した人々が『和漢朗詠集』を学んでいたことは、ここからも推察できる。

『和漢朗詠集』秋部には、「虫」と題された項があり、その筆頭には、平安時代の日本の朝廷で人気を博した中唐の詩人、白居易（はくきょい）による五言絶句「秋虫」が載る。近世の北村季吟（きたむらきぎん）による注釈書『和漢朗詠集註』（寛文十一年〈一六七一〉刊）巻四から引用し、書き下しを添える。

切切暗窓下　切切たる暗窓の下(もと)
喓喓深草裏　喓喓たる深草の裏(うち)
秋天思婦心　秋の天の思婦の心
雨夜幽人耳　雨の夜の幽人の耳

暗い窓のもと、草むらの中でしきりに鳴く虫の声が、秋空に遠く離れた夫を思う妻の心や、雨の降る夜にひっそりと暮らす隠者の耳に届く、という内容である。「切切(せつせつ)」と「喓喓(ようよう)」は虫の声を表す擬音語の類である。虫の音に悲しげな秋の情感を託し、男性の帰りを待つ女性の姿をも配置するという型は、このような漢詩に裏打ちされて、和歌・和文の中で広がったと考えられる。ただし、この型の源泉は、最古の漢詩集『詩経』に求められる。

二　『詩経』の「草虫」

前掲詩で白居易が用いた「喓喓」の語は、季吟も註で指摘するように、『詩経』国風・召南の「草虫」詩に用例がある。平安時代の日本でも受容された漢代の『詩経』注釈、すなわち毛氏の伝と鄭玄(じょうげん)の箋を載せた、近世の古活字版『毛詩』（京都大学附属図書館谷村文庫蔵）巻一で確認しよう。詩の冒頭四句を引用し、書き下しを添える。▼2

喓喓草虫　喓喓たる草虫
趯趯阜螽　趯趯たる阜螽
未見君子　未だ君子に見(あ)はざれば
憂心忡忡　憂ふる心忡忡たり

毛伝・鄭箋によると、「喓喓」は虫の声、「趯趯」は虫の跳躍するさまを表し、鳴いたり跳んだりする虫は、人間の男女が互いに呼び合うようだとする。そして、「君子」は「卿大夫」すなわち男性貴族のことを指し、その妻が、実家を後にして嫁ぎに行く道中、まだ夫に会えないので、不安な心持ちであることをいう詩である、と解釈する。白居易の「秋虫」詩は、この「草虫」詩の変奏なのである。

一方、近世日本でよく読まれた南宋の朱熹による解釈は、家でひとりさびしく留守番をする妻が、行役のために不在の夫を思う詩である、とする（『詩経集伝』〔享保九年〈一七二四〉刊〕巻一）。帰らぬ人を待つかのように鳴く和文脈の松虫のイメージと重なり合う。

三　花鳥画の虫

『詩経』には、さまざまな動植物が登場する。事実、孔子は、『詩経』を学ぶ理由のひとつとして「多識於鳥獣草木之名」（多く鳥獣草木の名を識る）ことを挙げた（『論語』陽貨）。近世日本で刊行された『詩経』図解書には、『陸氏鳥獣草木虫魚』（安永八年〈一七七九〉刊）や『毛詩品物図攷』（天明五年〈一七八五〉刊）などがあり、草虫が「イナゴ」や「ツユムシ」（キリギリスの仲間）として描かれている。しかし、『十番虫合絵巻』の色鮮やかな挿絵は、『詩経』図解書の味気ない絵よりも、華やかな著色の花鳥画に近いといえよう。

花鳥画とは、花と鳥に限らず、草木・動物・虫魚など、あらゆる生物を対象とした、漢字圏の絵画である。[▼3] 草花とともに虫を描いた色彩豊かな肉筆の花鳥画（草虫画）は、元・明・清で盛んに制作され、近世日本にも輸入されて「紅白川」と称された。[▼4] 多色刷りの花鳥画では、清朝の『芥子園画伝』が特筆に値する。寛延元年（一七四八）刊の和刻本では、題簽に「花鳥譜」と刷られた第三・四冊に、生きた虫の描き込まれた色鮮やかな画が十点載る。[▼5]

『十番虫合絵巻』を手掛けた絵師が殊更に中国の花鳥画を意識した、などと言うつもりはない。ただ、漢字圏における花鳥画の流れの中に、『十番虫合絵巻』に見られる洲浜や挿絵を位置づけることは可能であろう。

▼注

1　本書所収の原文・注釈・現代語訳参照。

2　国書データベース（国文学研究資料館）https://kokusho.nijl.ac.jp/biblio/100386057/（十五〜十六コマ）。

3　今橋理子『江戸の花鳥画—博物学をめぐる文化とその表象』（スカイドア、一九九五年）、一六頁。

4　戸田禎佑・小川裕充編『中国の花鳥画と日本』（学習研究社、一九八三年）、図版六三〜七〇、および一〇八頁。宮崎法子『花鳥・山水画を読み解く—中国絵画の意味』（筑摩書房、二〇一八年）、二二六〜二五六頁。

5　フリーア美術館（国立アジア美術館）プルヴェラー・コレクション所蔵本 https://pulverer.si.edu/node/1127/title（Vol.3, Vol.4）。第三冊の一・四・五・十・十一・十四・二十四丁、第四冊の四・五・六丁。

近世期の『源氏物語』本文と橘千蔭

松本　大

近世期の『源氏物語』は、享受層が庶民を含んだものへと拡大するにつれ、さまざまな形態をとりながら浸透していった。本文であれば、それまでは写本によって限られた範囲でしか流布していなかったものが、出版文化の隆盛に伴って、不特定多数の人々に同一のものが提供されることとなった。また、その種類も豊富で、純粋な物語本文だけではなく、ダイジェスト版や俗語版も登場した。こうった近世期に出版された『源氏物語』については、清水婦久子氏『源氏物語版本の研究』（和泉書院、二〇〇三年）に詳しい。

近世期の『源氏物語』テキストとして最も大きな存在は、北村季吟（きたむらきぎん）の『湖月抄（こげつしょう）』である。『湖月抄』は、延宝元年（一六七三）に刊行された注釈書で、物語の注釈書でありながら、物語本文をすべて掲載するという点で画期的であった。それまでは、本文を扱うものは本文のみ（簡単な絵が入る場合もあったが）を扱い、注釈を扱うもの（いわゆる注釈書）は注釈事項のみを取り扱う、と、それぞれが独立した存在であった。また注釈書の内容も、必要な部分にのみ注釈を施すといったものであったため、物語の全容を注釈書から把握することは困難であった（物語の全容を簡便に把握する際には、梗概書などの別の媒体が使用された）。室町期以前においては、注釈書を求める人々の手許にはすでに何らかのテキストがあり、また物語の内容についても一通りは把握している状況にあったため、わざわざ物語の全文を付す必要はなかったのである。しかし、近世期に入り、そもそも『源氏物語』の本文を見たことのない人や、基礎的な教養を持ち合わせない人までもが享受層に含まれるようになると、それにしたがって、物語の全文と注釈とを一体的に扱う媒体が希求されるようになっていった。その要望に応えたものが、『湖月抄』であった。

『湖月抄』は、本文を各丁の下部三分の二程度で示し、その本文に対応する注記を頭注として示しつつ、主語や簡単な文脈への注釈などについては本文の横に示す、といった形態を取っている。この処置によって、『源氏物語』は非常に読みやすいものとなって示され、さらに内容理解に必要な知識も十分に提供されることとなった。その利便性と内容の充実により、『湖月抄』は、近代初期にいたるまで最も一般的なテキストとして用いられていった。たとえば、与謝野晶子や樋口一葉なども『湖月抄』を使用していたことが明らかとなっている。近世期以降の『源氏物語』享受は、『湖月抄』の登場により、より広範で、より深いものとなったと言えよう。当該十番虫合の参加者も、中には由緒ある写本を参照することもできた人物もいたであろうが、大半は『湖月抄』などの刊行された本文によって物語を享受していたと考えるべきであろう。橘千蔭にとっても、『湖月抄』は大きな存在であったと思われる。実際に国立国会図書館には千蔭旧蔵の『湖月抄』が蔵されているが、そこには千蔭自身の見解や千蔭の師にあたる賀茂真淵（かものまぶち）の説が書き入れられており、『湖月抄』が基盤となりながら彼らの学問や文芸が展開していったことがうかがえる。詳細については、鈴木淳氏「橘千蔭の和文と『源氏物語』」（鈴木淳『橘千蔭の研究』、ぺりかん社、二〇〇六年）を参照されたい。

さて、千蔭には、『源氏物語』本文の抜書資料がいくつか残っており、千蔭と『源氏物語』との関係を考える際の手がかりとなる。千蔭の『源氏物語』の抜書の多くは、書の手本である法帖として刊行されており、これにより実態を把握することが可能である。千蔭の手跡が重宝され、さまざまな典籍の抜書が刊行されていったことについては、鈴木淳氏「芳宜園方帖記」（鈴木氏前掲書）に詳細な報告がある。『源氏物語』であれば、具体的には、『橘千蔭中秋帖』の少女巻、『仮名文中宮帖』の野分巻、『すまのかいさし（須磨帖）』の須磨巻、『さわらび帖』の早蕨巻、『このはな帖』

の桐壺巻等が該当する。

これらの本文は、先に述べた『湖月抄』を利用したのであれば、『源氏物語』の本文史から捉えると、定家本系統（青表紙本系統）の中でも室町期以降に流布した本文の特徴を踏まえたものになると推測される。しかし、実際に各種法帖の本文について異同を確認すると、必ずしも『湖月抄』に依拠しているとは言えず、さらにそれだけでなく、諸伝本でまったく見えない場合もかなり存在することに気付く。つまり、出所不明のよく分からない本文が用いられる箇所がままあり、研究史上かなり不審な状態にあると言えるのである。伝本を書写することと、手本として抜書を作成することとでは、その目的・意図が大きく異なるため、比較検討すべき対象ではないのかもしれない。また、手本という媒体においては、本文の正確性よりも、視覚的な筆致が重視されたであろうことは、想像に難くない。ただし、厳密に本文を用いないという点は、当該『十番虫合絵巻』に共通する点ではないだろうか。粗雑な言い方をすると、本文に向き合う際は、大まかな内容が把握されるのであれば、細かな点は問題にならなかった、ということである。

この観点から見ると、当該『十番虫合絵巻』で引用された種々の古典文学作品のうち、その本文が残存する諸伝本に見られない場合（やや異質な本文）があった、という事情も、把握されようか。意図的な改変や特定の伝本を参照していた可能性も棄てきれないが、一方では記憶違いも十分に考えられるのではないか。ある作品のある場所を単に提示するだけでよい場合は、案外いい加減だったのかもしれない。さらなる検討を待ちたい。

ノスタルジアの歌学
——国学と「十番虫合」

ターニャ・バーネット

本コラムでは、「虫合」と、「虫合」の判者である加藤千蔭や賀茂季鷹が信奉した江戸時代の文学・思想の学派である「国学」との関係について検討する。「虫合」と国学の動きとの結びつきの基盤にあるのは、和歌そのものである。国学者たちは、詩歌、とりわけ和歌によって、儒教や中国文化の強い影響によって失われてしまった日本古来の純粋な精神、言語、本来の自然を取り戻すことができると信じていた。

ロバート・ヒューイが序文で指摘しているように、中国文化の影響に対するこの批判は、徳川幕府の治世を支配していた新儒教の教訓主義と、江戸社会を襲った無数の自然災害や社会不安をうまく切り抜けられなかったことに対する政治的批判によって裏打ちされていた。その結果、国学者たちは、徳川社会を共同体の分断に悩まされていると見なし、彼らの世界に全体性と調和を取り戻すためのひとつの手段として和歌に注目した（ピーター・フルエキガー『ケンブリッジ版 日本文学史』、四七九頁）。和歌は、単に自分の純粋な感情を伝えるための個人的な行為ではなく、共同体的なものであり、その感情は、古代の人々によって形成された感情や共同体の絆と響き合うものであった。このように「虫合」の集いは、こういう教義の縮図と考えられるかもしれない。このことは跋文にも反映されており、仲間との情緒溢れる一夜を思い起こさせ、「こはその折の言草を、後々にしのぶの草のしのばんことを思ひてなり」とある。

しかし、千蔭と季鷹の、和歌とそれに付随する洲浜の文学的価値についてのそれぞれの判断からわかるように、過去の本物の感情にアクセスできる歌を作るには厳格なガイドラインがあった。『万葉集』や『古今集』といったアンソロジーや『伊勢物語』や『源氏物語』といった平安時代の物語である。

千蔭の師であり、最も影響力のある国学者の一人であった賀茂真淵（一六九七―一七六九）は、日本古来の歌の単純さと直情的な性質への回帰を提唱した。

高野奈未が指摘するように、真淵は江戸時代の当代歌や『新古今集』の中世和歌を批判し、「言いつめ」であるとした。過剰な言葉遣いと過度な説明によって、詩の芸術的な響きや感情的な衝撃が損なわれていると感じていたのである（高野『賀茂真淵の研究』青簡社、二〇一六年、二一～二二頁）。その論考『歌意考』の中で、真淵は「上つ代には、人の心ひたぶるに、直くなむありける。心しひたぶるなれば、なすわざも少なく、事し少なければ、いふ言の葉もさはならざりけり。しかありて、心に思ふ事ある時は、言に挙げてうたふ、こをうたといふめり」（日本古典文学全集八十七『歌論集』、二〇〇六年、五六九頁）と述べた。真淵が信奉したこのような古代和歌の端的で簡潔な性質は、季鷹の三番の歌に対する判詞にも表れている（なお、季鷹は左の歌も判じており、そういう理由で、両歌をこのように評価していることに注目すべきである）。季鷹は「誠にいひしりたるさまなるべし」と両歌を絶賛している。三番の洲浜を判じた千蔭は、右の洲浜を「いとよしばみて松むしてふ事、ことわらずして明らけし」と絶賛している。また、右の洲浜は和歌の詠み方について長い間権威あるマニュアルとされてきた『古今集』の序文に憧れの感覚をほのめかしている。季鷹は歌の判定で引き分けを与えるという彼の決定を正当化する際に、「古くもよき持などは申しためれなどと、おのおの沙汰しあへるにこそ」と述べている。

日本の歌学は長い間、言語学、政治学、過去へのノスタルジーと絡み合ってきた。国学者たちにとって、「虫合」のような催しは単なる娯楽や遊びではない。むしろ、「本物の」日本人のアイデンティティとコミュニティの本質にアクセスするために不可欠な実践と結びついているのである。国学の影響を受けた瞬間を「虫合」に見出すことは、イデオロギーと美学の間に存在する深い結びつきを強調するものである。

長柄橋

ロバート・ヒューイ

六番では、左の絵と和歌が、微妙かつ豊かな重層性をもって長柄橋に言及している。橋の名前は、「長らえる」という動詞をもじった駄洒落である。承和七年（八四〇）に成立した公的な歴史書である『日本後紀』によれば、弘仁三年（八一二）に津の国に長柄橋（ながらばし）が架けられ、その後、現在の大阪北東部の淀川の支流に架けられたと記されている。神々の承認を得るために人身御供が捧げられたという伝説もある。もしそれが本当なら、「長生き」という名前の皮肉に、さらなる層が加わることになる。

和歌の中で、長柄橋はやがて「古い」と関連付けられた。十世紀初めの撰集『古今集』（八九〇番）の読み人知らずの歌では次のように表現されている。

世中にふりぬる物はつのくにのながらのはしと我となりけり

（この世では二つのものが年をとる。津の国の長柄橋と私である）

その後、それはさらに「過去の時代」（昔）とも関連付けられた。天暦時代（九四七〜九五七）に、歌人藤原清正（ふじわらのきよただ）（九五八没）

は、現存しないが、柱がほとんど朽ち果てた長柄橋を描いた屏風絵に歌を詠んだ（『拾遺集』四六八）。彼の歌は次の通り。

あしまよりみゆるながらのはしばしらむかしのあとのしるべなりけり
（葦間から見ると長良橋の柱は遠い過去を指し示す道標となっている）

九五〇年代までに、長柄橋はほぼ消失してしまったようだが、その朽ち果てた柱のイメージは文学的想像力の中にずっと残り続けた。十三世紀初めの勅撰集『新古今集』には、その衰退と消滅をたどる歌が三首含まれている。最初の歌（一五九四）は壬生忠岑（活動期：八九八―九二〇）によるもので、次の通り。

年ふれば朽ちこそまされ橋柱むかしながらの名だにかはらで
（年が経つにつれ柱が朽ちるばかりだ。むかしながらの名前だけは変わらずに）

そして、この連首の最後の歌（一五九六）は徳大寺実定（とくだいじさねさだ）（一一三九―一一九二）によるもので、藤原清正が柱を見た葦ですらもう存在しないことを示唆している。

朽ちにけるながらのはしをきてみれば葦のかれ葉に秋風ぞ吹く
（長柄の橋が今は朽ちたとされても、葦の中から柱を見ると秋風が吹いていた）

六番では、左の歌と洲浜は、歌の中で「葦」に言及し、その葦と朽ちた柱を洲浜で描写することで、そのイメージを復活させている。さらに判詞は間接的に壬生忠見（九五〇年代頃。忠岑の息子）による、玉坂（土地の名称で、「思いがけず」という意味も兼ね備えている）での古い友人（または恋人か）に会う和歌を参照している。この歌は「昔ながら」に言及しており、すべての要素を結びつけている。

たまさかにけふあひみれば鈴むしは昔ながらのこゑぞきこゆる

（玉坂で思いがけず、今日会ってみると、鈴虫の声が昔と同じように鳴り響いている）

物たちの歌

フランチェスカ・ピザーロ

『十番虫合絵巻』は、日本の詩（和歌）が物質的な要素を持っていることを適切に示している。日本の詩歌の実践は古くから物と密接な関係を持っており、折りたたみ式の屛風や扇子は、詩的な場所を描いたり、詩的なテキストを載せるためのものとして残っている。これらの存在は、物質的な対象でさえ詩的であることができ、詩的な美点だけで評価されることがあることを思い起こさせ、テキスト性が和歌の世界との関与に必要な唯一の前提ではないことを教えてくれる。

この本の他の場所でも触れられているように、最終的に『十番虫合絵巻』を生み出すきっかけは、「物合」プロジェクト、特に鈴虫と松虫という、和歌に深く浸透した二つの虫を和歌の基準で対照させるプロジェクトだった。言い換えれば、一方の虫の長所を他方と比較する際、参加者がどれだけうまくそれらを詩的な世界に埋め込むかに基づいて判断された。具体的には、イベントの主要な参加者が平安時代の復興（本書所収、ターニャ・バーネット「ノスタルジアの詩学―国学と「十番虫合」」参照）の実践者であったため、歌や物の審査基準は、平安時代の古典である『伊勢物語』や『源氏物語』などによって形成された詩的な時と場所への判者の親近感を反映していた。イベントのために作られ、その後に絵巻に不滅のものとして記録された作り物は、私にとって特に魅力的である。ここでの詩的実践は、実際の昆虫を、周到に配置された作り物の中に封じ込めることを文字通り意味し、それらはその制作者が喚起しようとする詩的な世界の代役をつとめる（紙上の本文のように）。それぞれの作品に結果としてもたらされる現象は、詩を物質的、そして生態学的な形にさえ具現化する！

「虫合」の英訳で「アレンジメント」と私たちが呼んでいるものは、日本語では「作り物」（文字通り「作られた物」）という広いカテゴリーに含まれる（本書所収、門脇むつみ「美術史研究から見た『十番虫合絵巻』の造り物」）。さらに、これらのほとんどすべては、「洲浜」のより狭義の定義、「皿か短い脚の机で、海岸線の湾曲や入江を模して作られることが多く、日本の和歌のトポイ（歌枕や名所）の中で想像される理想的な空間や、まぎれなく識別できる「名所」を描いた、皿か短い脚の机」（エドワード・ケーメンズ『和歌と物、物としての和歌』、二〇一八年、八二頁）に合致している。十番全体での「作り物」は全部で二十あり、そのうち十七は、台の上に作られており、上記のように伝統的な洲浜を思わせるが、三個は台に設置されていない。ただし、私を驚かせたのは、「虫合」の「作り物」の中には、風景（実景にせよ想像上の景観にせよ）ではなく、表面上に意図的に並べられ、互いに関係を持った物のミニチュアが多いことだった。

これらの物の多くが、収容するcricketを巧みに「囲う」ことができることに気づくかもしれない。これには本（三番、右の作り物）、絵巻（五番、右の作りもの）、巻すだれ（第十番、左）などが含まれる。しかし、判詞を担当した千蔭（ちかげ）にとって、これらの物は和歌と同様に「テクスト間の関係」が豊かであり、和歌の有名な句に言及していることによって、和歌としてのこれらの物の価値も示している。とりわけ、二つの「作り物」が私にとって特に際立っている。なぜならそれらは物のセットでもなく、風景のミニチュアでもなく、ただの単体のレプリカだからである。ひとつは、平安時代の牛車のレプリカであり（二番、左）、もうひとつは、琵琶のレプリカである（十番、右）。ちなみに、牛車も琵琶も、千蔭の「読み」によれば、『源氏物語』のせつない場面を想起させるものであり、結果として、これらの物の詩的価値を物語るものである。

巻物自体は既に和歌の「物性」（物質性）の証拠である一方で、作り物の絵画と巻物に記録された判詞自体は、詩的な議論が物理的な物体との関係を定義する詩的な議論について豊かな物語を語っている。このイベントの参加者にとって、作り物自体――およびそれらの組み立てとそれらの評価――は、彼らが作成した和歌と同じくらい、陶酔的な詩歌的世界や経験を具現化する力を持っているようである。

数々の虫（Cricket）の〈声〉

ヒルソン・リードパス

日本の和歌の世界は、何世紀にもわたる反復の中で強い関連性を持つ比喩や象徴のことばが豊かであり、一首の和歌においても、そのことばは直接の関心の対象だけでなく、数百年にわたる和歌の歴史とのつながりと意味をもたらす媒体でもある。たとえば、梅の花への言及は和歌を早春の季節に位置づけるし、鳰（にお）は冬の和歌の中で寒い水域を泳ぐ姿が最もよく見られる。『十番虫合絵巻』の二十首の和歌も例外ではない。すべての和歌と洲浜に登場する鈴虫と松虫という二つの（英語でいうところの）cricketは、この伝統の具体的な表現である。絵巻の跋文によれば、歌合の実際の会合は旧暦八月十日過ぎ、グレゴリオ暦では九月二日過ぎに行われた。壁にかかっているカレンダーがどちらであろうとも、私たちは歌合のイベントが秋の初めに催されたことを理解している。したがって、季節の中で最も目立つ生物であるcricketがイベントの中心的要素に選ばれたのは偶然ではない。というのも、cricketのイメージは伝統的に季節の変遷にともなう時の経過の寂寥感を表現してきたからである。

もちろん、日本にはさまざまな種類のcricketが存在し、それぞれ異なる鳴き声と特性を持ち、微妙な解釈や他の和歌とのテクスト間の関連付けが可能である。たとえば、日本の和歌にはよくキリギリスが見られ、現代ではgrasshopperと訳されているが、我々の翻訳でも指摘されているように、これらの虫の現代名と古典的な対応名との間には流動性がある。二十一世紀の英語でそれを何と呼ぶかにかかわらず、キリギリスは秋の詩歌に長い歴史を持っており、たとえば『古今和歌集』(九〇五年)などの勅撰集から、また、芭蕉の門人の俳諧撰集である『猿蓑』(一六九一年)など後の文学作品にも見られるのである。実際、芭蕉の時代にはキリギリスと秋とのつながりは非常に強くなっており、『猿蓑』では歌仙の発句においてキリギリスが主役となっている。その句は次の通りである。「灰汁桶の雫やみけりきりぎりす」(『猿蓑』巻五)。この短い例から、秋と cricket との数多い関連が示されており、閑静な瞬間に聞こえる鳴き声は、この季節の遷移に伴う寂寥感と孤独感を含んでいる。さらに、これは音のない静かな場面である。cricket の鳴き声は他の物の動きや声にかき消されやすく、そのため cricket が登場する和歌はほとんど常にひそやかな孤独と平和の場面となる。

一方で、「虫合」で取り上げられている昆虫はキリギリスではなく、和歌の過去の時代でも人気のあった「本物の」cricket 二種類であり、特に平安時代にはキリギリスよりも松虫と鈴虫がより主要であった。したがって、これらの二匹の cricket を歌合の中心に据えるという決定は、ロバート・ヒューイや盛田帝子の序文で議論された平安時代の復興を示唆しているだけでなく、これらの二匹の cricket はそれぞれ独自の意味と含蓄をもたらしている。たとえば、松虫の「松」は「松」または「待つ」のどちらかの意味を持ち、実際、「十番虫合」の第六番の右歌は、文字通りの松虫と同時に「誰かを待つ」としても表現され、その鳴き声はせつない思いを切実に伝えている。一方、鈴虫を取り上げた歌は、しばしば動詞「振る」(ring)にかけた洒落を活用する。この動詞は「鳴る」と同時に「古る」、「降る」などの意味を持っている。そのため、鈴虫の声は「鳴っている」という一面だけでなく、時間の経過とそれに伴う悲しみを表現することができる。これは第二番の左歌で明らかになり、ここでは掛詞が使われているようで、声の振るだけでなく、それらの鳴き声は同時に「鈴虫の鳴き声が雨のように落ちている」ことが示されている。伝統的に、cricket は季節の初めに最も多く、したがって最も聞こえやすくなる。そのため、この歌は季節のゆっくりとした、着実な進行を反映しているようである。

cricketの和歌における傑出として皮肉なのは、ほとんどの場合その声を聞くことができるのに、その姿かたちをめったに見ることができないということである。cricketの鳴き声や声に関する多くの言及にもかかわらず、実際にはその音は口ではなく、翅をこすり合わせることで発せられている。cricketには声はない——彼らは無声の歌手である。それにもかかわらず、これらの想像上の声が歌の中で彼らの存在と重要性を構成している。我々が読んだ歌合で提示された二十首の歌を見ると、三つを除いてすべてが明示的に「声」や「鳴き声」といったcricketに関する言葉を含んでいる。その三つの中の二つはcricketの「音」を指摘しており、これらの言葉のいずれも含まないひとつ一つの和歌（第八番の右歌）の全体的な前提は、松虫の鳴き声を待ちわびる興奮と期待に基づいている。ここで、その不在でさえも、cricketの響きのある声が日本の歌の世界で常に強い共鳴を持っていたことがわかる。

「死の川」の辺りで
——二十世紀日本における木母寺の面影について

ジョナサン・ズウィッカー

「ここあ東京のどの辺りでしゃあ」
「端の方よ……」
「そうでしょうなあ、だいぶん自動車で遠いかったですけの……」[1]

小津安二郎（おづやすじろう）の名作『東京物語』（一九五三年）の始まりから少しあとの場面、子供たちを訪ねて初めて上京した老夫婦の会話である。小津が野田高梧（のだこうご）と書いた脚本では、息子の家の場所は「町工場などのみえる江東風景」[2]の中にある、とだけ書かれている。しかし、この映画では、もっと正確に位置を特定されている。東京の最初のショットは、隅田川の東岸、東京の北端に位置する千住火力発電所の煙突である。このシーンに続いて、小さな駅でモンペを着たふたりの若い女性を捉えたエスタブリッシング・ショットが入る。鐘ヶ淵と牛田の間にある堀切駅。西は隅田川、東は荒川に挟まれた狭い土地で、木母寺の境内から北へ徒歩十五分ほどのところにある。

「十番虫合」（一七八二年）から一世紀半の間に、この地域は、十八世紀末にはすでに世界有数の大都市であった東京の隠れ家的空間から、第二次世界大戦から復興し、持続的な高度経済成長期を迎えることになる東京のさまざまな郊外のひとつへと完全に変貌を遂げた。小津の映画では、この地域は単なる「郊外」というだけではなく——それもそうなのだが……東京とその周縁部、主に東京の東端と北端で起こった工業化の、より長い歴史を象徴している。一九五〇年代までに、千住火力発電所の「お化け煙突」と呼ばれる煙突は、五所平之助監督の『煙突の見える場所』（一九五三年）や溝口健二監督の『赤線地帯』（一九五六年）のオープニング・ショットなど、映画において象徴的な地位を占めるようになる。

その後数十年間、高度成長はこの地域を変貌させ続けた。一九六五年、東京オリンピックの痕跡をきっかけに、小説家・随筆家の安岡章太郎は、隅田川が北上し、西に湾曲し始めるこの区間を「死の川」と呼んだ。

> 製紙工場、化学工場、鉄工所、ビール工場、煙突がニョキニョキ立ち、ぐゎらんぐゎらんと、物すごい音がひびき、メタンガスに混じって、金属の焦げる臭いや、甘酸っぱい薬の臭い、材木の臭い、油脂の臭い、さまざまの臭いが次々と襲ってくる。[3]

「十番虫合」に体現され、源（三島）景雄がエピローグで描写した世界とは大きな隔たりをここに見てとるのは容易である。それは、男も女も、燦然と輝く月明かり、満開の萩、華やかな虫の鳴き声の中で、残暑から逃れようとする、優雅な社交の世界であった。小津の映画の場面に戻れば、そのコントラストに驚かずにはいられない。周吉（笠智衆）ととみ（東山千栄子）は、息子の家の二階の狭い部屋で団扇を扇いでいる。窓から見えるのは向かいのビルだけで、その光景は近くのレストランと通過する電車の音で区切られている。次のショットは、曇り空を捉えた後、再び煙突を捉える。

『東京物語』では、この都市のはずれが、都市のスプロールと工業開発の風景に彩られているとすれば、皮肉なことに、緑に出会えるのは、まさに都市の中心部なのである。周吉ととみが嫁の紀子（原節子）と観光バスで皇居の前を通り過ぎる時、ガイドが「（皇居の）美しい松の緑をお濠に映した風雅と静寂な姿は、大東京の雑踏の中にありながら、洵に床しい限りでございます」と説明している。かつて都市の周辺に並んでいた緑地が都市の中心に移植され、都市近郊の緑地は、戦後の開発と公害によってますます荒廃していく。

　しかし、この逆転を、唯一あるいは第一義的に、戦後の産物として理解することは、木母寺周辺や、東京の東端と北端を半円状に取り囲む、より広い範囲での工業化の歴史を誤解することになる。サイレント映画の『東京の宿』（一九三五年）、初のトーキー『一人息子』（一九三六年）から戦後間もない『風の中の牝雞』（一九四八年）に至るまで、小津自身が繰り返し描く風景である。そして、木母寺周辺の開発は、一八八九年に境内のすぐ北側に鐘ヶ淵紡績会社による大規模な織物工場が建設された十九世紀後半から始まる。その後の十年間には、木母寺の真向かいの隅田川西岸に隅田川貨物停車場が建設され、木母寺のすぐ南に西村勝三が桜組製靴所を開所した。

　この開発の皮肉のひとつは、東京で、日本の古典文学の過去とこれほど明確で直接的なつながりを持つ数少ない場所が、木母寺周辺だということである。ここは『伊勢物語』に描かれている、在原業平が隅田川を渡り、渡し舟から都鳥を眺めながら、仲間とともに都の恋人を思って泣いた場所であり、十五世紀の能「隅田川」（観世元正作）の舞台でもある。「十番虫合」の参加者たちにとって、この空間が古典の世界、とりわけ平安宮廷につながるものであったことは間違いなく、歌作をめぐる社会的慣習に体現されたこの過去と再び関わりを持ち、おそらくは蘇らせるという彼らのプロジェクトにとって、木母寺という場所がとりわけ共鳴的であったことは間違いない。一世紀半後、もしもこの場所に過去の跡が残っているなら、それはおそらく一九五八年、小説家・松本清張が「現在の乾いた現実」▼4と呼んだものとは対照をなすものだろう。つまり、二十世紀後半の初期の殺伐とした現実と、日本の文学的過去の地理と密接に結びついた無数の名所や詩的風景との間に存在する、避けがたい距離である。松本が興味を抱いたのは、現在と過去の乖離、そして両者を隔てる距離であると同時に、たとえ弁当を片手に仕事場へと急ぐ通行人がその風景に気づかなかったとしても、二十世紀日本の風景には（点と線のグリッドに組み込まれた）ほとんど不可避的に潜んでいる、しばしば意識されない共振であった。

一七八二年のある一夜、木母寺に集まった歌人たちは、もちろん、この風景の意味を知っていたし、日本各地のもっと遠い風景の意味もその中のいくらかは歌を通してのみだが、知っていた。彼らは、ある伝統を体現する一連の実践に、意識的に、故意に参加していたのである。実際、彼らが演じた実践こそが、新しい時代、新しい場所においても、その伝統を発展させる可能性を秘めていたのだ。しかし、二十世紀の作家や映画製作者たちに劣らず、彼らもまた、そのような実践を生み出し、支えてきた世界との距離を痛感していた。想像するに、隅田川のほとりに避難している時に彼らが心に思い描いた古典的な世界とはかけ離れた、ある種の「乾いた現実」としての自分たちの世界を理解していたのだろう。

▼注

1　井上和雄編『小津安二郎全集〔下〕』（新書館、二〇〇三年）、一九一頁。
2　注1同書、一八六頁。
3　安岡章太郎『利根川・隅田川』（中央公論新社、二〇二〇年）、一五四頁。
4　松本清張『点と線』（新潮社、一九七一年）、二二頁。

『十番虫合絵巻』の英訳によって失われたもの・そして発見されたものについて

アンドレ・ヘーグ

ホノルル美術館の所蔵品から発見された十八世紀の『十番虫合絵巻』を、単に英訳するだけでなく、その魅力を、太平洋を超え、何世紀も経た新しい読者に伝えることは、無数の喜びと同じくらいの無数の危険が付随する作業である。私のような近代日本文学の研究者でさえ、その巻物は最初は異質な異物のように思えるかもしれない。なぜなら、素人には解読はおろか、読み解くことも翻訳することもできないくずし字の草書体で埋め尽くされているからだ。現代日本人の読者でも、このテキストを読むには、活字化されるだけでなく、現代語訳を必要とすることが多い。我々のプロジェクトの日本拠点メンバーがそれを作成した。

このような最初の物質的なハードルを乗り越えた後、翻訳者の悩みが本格的にはじまる。一七八二年に開催された、雅人と大名による昆虫をテーマにした集まりの、まさにそのネーミングである。最もふさわしい和歌を、決められた番数で交互に披露する「歌合」は、英語で poetry contest とスムーズに表現できるが、「虫合」はそう簡単にはいかない。この一風変わった「物合」を competition of crikets と訳すと、虫たち自身が、戦うカブトムシたちのように、戦いに参加しているように思われるかもしれないが、ここで記録されている友好的な争いは、鈴虫と松虫という二匹の日本の詩的な昆虫の鳴き声に触発された創造と、創造的な引用という行為である。翻訳を完全に避け、単に *Jūban Mushi-*

awase と音訳するのもひとつの方法だが、それではこの巻物の豊かで多様な内容に迫ることはできない。

私たちの翻訳チームの解釈、"*A Match of Crickets in Ten Rounds of Verse and Image*" は、「合わせ」という用語に内在する matching contest を捉えている。この命名はまた、木母寺での時代錯誤的な遊びの参加者たちが私たちに残した、極めて多様な要素から成るハイブリッドな「テキスト」、つまり絵、歌、判詞という「テキスト」を示している。二つの巻物は、洲浜の盆栽アレンジメントや対戦する虫のポーズをとるために作成されたミニチュアの彩色画を提示し、左右のチームの創作物の詩的および芸術的価値に対する判者の評価を伴う十番の歌の対戦を組み合わせている。通行人の目を引くであろう豪華な絵画は、翻訳者の積極的な言語介入を必要としないかもしれないが、これらの画像を完全に理解するには、対になる和歌と判詞を参照することが必要である。一方で、和歌の英訳は長い歴史を持ち、目新しい作業ではない。そして、各番の短い判詞は、表面的には翻訳者にとって非常にわかりやすいタスクであるが、その表現は極めて簡略である。個々の要素として捉えると、巻物は決して翻訳不能ではないが、この詩的な虫たちの記念碑の意味は、より大きな全体像にある。したがって、私たちのチームの使命は、単なる個々のコンポーネントを翻訳するだけでなく、二五〇年以上前の虫合の瞬間の文化的活動と感性を、言語、文化、時間といった複数の境界線を超えて意味あるものとして提示することであった。

この「テキスト」の全体像を捉えることは、翻訳チームにとって最大の挑戦だった。用いられている多くの表現方法は、しばしば明示されている以上の意味を含み、特定の想定読者による積極的な参加を要求する。単に紙上の言葉を機械的に翻訳するのではなく、「虫合」の適切な鑑賞を現代の読者に担保するために、多くの解釈的な説明が必要である。これらの解釈的な説明は、巻物の画師、歌人、そして当時の見物人から遠ざかった現代の読者に対して行われる。制作者たちは（跋文で述べられているように）、自分たちの文化的活動の記録が後の世代によって楽しまれるような「忍ぶの草」に成長する種をまくことを望んでいたかもしれない。彼ら自身の仲間たちは、何世紀も前の日本の貴族の時代の文化的感性に懐かしさを感じながら見つめ返していたが、ハワイやその他の地域の学者や美術館の支援者が、いつの日か彼らの作品に出会うことになるとは想像していなかっただろう。木母寺の集まりの参加者は、教育や趣味が類似した比較的均質なグループであり、彼らの主要な聴衆はお互い同士であった。彼らが生み出したハイブリッドテキストは、したがって、すべての読者が同じ豊かな文化的知識と、古典的な詩歌と物語（物語）文学のキャノンを熟知し、近接した親しみから生まれたコードを共有することを暗示している。これは、各番の和歌と洲浜に、虫たちとともに組み込まれた典拠を認識するために必要だった。

歌人、画師、そして判者たちは、たとえば三番で行われた対戦では、車の絵と「茅の生い茂る」（浅茅生）というモチーフを見るだけで、読者が即座に十一世紀の『源氏物語』の特定の場面を想起できると想定していた。この場面の詳細な関連性を詳しく説明する必要はなかった。実際、『源氏物語』は判者の執筆した判詞でも明示的に言及されることはない。他の判詞と同様に、言葉を割愛することを重視する和歌や和歌に関わる言説の特徴的な方法で、多くが言い残されたままである。しかし、このスタイルは現代の翻訳者にとってジレンマを生み出す。言うまでもなく、今日の日本国外における絵巻の鑑賞者は、共有の文化的知識を必ずしも持っているわけではないからである。原文の微妙なニュアンスを解き明かすためには、より多くの案内が必要だが、どの程度の介入が適切であるかは問題である。

異文化間で「虫たちの試合」へのアクセスを可能にする作業は、狭義の翻訳の意味をはるかに超えて行われる。そして「虫合」の巻物は、このような翻訳の意義や目的について考える機会を提供している。伝統的に翻訳のアプローチについて語る際、しばしばその活動が両極端に平坦化される傾向がある。一方には「同質化」する翻訳というのがあり、これによって原文と文化が読者に近づけられる。他方には「異質化」的なアプローチがあり、これは読者に原文により近づくよう促すもので、その結果、各所で違和感を感じる可能性がある。

私たちの翻訳が想定する読者は、一七八二年に集まったグループとは根源的に異なるものだろう。そして、私たちの翻訳は、それらの読者を当時の秋の夜にタイムトラベルさせることはできないかもしれないが、私たちの仕事は、誰かが異なる時代や感性を象徴する美術品に出会っていることを忘れてしまうくらいに原文を同質化することを目指すものでもなかった。それはどちらにせよほとんど不可能であっただろう。翻訳チームは、原文と虫合を生んだ伝統の一定の特徴を強調することを試みた。

全体的に、この豊かで複雑なテキストを英語に翻訳するためのアプローチについては、ひとつの方法を明確に決定することはなく、各番ごとにさまざまな戦略を採用することを選んだ。最終的に、この翻訳テキストは多様なチームの共同の解釈による産物であり、時には委員会方式による翻訳であり、すべての洲浜の図版、原本の巻物の写本、翻刻、および現代日本語訳を注意深く相互参照する必要があった。私たち五人の翻訳チームは、読者に提供すべき詳細な説明や背景の情報がどの程度必要か、また「虫合」の楽しみを生き生きと伝えるために絶対に必要な情報を、いかに控えめに提供するかについて頻繁に議論した。アーサー・ウェーリーはかつて、東アジアの文学を翻訳する過程で「多くのものが必然的に失われる」と述べ、「その代わりに多くのものを提供する必要がある」と言明したが、私たちもまた、どれくらい多くの言葉遊びや典拠が私たちの指の間をすり抜けていくのか、「虫合」の参加者たちを魅了した虫のさまざまな声を捉えるための言葉の限界を痛感していた。時には、原文にほのめかされるだけの事柄を補完する必要があり、詩的な比喩やモチーフを、もとの文化的伝統に位置づけるための翻訳者の注釈を提供する必要があった。

同時に、私たちのチームの和歌研究の第一人者であるロバート・ヒューイ博士のミニマリスト的な嗜好は私たちを抑制した。「翻訳者が追加するあらゆるわずかな説明は、読者の想像力を奪う一片である」というのが彼の意見である。ホノルル美術館を訪れるカジュアルな読者から、海外の日本文学研究者まで、より多様で国際的な読者のために「虫合」を再構築することで、新しい読者が新しい発見をする可能性を閉ざすことなく、私たちの解釈の注釈と展開は、和歌とイメージの愉しみを強調することを目指している。

『十番虫合絵巻』がハワイの教育にもたらしたもの

南　清恵

――芸術の中心地から遠く離れたこの地で生まれたさまざまな国籍や人種の子供たちが、それぞれの民族で受け継いだ文化遺産や、芸術に対する理想を共有できるように、そしてハワイ人、アメリカ人、中国人、日本人、韓国人、フィリピン人、北欧人、南欧人、その他ここに住むすべての人々が芸術を通じて交流し、この島に古くからある伝統によってより豊かになった新しい文化の礎を感じとってくれますように――

これは一九二七年四月八日、ホノルル美術館（HoMA）の開館セレモニーでの創立者アナ・ライス・クック（一八五三―一九三四）が語ったHoMAの存在意義である。このようにHoMAは創立当初より子供たち、そしてコミュニティーに芸術を通じて貢献することを第一の目的としてきた。これは現在でも変わらぬ美術館としての思いである。

二〇一七年二月、日本から研究者を招き、HoMA所蔵の日本美術に関するセミナーをハワイ大学（UH）の大学院生を対象に行った。その際に一人の学生から自分たちはアメリカ本土で開かれる学会に、本土の学生たちのように車の乗り合いで（ガソリン代を割り勘して）参加して、そこでいろいろな知識を学ぶのが難しい環境にあると言われた。彼らは飛行機に乗らなければ本土へは行けないため、それは時間的にも金銭的にもかなり難しい。この話を聞いた時、私の中で創立者アナ・ライス・クックの言葉が思い出され、それ以降ハワイの教育に芸術を通してもっと貢献できないかと考えることが続いた。

その年の春、UHの学生と彼らの担当教員であったロバート・ヒューイ教授（現・ハワイ大学名誉教授）からHoMAでのボランティアの打診を受け、レインコレクションの目録作成を学生たちと一緒にすることとなった。ボランティアが順調に進んでいた二〇一九年、ヒューイ教授から、レインコレクションの中の『十番虫合絵巻』を授業で使いたいとの提案を受け、絵巻に書かれたくずし字を翻刻し英訳、そしてその内容を学ぶというプロジェクトが、その年の五月から始まった。図録やオンライン上の作品画像と違い、遠い日本で二四〇年も前に作られた「本物」を実際に見ながらの授業は、おそらく学生たちにとっては特別なものだったに違いない。そんな彼らにさらなるボーナスが舞い込んだ。二〇二〇年二月、この絵巻に登場する加藤千蔭（かとうちかげ）（一七三五―一八〇八）や賀茂季鷹（かものすえたか）（一七五四―一八四一）など近世中後期歌人の研究がご専門の京都産業大学・盛田帝子教授のHoMA訪問であった。さっそく盛田教授の特別授業をUHの学生向けに企画した。絵巻を見ながら物合の背景や和歌について、そして当時の江戸における王朝文化復興に関する講義を聞いていると、隅田川のほとりの木母寺で私まで虫の声を聴いている気分になったことを覚えている。きっと学生たちも同じ気持ちであったに違いない。

そしてUHのプロジェクトはさらに発展し、盛田教授、飯倉洋一大阪大学名誉教授、ヒューイ名誉教授ご指導の下、『十番虫合絵巻』の研究成果を日英両語の書籍として出版することが決定した。学生たちはオンラインによる月に一度の研究会で日米の研究者らによる絵巻の調査はもちろん、具体的な調査の進め方や研究に役立つ文献やデータベースについても学び、HoMA所蔵の浮世絵や版本の挿絵により和歌に詠まれているシーンをビジュアル的に確認することができた。

『十番虫合絵巻』というひとつの作品がハワイと日本を、そして学生と研究者をつないでくれたのである。これはまさに創立者アナ・ライスクックが提唱したHoMAの存在意義であり、彼女もきっと学生たちの頑張りをほほえましく見守ってくれているであろう。まずは今回の「江戸の王朝文化復興――ホノルル美術館所蔵リチャード・レイン文庫『十番虫合絵巻』を読む」の完成をもって、この絵巻がハワイの教育にもたらした成果のひとつとしたい。このプロジェクトを通じ今後学生たちがどのように成長するのか、また新たな作品で美術館が教育にどのように貢献できるのかを見るのが今から楽しみである。

III

付録

人物解題

十番虫合絵巻研究会編

○凡例

「十番虫合」に参加した人物を『十番虫合絵巻』に名前が出る順に掲載し、簡単な解説を記した。最初に「十番虫合」における当人の役割をゴシック体で示した。別号などは主要なものだけを掲載した。類似の物合会である「墨田川扇合」に参加した人物には傍線を付した。参照した文献のうち、『国書人名辞典』・『和学者総覧』・『和歌文学大辞典』は一々の注記を避けた。また、鈴木淳『橘千蔭の研究』（ぺりかん社、二〇〇六年）および盛田帝子『近世雅文壇の研究―光格天皇と賀茂季鷹を中心に』（汲古書院、二〇一三年）は、それぞれ書名のみを記した。なお、本解題は、十番虫合絵巻研究会における注釈稿（盛田帝子・松本大・飯倉洋一作成）を基に、有澤知世が若干の補訂を加えてまとめたものである。

源　蔭政（みなもと　かげまさ）

○**「十番虫合」の饗応役（主催者）。跋文に出る。十番右歌作者。**

川村氏。九十郎、与五兵衛。父は川村秀政（ひでまさ）、母は鈴木従正の女。貞享元年（一七五二）生。天明二年（一七八二）二月十二日に父死去のため、同年五月七日に遺跡を継ぐ。その約三か月後の八月十日過ぎに「十番虫合」を主催し、饗応役を務めたのは、川村家当主としてのお披露目の意もあるか。九月十九日には十代将軍徳川家治に旗本として御（お）

目見（将軍に直接お目通りすること）する。天明八年（一七八八）十一月二十九日より御書院番士として勤め、寛政五年（一七九三）七月十二日に番士を辞す。寛政六年四月二十四日、四十三歳で致仕し、秋川と号す。安永八年（一七七九）八月に、景雄・千蔭・季鷹らが中心となって開催された墨田川扇合にも参加している。【参考資料】『寛政重修諸家譜』巻一二七九。【参考文献】盛田帝子「安永天明期における王朝文化の復興」（『日本文学』七十一巻七号、二〇二二年七月）。

加藤　千蔭（かとう　ちかげ）

○**「十番虫合」作り物の判者。跋文に出る。三番左歌作者。**

橘千蔭。享保二十年（一七三五）生。父・枝直の代より江戸町奉行与力を勤める。延享元年（一七四四）には賀茂真淵に入門し、「県門四天王」の一人に数えられる。天明八年（一七八八）年七月、寛政改革の煽りを受けて致仕した後、和歌・国学に専念し、村田春海と共に「江戸派」として活動する。安永八年（一七七九）八月、三島景雄や賀茂季鷹とともに墨田川扇合を催し、天明二年（一七八二）に季鷹が自邸「義慣亭」で開催した兼題歌会にも出席する（『近世雅文壇の研究』）。文化二年三月、妙法院宮が江戸に下向した際には春海とともに宮の前に召された（春海『仙語記』）。本居宣長や小沢蘆庵とも文通するほか、狂歌師手柄岡持とも親密な交流を結び、自身も狂歌を詠んだ。なお、書は千蔭流と称する麗筆で著名であり、法帖類も数多く刊行された。文化五年（一八〇八）年九月二日没。七十四歳。【参考文献】『橘千蔭の研究』、盛田帝子「安永天明期における王朝文化の復興」（『日本文学』七十一巻七号、二〇二二年七月）。

賀茂　季鷹（かもの　すえたか）

○**「十番虫合」和歌の判者。跋文に出る。一番右歌作者。**

宝暦四年（一七五四）生。賀茂季種の長男。のち季種の弟の賀茂季栄の養子となり山本家を継ぐ。明和二年（一七六五）、有栖川宮家諸大夫として仕え、正六位下、美作介。同三年、備前守。同七年、諸大夫を辞す。天明六年（一七八六）年、甲斐権守。文化二年（一八〇五）年、正六位下、安房守。諸大夫となった十二歳の時から有栖川宮職仁親王の添削を受け、堂上歌学を学ぶ。職仁親王の没後は、職仁親王の王子織仁親王から添削を受けていたが、十九歳の時、致仕して三島景雄を頼り江戸に下向し（賀茂季鷹墓碑銘）、荷田御風の門人となり、山岡明阿や富士谷成章、千蔭等の影響をも受けながら古学を学び、その後多くの弟子を育てた。安永八年（一七七九）八月、景雄や千蔭とともに墨田川扇合を催す。天保十二年（一八四一）十月九日没（賀茂氏惣系図、賀茂県主年齢次第）。八十八歳（盛田帝子「賀茂季鷹年譜稿」『近世中後期歌壇史の研究―賀茂季鷹を中心に―』〈博士論文〉）。

三島　景雄（みしま　かげお）

○「十番虫合」跋文撰者。ホノルル美術館本の書写者。三番右歌作者。

源氏。江戸桧物町河岸通三島屋敷に住み、徳川家呉服御用を勤める。有栖川家の門人であり（清水浜臣『泊洦筆話』）、加藤千蔭の後見人であった。寛政年間には、千蔭・村田春海と共に東都における歌の三傑と称され、千蔭・春海・美樹・魚彦と共に仙洞から歌を召される。一方、和文をもよくし、寛政から文化にかけて江戸で盛んに行われた春海・千蔭等の和文の会にも頻繁に出席している。安永八年（一七七九）八月、千蔭や季鷹とともに墨田川扇合を主催。天明二年から三年（一七八二、三）に季鷹が自邸「義慣亭」で開催した歌会に出席（『近世雅文壇の研究』）。平家琵琶、郢曲にも優れ、平家琵琶は亀田検校・岡村玄川に、郢曲は持明院中納言宗時に入門。琵琶持を一人抱えて、父作の琵琶を秘蔵した（本間游清「耳敏川」）。文化九年（一八一二）没。没月日、享年は、丸山季夫の四月二十六日、享年八十六歳説（『国学史上の人々』）と北野克の五月二日、享年八十七、もしくは八十八歳説（『語文』三十三号、一九七〇年五月）がある。【参考資料】『国学者伝記集成』、『国学者伝記集成　続編』、丸山季夫『国学史上の人々』（吉川弘文館、一九七九年)。

土井　利徳（どい　としのり）

○「十番虫合」の主賓格。一番左歌作者。

延享五年（寛延元、一七四八）生。山城守。三河国刈谷藩主。松平（伊達）陸奥守宗村（むねむら）の三男。明和三年（一七六六）八月晦日に土井利信の養子となり、四年八月に襲封、天明七年（一七八七）十二月十六日に致仕。はやく近衛内前（このえうちさき）に歌を学び、飛鳥井家の添削をも受けていた可能性がある（『橘千蔭の研究』）。致仕後は、景雄との唱和の作も含む家集『嘯月集（しょうげつしゅう）』（西尾市立図書館岩瀬文庫蔵）を遺す。利徳が十番虫合の巻頭に置かれた理由として、歌人としての実力に加え、実父が伊達陸奥守という、文化の誉れ高い家柄が尊重された可能性が指摘される（『橘千蔭の研究』）。【参考資料】『寛政重修諸家譜』巻二九八。

吉田　桃樹（よしだ　ももき）

○二番左歌作者。

吉田忠蔵。幕府北町奉行与力。儒者。本姓塚原、桃樹は名。元文二年（一七三七）生、享和二年（一八〇二）十一月九日没。六十六歳。江戸出身。和漢の学識に通じる。同僚にあたる千蔭の天明七年（一七八七）の日記（『加藤千蔭日記』東京大学史料編纂所蔵）によると、同年六月に「勤柄不相応之儀」を理由に免職を命じられた。以後根岸に隠居して雨岡と名を改め、諸国を歴遊して『槃游余録（はんゆうよろく）』を著した。天明二年から三年（一七八二、三）に季鷹が自邸「義慣亭」で開催した歌会に出席（『近世雅文壇の研究』）。【参考文献】『橘千蔭の研究』、『森銑三著作集　続編』別巻「偉人歴」（中央公論社、一九九五年）。

元貞（もとさだ）

○二番右歌作者。

詳細不明。季鷹門人であり、『近世雅文壇の研究』によると、京都市歴史資料館山本家寄託本『後度扇合』（天明元年〈一七八一〉六月十五日、三島景雄主催）や、同『源氏物語竟宴和歌』にも名が見える。

宇野　忠順（うの　ただなお）

○四番左歌作者。

宇野幸蔵。大阪公立大学図書館森文庫蔵『廿三番扇合』注記に「宇野忠順一橋御近習番宇野幸蔵様」とある。天明三年（一七八三）に季鷹が自邸「義慣亭」で開催した当座歌会に出席（『近世雅文壇の研究』）。

長田　元著（おさだ　もとあきら）

○四番右歌作者。

長田三右衛門。旗本、御茶水書院番。安永四年（一七七五）十二月十二日に家督を継ぎ、安永八年四月十六日、西城から本城に転じ、天明元年閏五月二十六日に西城に復帰した。大阪公立大学図書館森文庫蔵『廿三番扇合』注記に「長田元著御茶水御書院番長田三右ヱ門様」とある。宇野忠順と共に、「墨田川扇合」「後度扇合」にも参加。『近世雅文壇の研究』では、二人について「高い教養を持った荷田派古学の人々」と指摘する。【参考資料】『寛政重修諸家譜』巻一三四五。

大山　総幸（おおやま　ふさゆき）

○五番左歌作者。

大山三十郎。北町奉行同心。森文庫『廿三番扇合』注記に「曲渕組大山三十郎」とあり、都立中央図書館蔵丸山季夫旧蔵『ふみ合』の記載により、氏名を「おおやまふさゆき」と読むことが知られる。天明二年から三年（一七八二、三）に季鷹が自邸「義慣亭」で開催した歌会に出席（『近世雅文壇の研究』）。【参考文献】『橘千蔭の研究』、『近世雅文壇の研究』。

芳充（よしみつ）

○五番右歌作者。

詳細不明。

房子（ふさこ）

○六番左歌作者。

『近世雅文壇の研究』によると、安永六年（一七七七）作成の『荷田御風五十筭詩歌』に詩歌を寄せ、『後度扇合』に参加した人物であり、賀茂季鷹の天明元年月次(つきなみ)歌会（七月二十一日〜十一月二十日）に五度出詠している。

◎**八十子（やそこ）**

○六番右歌作者。

賀茂季鷹の天明四年(一七八四)月次歌会(正月)に九度出詠した人物(『近世雅文壇の研究』)。季鷹の私家集『雲錦翁家集(うんきんおうかしゅう)』に、「むすめ八十子」の七回忌に手向けた歌として「ながらへて君いまさばと明くれに思ふ心の外なかりけり」が掲載されており、早世した季鷹娘と同一人物である可能性がある。また、天明二年九月十二日、季鷹の香取社・鹿島社に向けての出立に際し、躬弦(みつる)や豊秋(とよあき)と見送りをして歌のはなむけをした「八十子君」と同一人物か（京都市歴史資料館山本家寄託本季鷹旧蔵『鹿島紀行』）。【参考文献】盛田帝子主編『国立台湾大学図書館典蔵　賀茂季鷹『雲錦翁家集』』（国立台湾大学図書館、二〇一四年）。

田中　芳章（たなか　よしあき）

〇七番左歌作者。

江戸時代中～後期の装剣金工。後藤全乗に学び、門人に薗部芳継(そのべよしつぐ)がいる。寛政元年（一七八九）、六年の年紀をきった作品がある。江戸湯島天神下に住んだ。初名は政章。通称は悦之助、五左衛門。【参考文献】桑原羊次郎『日本装剣金工史』（萩原星文館、一九四一年）。

奈良　正長（なら　まさなが）

〇七番右歌作者。

参加者に武士が多いため、下野黒羽藩家老の鈴木正長の可能性があるが、七番左が職人であることから、奈良正長かとも考えられる。奈良正長は、江戸時代中期の装剣金工。奈良利永の門人奈良利長の弟子。【参考文献】桑原羊次郎『日本装剣金工史』（萩原星文館、一九四一年）。

真恒

〇八番左歌作者。

「墨田川扇合」「後度扇合」にも参加（『近世雅文壇の研究』）。『橘千蔭の研究』は、千賀氏であること、天明七年の『加藤千蔭日記』にしばしば登場する楫取魚彦門人の医者（通称は建順）である可能性を指摘する。

武田　有之

○八番右歌作者。

源氏。武田春庵。中橋桐河岸医師（『後度扇合』）。『近世雅文壇の研究』によると、「墨田川扇合」、「後度扇合」、『平家物語竟宴和歌』（天明元年閏五月開催）や、季鷹の自邸「義慣亭」で行われた一連の歌会に参加した（『兼題當座留』〈天明元年七月から〉、『月次和歌留』〈天明二年正月から〉、月次歌会〈天明三年正月から〉、『天明三年月次和哥留』〈天明四年正月から〉、『春秋のあらそひ』〈天明四年十一月開催〉、『天明七年月次留』〈天明七年正月から〉）。【参考文献】『橘千蔭の研究』。

知宣

○九番左歌作者。

田代九助、宗節か。幕府奥医師（『橘千蔭の研究』）。ただし天明二年の武鑑（『天明武鑑』『大成武鑑』）にはその名見えず。『近世雅文壇の研究』によると「後度扇合」や、天明ごろ行われた季鷹主催の「源氏物語竟宴歌」に参加した一人である。

安田　躬弦（やすだ　みつる）

○九番右歌作者。

江戸派歌人。季鷹門人。越前福井松平家藩医。大伝馬町に住む。文化十三年（一八一六）一月五日没、五十四歳。寛政八年（一七九六）で父一庵の家督を継ぐ。田安宗武の女定（十三代福井藩主松平治好（はるよし）の室）、その女広姫のお付きだった。

天明七年の『加藤千蔭日記』によると、景雄・季鷹・躬弦らと歌会や白氏文集の会読を行っていた。天明二年（一七八二）九月十二日、季鷹の香取社・鹿島社に向けての出立に際し、豊秋と共に見送りをして歌のはなむけをしている（京都市歴史資料館山本家寄託本季鷹旧蔵『鹿島紀行』）。『橘千蔭の研究』は、季鷹に和歌を学び、日頃から千蔭らと交わりが深かったことをふまえ、医者の身分を超えた存在として見るべきと指摘する。【参考文献】鈴木淳『江戸和学論考』（ひつじ書房、一九九七年）。

大江　豊秋（おおえ　とよあき）

○十番左歌作者。

季鷹と極めて近しい関係にあった人物で、門人の可能性が高い。天明二年から三年（一七八二、三）に季鷹が自邸「義慣亭」で開催した歌会に出席（『近世雅文壇の研究』）。また、天明三年秋から賀茂季鷹が自邸で行った源氏物語講義終了の宴として、天明四年（一七八四）十一月十九日に葛飾の吉田桃樹邸で行った「春秋のあらそひ」に参加し、和歌を詠んでいる（京都市歴史資料館山本家寄託本季鷹旧蔵『春秋のあらそひ』）。

『十番虫合絵巻』翻刻と校異

（翻刻　松本　大・校異　盛田帝子）

左　鈴虫　右　松虫　虫判　千蔭　歌判　季鷹

一番

左　利徳

雨ならてふりつゝ虫（むし―丸・梅）の鳴（啼く―急、なく―公・国・神・長・丸・森、鳴く―梅）なへにきてもみる（見る―急・長・梅）へく

右　季鷹

萩か花（はな―梅）笠

玉琴のしらへにいつの秋よりか松むし（松虫―急・森、まつむし―丸・梅）の音（ね―急・公・国・神・森・梅）も

かよひ初（そめ―急・丸・森・梅）けむ（ん―急・公・国・神・長・森・梅）

左はみさふらひみ笠とまうせといへる
（む―長・梅）（かさ―丸・森・梅）（ふ―梅）

心はへして朽葉色のかり衣の袖を台に
（に―森）（狩―急・森・梅）（そて―公・国・神）

てえほしを虫籠にしてしろかねの笠を
（烏帽子―急・公・国・神）（むし籠―公・国・神）（白金―急）

萩かもとにおけりむしは宮城野よりえら
（虫―公・国・神・丸・梅）（の―森）

みてまいらせたる也右は亭子院の
（ひ―急）（まゐ―急・長、参―梅）（たりし―急、たるなり―公・国・神・梅）（ナシ―梅）

みかと西河にみゆきましくける御時奉
（ナシ―急）（川―公・国・神）（御行―急、行幸―長・丸）

れる哥の序忠峯かゝきたるにある
（書―急・公・国・神・梅）（有―急、或―梅）

時には山端に月まつむしうかゝひて琴
（ときは―公・国・神、時は―丸）（山のは―急、山の端―長・梅）（まつ虫―急・丸、松虫―梅）（たかひて―公・国、たくひて―神）

の声にあやまたせといへるによりてすは
（ね―丸、音―梅）

（い―梅）（へ―長）
まにちひさき琴をするゐてかたはらに
（松かね―急）（いと―公・国・神）
松かさねの色あひに糸もてまける籠に
（虫―公・国・神・長・丸・梅）（よか本ノママ―森）
むしをこめたりかたくいとこよなきみや
（也―長・丸）（宮木のゝの―急、宮城野のの―梅、宮木のゝ―公・国・神・森、宮城野の―長、宮木野の―丸）（虫―丸・梅）
ひなりされと名におへる宮木の野のむしに
（心―長・丸・梅）（かち―梅）
こゝろひかるれは左勝とし侍りぬ
（うた―急）（虫―丸）（有―急・丸）
左の御歌ふりつゝむしのとありて萩か
（かさ―梅）（ことは―急・公・国・神・梅、言葉―森）（めてたく―丸）
花笠なと心こと葉たくみにめつらしく
（承り―急、うけたまはり―公・国・神・長）（哥―公・国・神・長・森・梅）（こと―長・丸）
承侍り右のうたはさせる事なきうへ
（ゑ―急）
えせ判者の哥に侍り任例不加判

二番

左　　　　　　桃樹

夕露のふりぬる宿(やど—森)の浅ちふに昔(むかし—丸・森・梅)なからの

右　　　　　　元貞

鈴むしの声(す丶虫—急・長、鈴虫—森)(こゑ—急・森)

山端(山の端—長・梅)にまたいて(出—急・長・梅)やらぬ月影をなれもわひ(侘—急)てや

松虫のなく(まつ虫—公・国・神、松むし—長・梅)(啼—丸)

左は桐壺の更衣の母のもとへ命婦車に(は丶—急)
のり(乗—急・梅)て御使にまかりたるさまにて車を
つくり(作—急)てす丶むし(鈴むし—長・梅、す丶虫—丸、鈴虫—森)を入たり声のかきり
をつく(尽—急・丸)したるいとお(を—急・梅)かし右は秋の

（ゝ—急）　（松むし—公・国・神・梅、まつ虫—長、松虫—森）
野に道はまとひぬまつむしのといへる

（こゝろ—急・梅）
歌の心はへにてませゆひたるふせいほ

（つく—森）　（水精—丸、すいとう—梅、すゐそう—森）
をとくさして作れるにすいさうのことく

（はり—長）　（むし—急・森）
すける紙もて張たる中に虫をはなてる

（を—急・長）　（る—森・梅）
かいとおかし左よりもまされりと

（おほえ—公・神・長、覚え—丸、おほへ—国・森）
　　　おほしたり

（桐壺—長、きり壺—丸）　（さと—急）　（見る—急・長・丸・森、みる—公・国・神）
左きりつほの更衣の里のけしき今も見

（哀—丸）　（あさ—長・丸）（うけたまは—長）　（また—丸）
ことくあはれ浅からす承り侍り右も又なれも

（あ—長）　（をかしからぬには—急・長、おかしう—丸）
わひてやなといへるわたりおかしからぬには

（侍る物から―丸）（こと―長・森・梅）（虫―森・梅）

侍らねと月の事のみつよくてむしの

音いさゝか幽にや侍らん左のかちなる

へし

（ね―長）（かすか―長）（む―公・国・神・長）（左の勝―長、左勝―梅）

三番

左　　千蔭

菊の花挿頭にせむと立よれはをしむにゝ

たる

（華―梅）（ん―公・国・神・長・梅）（たち―長）（似―公・国・神・長・森・梅）

すゝ虫の声

（すゝむし―急・丸・梅、鈴虫―公・国・神・森、鈴むし―長）（こゑ―長・丸・森）

右　　景雄

松虫の鳴なる声にひかれては秋も子日の

こゝちこそ

すれ

（松むし―長、まつむし―梅）（啼―公・国、なく―長）（子の日―国・神・長・丸・森・梅、ねの日―丸）（心地―森・梅、心ち―長）

左かさしの台のさまに木地のつくゐの
（上—急・梅）（い—公・国・神）（洲濱—長、洲はま—丸）
うへにちひさきすはまに虫籠のせて
（挿頭—長）（薄—急・公・国・神）（して歌—丸）
菊のかさしをたてうすもの〻おほひに哥を
（ナシ—急）（ナシ—急）
ぬへりこは兼盛朝臣か大入道殿の御賀
（に—丸）（縫—急）
のかさしのおほひに歌をぬへるによれり
（すみの江—森）
右は古今集の序に高砂住のえの松も
（ふ—梅）（おほし—公・国・神、おほへ—梅）（松むし—公・国・神、まつ虫—長・丸）（音—長・梅）
相老のやうにおほえ松虫のねに友をし
（ひ—丸）（にして—丸）（ふる—長）（え—梅）
のふといへる心はへにて古きかたのつくゐに
紅綣のふせくみして冊子のかたちに虫籠
（作—急・長）
つくりてかたはらに五葉の枝をそへて序

（こと葉―長、言葉―丸）
のことはをあしてにぬへり右はいとよしはみて
（松虫―公・国・神・丸・森、まつむし―長）（こと―急・森・梅、ナシ―公・国・神）（は―長・森）（明けし―急、あきらけし―長）
松むしてふ事ことわらすして明らけしおのれ
（度―急）（む―急・長・丸）
こたひこそかためとおもひほこれりしを今なん
（思へは―公・国・神）（鈴虫―長・森）（り）（せ）―急）（有―丸）（こと―長）（はへ―丸）
おもへは鈴むしによせある事も侍らねは
（ろカ―梅）
ろなうまけぬへし
（松むし―長）（なく音―公・国・神・森、啼ね―急、啼音―丸）（子の日―長・森・梅）
右は松虫のなくねにひかれて秋も子日のと
（ナシ―梅）（む―急・丸）
いひ左は菊の花かさしにせんと立よれ
（はなと―丸）（鈴むし―急、すゝむし―梅）（お―梅）（啼―急・丸）（ナシ―長）
は鈴虫のをしみかほになくさまとりくに
（姿―公・国・神）（清ら―急）（まこと―長）
すかたきよらにとゝこほる所なく誠にいひ

（様—丸）（成—急・梅）（い—梅）（菊—長・丸・梅）
しりたるさまなるへししひていはゝきくの
（折—急）（すゝむし—急、すゝ虫—長、鈴虫—公・国・神・丸）（なく—長）（む—急・長・丸）（こと—長・梅）（覚束—森）
をりまて鈴むしの鳴らん事いさゝかおほつか
（おもひ—長）（季たから—丸、季鷹—森）（かやう—長）
なくやとも思ひ給へらるれと季鷹らかうやうの
（折—急・丸、おり—梅）（かす—急・森）（加はり—森、くわはり—梅）（事—丸・梅）
をりの判者の数にくはゝり侍ることは道にとりて
（ん—長・丸）（に—森）
何のさちかしくへからむさるを叱つかひなとの
（は—森）（こと—長・森）（方人達—急、よろつの人たち—長）
よしあしをことわりて事のはしめに方人たちの
（恨—急・丸）（おはん—公・国・神・長・丸、おわむ—梅）
うらみ　おはむもよしなけれは衆議にまかせ
（是をや—長、これらや—丸）（古く—丸）（持（　な）とは—急、持なとそ—長）
たるにこれらをや　ふるくもよき持なとは
（まうし—丸）（ナシ—急・公・国・神・丸・梅）（さた—長・丸・森）
申ためれなとゝおの〱沙汰し
あへるに

こそ

四番

左　　　　　　　　　　　　　　　　忠順

（たかのを—森）（しは—急）（鈴むし—丸、すゝむし—梅）（出て啼—急、出て鳴—公・国・神、出てなく—長）

鷹の尾のなら柴かくれ鈴虫のふりいてゝなく

（夕暮—長・森、ゆふくれ—丸）（こゑ—森）

夕くれの声

右　　　　　　　　　　　　　　　　元著

（虫—公・国・神・森）（音—丸・森）（あはれ—長・森）（ふか—梅）（勝鹿—長）（角田河ら—急、すみた川原—森）

むしのねは哀も深しかつしかのすみた河原の

（ゆふ暮—急、夕くれ—森・梅）

秋の夕暮

（虫—長・丸）

左こかねのあみを鈴のかたにしてむしを
すませ鈴板のかたちに作れる台にのせ

（錦—長・森）（うた—森）（いれ—公・国・神）

にしきのうちかひ袋に哥を入たり鷹の

具もてとりよろへられたるなんますらを（よよそへられ―急、よそへられ―公・国・神・森、よろへれ―梅）（む―急・長）（ナシ―梅）

めきてしかもみやひたり右鳴かはす秋の（しも―急）（啼―急、なき―長）（わ―梅）

ね覚はむしの音も枕の露もなみた也けり（虫―公・国・神）（ね―急・長・森）（涙―急・丸、泪―梅）（なり―公・国・神、成―森）

といふ新千載集の歌の心はへしてむしこは（云―森）（こゝろ―急・長）（虫こ―公・国・神、虫籠―長）

まくらのかたせりその枕は東大寺にあなる（枕―急）（其―長・丸・森）

御倚かゝり枕の錦のあやをぬはせたり（まくら―丸）

それに秋の草をそへたるはいと花やかにて（くさ―長）（はな―長）

左にをさ〳〵まさりぬへくおほえ侍り（ナシ―長）（ナシ―森）（はべり―丸）

左の歌鷹の尾のなら柴かくれなとおかしく（うた―丸）（は―急、しは―丸）（ナシ―丸）（を―急・長）

つゝけられたり右もすみた川原の秋の夕暮
（る―森・梅）（角た河ら―急、すみた河原―長・梅、角た川原―丸）（ゆふ暮―急・梅、夕くれ―公・国・神）

艶ならぬには侍らねとむしの音の哀とのみ
（虫―公・国・神・森）（ね―急・長）（あはれ―長、あわれ―梅）

いひては虫の声いさゝか幽にや侍るへからむ
（かすか―長）（ん―公・国・神・長・森）

なら柴かくれのすゝむしふりすてかたくや
（しは―公・国・神）（かたしや―梅）（※この行の文章ナシ―丸）

五番

左　　　　　　　　　総幸

千種さくなるみの野への鈴虫はなかふる里か錦
（咲―急・長・森）（の―急）（さと―丸）（の―森・梅）（にしき―急・森）

きてなく
（着―森）（鳴―急、啼―公・国・神）

右　　　　　　　　　芳充

すみ捨し浅ちか原の夕露に思ひみたれて
（住―急・公・国・神・長）（すてし―長）（まふ―丸）（おもひ―梅）（乱て―丸）

まつむしや鳴（松むし―公・国・神、松虫―長・森）（なく―森、啼―梅）

左は橘（の―急・森・梅）為仲みちのくにの任（国―急・森・梅）はてゝのほる

とて尾張（の―長・森）国なるみ野（の―急）にて故郷（ふる郷―長）にかはら

さりけりすゝむし（鈴虫―公・国・神・丸、鈴むし―長）の鳴みの（なるみ―急・公・国・神・長、鳴海―森）野へ（のへ―急、野辺―丸・森）の夕暮（くれ―公・国・神・長）

の声とある（有―急・丸）哥の心（こころ―長）はへにして掘（堀―急）たる萩を

そへ（添―急）て哥はぬさふくろ（袋―公・国・神・森、嚢―長）に入たり右は

あさち（浅ち―公・国・神・長、浅茅―森・梅）か露の尚侍（尚侍の―急、内侍―長）のあり（有―急）さまを（ゑ―森）絵に書（かき―長）たり

けるにゆふへ（夕へ―長・森）なかめたる所に夕くれ（暮―急・公・国・神・丸）はよ（ナシ―森）もきか

もとのしら（白―公・国・神・丸）露にたれ（誰―長）とふへしと松虫（まつむし―急・丸、鈴むし―長）の

（こゑ―森）（云―丸）（もの―急）
声といふ哥書たりける心はへにて巻物に
（女―長、をみな―丸）（ゑ―長、絵―国）（虫―公・国・神・丸・森）
をんなのなかめたるさま絵かきて軸をむし
（何れ―森）（おし―公・国・神、をかし―長）
の籠にせり左右ともにいつれもおかしけれは
（そ定―長、こ（とカ）そさた―梅）
持にそさためける
（ことは―長）（古―長・丸）（錦―公・国・神）（いへるに―丸）
左は詞をいたはらすして故郷のにしきといへる
（古こと―長、ふる事―梅）（く―森）（思ひ―長・丸・梅）（ナシ―急）
ふることをめつらしう　おもひよせられ右も
（姿―長）
すかたならかに幽玄なるさまなれは判者も
（乱―森）（浅ち―急・長・森）（原―公・国・神・長・梅）
とり〳〵におもひみたれ侍れと浅茅かはら
（夕露―急・長・梅、ゆふ露―公・国・神・丸）（少し―長・丸）
の夕つゆ今すこし
ふかくや

六番

左

侍らむ（はへ―公・国・神）（ん―丸・森）

房子

みたれあしの乱るゝ声も鈴虫のふり捨かたき（乱―長）（芦―丸）（みた―長・森）（鈴むし―長、すゝむし―梅）（すて―梅）

秋の夜は哉（よは哉―急・長、夜はかな―丸、夜半かな―森・梅）

右

八十子（ナシ―梅）

をみなへしおほかる野へにふりはへて人まつ虫の（女郎花―長・丸）（多―急）（のへ―森）（振―丸）（ひと―丸）（むし―丸・梅）

声しきり也（こゑ―丸、こえ―森）（るなり―公・森・梅、る也―神・長・丸）

左元真集むかしかたらひし人の年頃（昔―急・公・国・神）（とし頃―急・長、年比―森・梅、年ころ―丸）

ありて津の国玉坂といふ所に在けるを（在―急、有―梅）（有―急・長）

（聞て—長）（暮—急・丸）（すゝむし—急、鈴むし—長・丸）（※この行の文章ナシ—梅）

きゝてまかりあひて夕くれに鈴虫の

（啼—急、鳴—長・丸）（※「なきけるを」ナシ—梅）（こゝろ—丸）

なきけるをきゝてよめる歌の心はへにて

（白—公・国・神・丸）（に—梅）（作り—急・丸）

しろかねもてゐせきをつくりてそか中に

（虫—公・国・神・長・梅）（柱を—長）

むしをすませて香木もて橋はしら

（作—急・丸）（右は—丸）

つくれり右元輔集村上の御時女房

（哥合をさせ—森、哥合させ—梅）（かち—梅）

の哥合せさせ給ひて女房勝にけれは

（七—森）（まけわさゝして—森）

八月廿日まけわさして糸をむすへる

（松むし—急・長）（すゝ虫—公・国・神、鈴虫—長・森、鈴むし—丸）

籠に松虫すゝむし入てをみなへしに

（つけ—森）（おか—丸）

付たりといふをまねひたるかいとみや

（しうて—丸）（何—森）（ん—公・国・神・長・丸）
ひて左右いつれといはむかたなしされと
（玉坂—丸）（虫—長）（その音—急、そのね—公・国・神）（増—丸）
たまさかのすゝむしこそ其音まされる
（こそ—梅）（かち—長）
かたに侍らめと人々もいへれは左を勝
とせり

（捨—急・公・国・神・長・丸）（振—丸）
左はふりすてかたきといひ右はふりは
（ナシ—長）（すて—長・丸・森）
へてといへるとり〳〵にけにふり捨かたう
（女郎花—長・丸）（へ—公・国・神・長・梅・森）（心—公・国・神・長・丸・森・梅）
をみなへしのおほかる野辺は判者のこゝろ
（芦—公・国・神）（乱—丸）
もみたれあしのみたるゝにおとりまさりを
（はへ—丸）
つけ侍らはあたなる名をやおふへけれは
（もふす—公・国・神、まうす—丸）
よき持とこそ申へけれ

七番

左　　　　　　　　芳章

おもひ草思ひあれはや夕露に声ふり立て

（思ひ―長・丸・森）（思―急、おもひ―長・丸）（ゆふ―丸）（こゑ―丸）（たてゝ―森・梅）

すゝむしのなく

（鈴虫―公・国・神、すゝ虫―国）（啼―急・丸、鳴―森）

右　　　　　　　　正長

更る夜の月もうつろふ秋草の下露深み

（移―急）（くさ―丸）（した露―急、下つゆ―森）（ふかみ―公・国・神・丸・梅）

まつむしのなく

（松虫―急・森、松むし―長・丸）（啼―急・公・国・神、鳴―長）

左四方にみすをたれたる屋に虫をす

（や―急）

（ナシ―急・梅）（りむたう―急、りんとう―国・神・長・森・梅）（我―丸・森）

ませてりんたうのわれはかほにはひ出

たるさまおかし右もみち葉の散て

（を―急・梅）（右もみちは―急・公・国・神・森、右は紅葉―長）（ちり―長・森）

（積—急・長）（我宿—急・丸・梅、我やと—長）（誰—丸）（松虫—公・国・神、松むし—丸）
つもれるわかやとにたれをまつむしこゝら
（鳴らむ—急、なくらむ—丸、なくらん—長）（うた—長）（洲濱—長、すはて—丸）
鳴らんといへる哥の心はへにてすはまに
（紅葉—公・国・神・丸）（散—急・梅、ちり—公・国・神・長・丸・森）（様—急）（つくり—森）（木たち—丸。こたち—森）
もみちゝりたるさま作りて楓の木立を
（籠ふ—国、籠—丸、森—こと）（何—森）（増—丸）
やかて虫籠にせり左右いつれまさり
（おとれりとも—急・公・国・神・長・丸・森、おとりとも—梅）（さ—国）
おとれり共いふへからねは持とせり
（ナシ—梅）（夕へ—急、夕暮—丸、夕—森）（心もなき—森）（むし—急・丸）（音—長・丸・梅）
左は秋のゆふへのならひ心なき虫のね
すら
（ナシ—公・国・神、おもひくさ—長、思ひ草の—丸）（思ひ—公・国・神・長・梅・森）（有かほ—急、有顔—丸）
おもひ草のおもひありかほに聞なし
（こゝろ—長・森）（ことは—急・森・梅、言葉—丸）（をかしく—急・長・梅、おかし—公・神、おもし—国）（深夜—長、ふる（更カ）夜—梅）
たる心こと葉おかしく右も深き夜の月
もうつろふなといへるわたり何となく

（いはは―国）（松虫―梅）
艶に聞ゆれとしひていはゝ松むしの
（みえ―森）（渡―急）
よせ見え わたらねは左をかたせ
侍るにこそ

八番

左　真恒

（鈴―急・長・丸・森）（おと―急・丸）（狩は―急・長、狩場―丸）（をの―森）
はし鷹のをすゝの音にたくふめりかりはの小野に
（鳴虫―公・国・神・森、なく虫―長・梅、啼むし―丸）（こゑ―森）
なく虫の声

（ナシ―公）
右　有之

（ん―公・国・神）（松―長）（虫―急・国・神・長・丸）（の―森）
たのしさは千とせの秋もこゝにへむまつてふむしに
（待へて―公・国、まちえて―長）
けふを待えて

（机―丸）（ナシ―丸）
左しもとつくゑに鷹の大緒とはし鷹の
（鈴―急・丸・森）（添―急・丸）（置―丸）
すゝをそへてかたはらに虫籠おきたり
（うへ―梅）（かさね―公・国・神・長、重ね―森）
右文台の上に松重のきぬしきて拾遺集
（虫―公・国・神）（物ゝ―急、物の―長、物―丸）
の松むしをものゝ名によめる瀧つせの中に
（浪―急・長・丸）（なかるゝ―長・丸）（を―森）
たまつむしら波は流るゝ水を緒にそぬき
（手―急）
けるといふ哥を金泥もてあしてに書て虫籠
（結―丸）
は五色の糸をむすひたれたりいとみやひに
（を―急・長）（ん―梅）
おかしけれは右をまされりとせり
（緒鈴―長、尾鈴―森）（おと―急・森）
左はし鷹のをすゝの音にたくふめりといひ

（鈴虫―公・国・神、すゝむし―長）（りこゝろことは―急、る人詞―森、る人伺〔心詞カ〕―梅）
て鈴むしときかせたる心詞たくみに
（うたは松―森、哥まつ―梅）（虫―公・丸）（待―急・丸）
聞ゆ右のうた松てふむしにけふをまちえて
（事と覚て―丸、ことおほへて―森、事とおほえて―梅）（を―急・長）
といへるわたりけにさることゝおほえていとお
（き―丸）（出―急・丸）
かしく侍れとたのしさはとふといたしたるや
（聊―丸）（心ち―丸）（言は―急）（む―公・国・神・長・森）
いさゝかおちつかぬ心したる詞ならん左まさ
（付―梅）
りぬへく人々もいへれは勝の字をつけ
（はへりき―公・国・神、侍りぬ―丸）
侍りき

九番

左　　知宣

（都―急・丸）（旅路―公・国・神・長・丸・森・梅）（すてゝ―丸）（たれかはすきん―丸、誰かは過む―森）
宮こにといそくたひちもふり捨て誰かは過ん

（鈴虫―公・国・神、鈴むし―丸）（こゑ―梅）
すゝむしの声
躬弦

右

あはれさを誰汲しらむ露深き筒井のもとの
（哀さ―丸、あさ〔は〕れさ―梅）（誰くみ―長、たれ汲―丸・梅）（ん―公・国・神・長・丸・森）（ふか―公・国・神・梅）（筒ゐ―長、つゝゐ―森）
まつむしの声
（松むし―公・国・神、松虫―長・森）（こゑ―長・森）

左駅路鈴声夜過山といへる心はへにて
ふるきかたの机にむしこと山なせる石とうま
（か―梅）（籠―長）
やつたひの鈴とをおけり右桐の葉もふみ
（は―丸）（踏―丸）
わけかたく成にけりかならす人を待となけ
（分―急・丸）（なり―丸）（に―公）
れとゝいふ哥を台にあし手に書て桐の
（と―公・国・神）（ナシ―丸）（あしてにて―森）
木たちのもとにゐつゝしてそか中にまつ
（立―急・公・国・神、ナシ―丸）（本に香木もて井筒してける―丸）（松―急・公・国・神・長・丸・森・梅）

（虫—急・公・国・神・森・梅）（事—丸）（り—丸）（も—梅）
むしすませたり左のことそきたると右の
（哀深き—丸）（なくや—丸）
あはれふかきとまさりおとりもなし
（旅路—急・丸・森・梅、たひち—公・国・神）（捨—長・森）
左都にいそく旅ちにもふりすてかたき
（心—丸・梅）（も—丸、ナシ—森）（ナシ—公・国・神・丸・森）
こゝろを詞をかさらてやすらかにいひなか
（ナシ—国）（かたり—急）（有—急）
されたるか物語にある僧都の哥めきて
（思へ—公・国・神）（なか—公・国・神・丸）（をかし—急・長、おかしくこそ—丸）（つゝ井—丸）
作者をおもへは中くにおかし右の筒井の
（なくらん—公・国・神・森、啼らん—丸）（むし—急・公・国・神・長・丸・森、虫—梅）（思—急・丸）
もとになくらむゝしの哀さおもひやられて艶
（なん—丸）（をかしく—急・長、おかし—梅）（えむ—公・国・神・森）（なる—丸）
なる哥にこそ左はおかしく右はえんにて
（うた—丸）（姿—丸・梅）（あひ—丸・森）（とも—急・公・国・神・長・丸・森・梅）（す—丸）
哥のすかた相似すといへ共彼是をなそ

らふるに猶よき持とす
（ナシ―森）（なを―急・公・神・長・丸・梅）（もち―長）（そ―梅）

十番

左　　豊秋

すゝむしの鳴よる軒のふるすたれ千よをふる共
（鈴むし―公・国・神・丸、鈴虫―長・森）（啼―急、なき―丸）（古―丸）（千代―公・国・神、千世―長・丸、ちよ―森）（とも―公・国・神・長・丸・森・梅）

声あかめやも
（こゑ―森）

右　　蔭政

松虫のなくね露けき庭のおもに月も哀や
（松むし―丸・梅、まつむし―森）（鳴ね―急、鳴音―丸）（面―長・丸・森）

そへて見ゆらむ
（添―急）（む―急・公・神・森・梅）

左鈴むしの巻の中宮はるけき野へに
（虫―公・国・神・長・森）（のへ―森）

わけていとわさとたつねとりつゝはなたせ
（尋―丸）

（ナシ―長・丸）（様を―丸）（籠に―丸）
給へるさまにてみすかゝけたるさまに虫籠
（作―急）（草々―急・梅、千草―丸）（添―急）
つくりて秋のくさ〲をそへたり右琵琶
（作り―公・国・神・丸）（めむ―急、面―丸）
のかたつくりてはちめんをうすものもて
（ゝへかきて―急、野ゑかきて―公・国・神、野へ出て―長、野をかきて―森・梅）（松むし―急・公・国・神・丸、まつ虫―梅）
はりて秋の野へかきて松虫をこめたり
（相―森）（ナシ―急）
こは横笛の巻の想夫憐をひき給ひ
（む―急）（とき―公・国・神・森）（古しへ―急）（わ―梅）（虫―公・国・神・丸・森・梅）
けん時いにしへの秋にかはらぬむしの声
（きこえし―丸、聞へし―森）
かなと聞えし心はへいとめつらしうめてた
（勝―長）（む―長）
けれはかちとなんさたし侍りぬ
（古簾―公・国・神、古すたれ―丸）（よ―公・国・神）（ふみ―丸）（とも―急・公・国・神・長・丸・森）（こと葉―長・丸）
左ふるすたれ千夜をふる共なといへる詞

つゝきいひしりてけにふりにたる世の心（けにも―丸）
ことはともにあくましうおかし右も月も哀（ら―梅）（を―急・長）（あはれ―公・国・神・長）
やなとうるはしう承りてわきかたう侍れと（承り　つきかたう―梅）
けふのあるしの御哥なるうへ左はむしの音一首
（うた―急）（上―急）（ね―急・公・国・神）
にのこるくまなく聞え侍れはかたく〱まらうと（残る―丸）（聞へ―森、きこえ―梅）（はへれは―丸）
かたにかちをゆつり給へや（方―丸、うた―森）（勝―丸）（たま―長）
にほとりのかつしかわたりすみた川（にほ鳥―長、鳰鳥―森）（すみた河―急・長、すみ田川―丸）
のかたはらなる木母寺といへる年ふる精舎（成―急、ナシ―丸）（とし―急・長・丸）（ふりたる精舎―丸）
にて源蔭政ぬしあるしにて八月十日

（こと有―急、事あり―公・国・神・梅、ことあり―森）（鈴虫―公・国・神・長）
あまりに虫合の事有けりすゝむし
（まつむし―急、松むし―公・国・神、まつ虫―梅）（左―長）（草〃―長）
松虫をひたり右にかたわきてくさ〱
（筆―梅）
の台を色〱の心はへしてすゑたり
（其―長・丸・森）
その人々の名は歌にしるけれはしる
（にて―急、有し―公・国・神）（ナシ―丸）
さす判の詞は千蔭季鷹書にたり
（其―丸）（折―急・公・国・神・梅）（月―森）（ナシ―急・長）（はれ―長・丸）（残る暑さ―丸）
そのをりしも日いとよく晴てあつさたへ
（夕―急・公・国・神・丸）（そて―急）（まち―丸・梅）
かたかりしもゆふへになれは袖に待とる
（風涼しく―丸、風もすゝしく―森）（ふきて―丸）（ひかり―長・森）（限―公・国・神）
風すゝしく吹て月の光もくまなけれは
（各〃―急）（端―丸）（飲―急）
おの〱はしつかたに出て酒のみつゝ庭の

（今日—丸）（顔—急）（出—急・国・神・長・丸）（を—急・長）
萩のけふまちかほに咲いてたるもおかし
（虫共—急、虫とも—公・国・神・長）（啼—急、なき—長）（わ—梅）
きにむしともの花やかに鳴かはしたるも
（有—急、ある—公・国・神）（事—丸・森）（この—長）（む—急・長・森）
いと興ありかゝることの此まゝにやまんも
（本意—森、ほひ—梅）（ナシ—梅）（その—公・国・神・丸）
ほいなきわさなれはとて其くさ〳〵を
（書—急・長・丸・梅）（二巻—急、二まき—丸）（其—丸・森）
かたにかきてふた巻になしぬこはその
（折—急、おり—森・梅）（くさ—急・長）（後—急、のち〳〵—公・国・神・森・梅）（忍ふ—梅）
をりのこと草を後〳〵にしのふの草のし
（む—急）（事—公・国・神・長）（也—丸）
のはんことをおもひてなり天明
（ナシ—森）
二年八月の末つかたにしるす

源景雄

類題和歌集との表現の類似

松本　大

※近世期に刊行された類題和歌集のうち、『新明題和歌集』『新後明題和歌集』『新題林和歌集』『部類現葉和歌集』『新続題林和歌集』（本文は、上野洋三『近世和歌撰集集成』〈明治書院〉により、一部改めた）について、『十番虫合絵巻』の各番の和歌と似通うものを取り上げ、類題集ごとに歌番号・題・詠者の情報とともに示した。また、類似するの和歌のうち、和歌の内容も歌語も一致するものには「○」を、和歌の内容は重ならないものの歌語の一致が確認できるものには「△」を付した。さらに、歌語の一致箇所には傍線を施した。『十番虫合絵巻』の和歌作成過程における、類題和歌集利用の可能性を示すものとして、多分に不備はあるものの、その様相を掲げた。

1左：雨ならでふりつつ虫の鳴くなへにきてもみるべく萩が花笠

・『新題林和歌集』

△ふり出でてをやまぬ雨をうきものとかこつにたる虫の声哉（三三七六・雨中虫・通躬）

1右：玉琴のしらべにいつの秋よりかまつ虫の音もかよひ初めけむ

・『新明題和歌集』

△星や今心ひくらん玉ごとのしらべにかよふあまの川かぜ（一八九一・七夕瑶琴・雅章）

2左：夕露のふりぬる宿の浅茅生に昔ながらの鈴虫の声

・『新明題和歌集』

△浅ぢふにあまりて月の影やどす吹くあとみえぬをのの秋風（二二七七・野月・資慶）

△橋柱朽ちても名のみ残る世に昔ながらの月のさやけさ（二二九五・橋月・行豊）

・『新題林和歌集』

△おもほえず詠むる影やふけぬらんむしの音すめるあさぢふの月（三三七四・月前虫・仙洞）

△人とはぬ月に数そふ虫の音のふくるもおしきあさぢふの庭（三四〇二・満庭虫・重條）

2右：山の端にまだ出でやらぬ月影をなれもわびてやまつ虫の鳴く

・『新明題和歌集』

△こよひたれ行きてみるらん影やどす月の岡野に松虫の鳴く（二一三六・月前虫・雅喬）

・『新題林和歌集』

△をきとめし露の光は暮るる野に月をやなれもまつ虫の声（三三六三・聞虫・通躬）

△暮るる野に露のはへなきうらみをや月まつ虫の音にたてて鳴く（三三七七・露底虫・仙洞）

△影はなをいたらぬ草の葉がくれに月を遅しとまつ虫の声（三四〇三・叢虫・實陳）

3左：菊の花かざしにせむと立ちよれば惜しむに似たる鈴虫の声

・『新明題和歌集』
△ふりすてて帰らんはをし月影もさやけき野辺のすず虫の声（二一五一・鈴虫・煕房）
△枯れわたる尾花がもとの虫の音もをしむに似たる秋のくれかな（二六一八・暮秋・後水尾院）
・『新題林和歌集』
△鳴くかたをとへば花野の露をさへおしむにまどふむしのこゑごゑ（三三五七・尋虫声・實陰）

3右：松虫の鳴くなる声にひかれては秋も子の日の心地こそすれ

4左：鷹の尾のならしばがくれ鈴虫のふり出でてなく夕暮の声

・『新明題和歌集』
△露の色は暮るるまがきの花やかにふり出でて鳴く鈴むしの声（二一五三・鈴虫・意光）
・『新後明題和歌集』
△かごの内に聞きしにも似ず鈴虫のをのが住のの夕暮の声（七一五・鈴虫・通村）
・『新題林和歌集』
△夢たえてなれも思ひや鈴虫のあかつき露にふり出でて鳴く（三三八〇・暁虫・雅豊）
・『新続題林和歌集』
△うきはただ秋にもよらぬ夕暮を何すず虫のふりいでてなく（四八六九・夕虫・氏孝）

4右：虫の音はあはれも深し葛飾の隅田川原の秋の夕暮

・『新明題和歌集』

○夕露の花野にあかず聞きしより哀れはふかきよはの虫の音（二一二八・深夜聞虫・後西院）

・『新続題林和歌集』

△哀れさは聞くにかはらぬ秋のむしの声をも名をもいかでわきけん（四八四三・虫声非一・實陰）

△さまざまの虫の鳴く音も哀れてふ秋のしらべの外にやはきく（四八四六・虫声非一・為久）

△きけば猶哀れぞふかき秋の夜に垣ねにすだくむしの声々（四八七六・夜虫・兼胤）

5左：千種咲くなるみの野辺の鈴虫は汝がふるさとか錦着て鳴く

・『新題林和歌集』

△とりどりにあらそふ野べの虫のねよ千種の花や露の盛りを（三三六六・虫声滋・基凞）

△鳴くむしの声もちぐさのさまざまにうき色かはるおもひとぞきく（三三六九・虫声滋・實業）

△とりどりの野べのにしきもいくちはたをればかむしの声も隙なき（三三七〇・虫声滋・實陰）

△露ふかき野をわけ入ればむしの音も花の千種の色にみだるる（三三七一・虫声滋・通躬）

△秋ふかきをのがうらみもさまざまの野べの千種にまじる虫のね（三三七二・虫声非一・實業）

△暮るよりゆききも見えず鳴海野にたがのる駒ぞ鈴虫の声（三四一五・鈴虫・通誠）

5右：住み捨てし浅茅が原の夕露に思ひ乱れてまつ虫や鳴く

・『新題林和歌集』

○住みすてし宿はあとなき浅ぢふにたれまつ虫の声たえずなく（三三九七・故郷虫・實陳）

・『部類現葉和歌集』

△露しげきあさぢが原をやどりとやくるる夜ごとに虫の鳴くらん（四〇〇三・原虫・公詔）

6左：乱れ葦の乱るる声も鈴虫のふり捨てがたき秋の夜半かな

・『新後明題和歌集』

△なれゆへに思へすず虫鳴く野べはふりすてがたく立ちどまる身を（七一六・鈴虫・實種）

・『新続題林和歌集』

△野べ遠くわけこそきつれすず虫のふりすてがたき声にうかれて（四八二五・尋虫声・宗家）

6右：女郎花多かる野辺にふりはへて人まつ虫の声しきりなり

・『新明題和歌集』

△夕露に色そふ花を誰みよと人まつ虫の野べに鳴くらん（二一二六・夕虫・嗣章）

7左：思ひ草思ひあればや夕露に声ふり立てて鈴虫の鳴く

・『新明題和歌集』

△思ひ草おもふやいかに織女の手にもたまらぬ露の契りは（一八五七・二星適逢・通茂）

7右：更くる夜の月もうつろふ秋草の下露深みまつ虫の鳴く

・『新明題和歌集』

△更くる夜の物にまぎれぬしづけさは声そへけらし荻の上風（一九七五・夜荻・後水尾院）

△更くる夜の川瀬の波も音そへてさえ行く空にちどり鳴くなり（二八六二・河千鳥・公規）

・『新題林和歌集』

△草のはらとはぬうらみもふかき夜に人まつ虫や鳴きあかすらぬ（三三八七・深更夜・道晃）

△人もこぬまがきの露の夜ぶかきに心のかぎりむしも鳴くらし（三三八八・深更夜・實陰）

・『部類現葉和歌集』

△ふかきよの秋のあはれをつくしてや野もせの露に虫のなくらん（三九八五・虫吟露・有慶）

8左：はし鷹の尾鈴の音にたぐふめりかりばの小野に鳴く虫の声

・『新明題和歌集』

○暮るる野にきけば草とるはしたかのそれかとまがふ鈴虫の声（二一五二・鈴虫・雅喬）

・『新続題林和歌集』

△ふり捨ててかへらんはをしはし鷹の末ののくれの鈴虫の声（四九三一・鈴虫・為村）

8右：たのしさは千歳の秋もここに経むまつてふ虫に今日を待ちえて

・『部類現葉和歌集』

△千歳とは今もきくより過ぎはせし野辺にとひ行く松虫のこゑ（三九六六・尋声虫・相尚）

9左：都にと急ぐ旅路もふり捨てて誰かは過ぎん鈴虫の声

・『新明題和歌集』

○ふりすてて帰らんはをし月影もさやけき野辺のすず虫の声（二一五一・鈴虫・煕房）

・『部類現葉和歌集』

△なれゆへにおもへすず虫なくのべはふりすてがたく立ちどまる身を（四〇三二・鈴虫・實種）

・『新続題林和歌集』

△くれぬとも猶ふりすててかへらめや月になるののすずむしの声（四八二一・尋虫声・實陰）

△ふり捨ててかへらんはをしはし鷹の末ののくれの鈴虫の声（四九三一・鈴虫・為村）

9右：あはれさを誰くみしらむ露深き筒井のもとのまつ虫の声

・『新明題和歌集』

△露ふかき草のしげみに鳴く虫の声もくまなくすめる月かげ（二一三四・月前虫・公規）

・『部類現葉和歌集』

△ふかきよの秋のあはれをつくしてや野もせの露に虫もなくらん（三九八五・虫吟露・有慶）

10左：鈴虫の鳴きよる軒の古簾千夜をふるとも声飽かめやも

10右：まつ虫の鳴く音露けき庭の面に月もあはれや添へて見ゆらむ

・『部類現葉和歌集』

△秋のよの月もさやけき庭の面にきほふもあかぬ虫の声々（三九五七・虫・實輔）

・『新続題林和歌集』

△誰を猶まつむしの音ぞさらでだにとはれぬ庭の月更くる夜に（四九二四・松虫・公福）

Editors
Robert Huey
Teiko Morita

Translation and Notes
Robert Huey
Andre Haag
Tanya Barnett
Francesca Pizarro
Hilson Reidpath

The Heian Cultural Revival in Edo:

Reading the *Jūban Mushi-awase* scrolls in the Honolulu Museum of Art's Lane Collection

Contents

Introduction

Robert Huey

Translators' Note: We suggest that the reader look at the Postscript first, before reading the poems, even though it was placed at the end of the second scroll precisely as a postscript. It sets the scene very nicely and helps the reader understand the situation better.

The year is 1782, the second year of the Tenmei Era. Emperor Kōkaku is in the second year of his reign, and Tokugawa Ieharu is in his 22nd year as Shogun. Both are facing significant challenges. After a decade of off and on regional disasters, a nationwide famine begins in this year and lasts for several years, triggering significant economic and political disruption. But the guests who gathered at Mokubo-ji temple in the Eighth Month of 1782 for an evening of literary diversion seemed unaffected by all this. (See pictures on p. 89 and p. 125.)

On the east bank of the Sumida River in modern-day Tokyo, across from the more renowned Sensō-ji temple in Asakusa, Mokubo-ji was, and is, most famous for being the place where Umewaka-maru is said to have died and is even now enshrined. Featured in the early 15th century Nō play *Sumidagawa*, Umewaka-maru, child of a Kyoto lady, had been kidnapped by slave traders. His distraught mother searched for him and finally caught up with him by the Sumida River. Unfortunately, she was too late. He had fallen ill, and the slave traders had abandoned him to die. She arrived in time to see a service being held at his gravesite. She had a brief glimpse of him as a ghost, but in the end even that spectral trace disappeared. The tragic story caught the imagination of urban Edo, and Umewaka-maru became something of a pop hero through scroll paintings and woodblock prints. Mokubo-ji benefited from this association, though today it draws few visitors. But again, our guests at Mokubo-ji in the Eighth Month of 1782 pay no apparent mind to this dramatic tale.

Instead, they gather on the temple veranda as the evening cools, to drink saké, enjoy the blooming bush clover (*hagi*) and the humming of autumn insects, most notably the bell cricket (*suzumushi*) and the pine cricket (*matsumushi*). Since

ancient times in China, the humming of insects in autumn has been a common poetic trope indicating loneliness, the dying of the year, and so on. [see Hilson Reidpath: "The Many 'Voices' of Crickets," in this publication] Though the exact entomological identification of these two crickets has changed over time, from a literary standpoint, it is their names that are important. The *suzu* in *suzumushi* refers to a small bell with a pellet inside that causes its ringing sound – what we would call a "jingle" bell. The bell cricket's trilling sound resembles the sound of such a bell. The *matsu* in *matsumushi* is a pun on two words: "pine," as in pine tree, and "pine" as in to pine or long for someone. The pine cricket makes a shorter, sharper sound, often taken in poetry as a cry of longing, or assertion, or even warning.

Our guests are a poetic lot, led by two famous teachers of waka – Katō Chikage (1736–1808) and Kamo no Suetaka (1754–1841) – and including local town leaders, a fairly high-ranking "warrior," a doctor or two, and possibly two ladies whose identities are uncertain. Inspired by the atmosphere, and by a similar literary event over eight hundred years before, called the *Kishi Naishinnō Senzai Uta-awase* (Princess Kishi's Garden Poetry Contest) of 972,[1] they decided to hold a poetry contest, dividing into two teams – Left and Right – to match the literary virtues of the bell cricket and pine cricket in ten rounds of poems, one poem from each team per round, for a total of twenty poems. These were judged by Suetaka, though it is clear that the merits of each poem were discussed by the group, so he did not make his judgments unilaterally.

The group then made *suhama* (we call them "arrangements" in this project) to illustrate each poem, and contested and judged those arrangements, too. [see Francesca Pizarro: "The Poetry of Things," in this publication.] The arrangements often introduced a literary reference to the Heian period, as well, and the skill with which this reference was illustrated by the arrangement was part of the criteria for

---

1 Princess Kishi had her garden planted with autumn flowers and plants, and stocked it with pine and bell crickets. The participants composed poems about the merits of each insect, and also created tray landscapes (*suhama*). Teiko Morita argues that this event inspired the *Jūban Mushi-awase*. Morita Teiko, "Jūhasseiki Mono-awase no Fukkō to 'Jūban Mushi-awase Emaki,'" *Kagami*, #52 (Daitōkyū Kinen Bunko, March 2022), pp. 82-86.

judgment, which was made by Chikage, though again with discussion among the group. Then – just as people do with a beautiful plate of food nowadays – they felt the need to capture the images, so they had a talented painter (or painters?) paint the arrangements onto a scroll on which calligrapher and *kokugaku* scholar Mishima Kageo (AKA Mishima Jikan, 1727–1812), who also participated in the contest, had carefully recorded the poems and judgments.

Actually, it is impossible to tell how much of this project was pre-planned, and how much was spontaneous. Perhaps the drinking and poetry started it all. In any case, the arrangements, which are quite elaborate, could not have been made quickly, nor could the painters have completed their task without sketching and practice. Furthermore, at least one contestant had bell crickets brought in from Sendai just for the occasion – something that could not have been done overnight. It is more likely that the arrangements were imagined and designed by the team members, then given to artisans to execute. Even then, the arrangements show considerable knowledge of literary history, and the judgments contain lengthy quotations from older works – possible but not likely to do without reference books and research. On the other hand, there are a few historical "mistakes" in the judgments, so it seems that some of the discussions among the participants relied on memory rather than documents at hand.

The event was, in fact, part of a series of similar activities held over the course of several years that all pointed toward a revival of the courtly values and activities of the Heian period.[2] Given the perilous straits of Japan's economic situation at the time, it initially struck us as elitist, to say the least. In fact, one of the participants, Doi Toshinari (1748–1813) – the very one who had imported the crickets from Sendai – was a daimyo whose constituents had filed a formal complaint against him for ignoring the problems in his domain and instead taking part in what they considered to be frivolous activities such as tea ceremony and poetry events like the one here.

Yet this Heian revival was not without its own political undertones. Its

---

2 Morita Teiko, "An'ei Tenmeiki Edo Kadan no Issokumen: 'Sumidagawa Ōgi-awase' o Tegakari toshite," *Gazoku*, 4, January 31, 1997 (Kyushu University Gazokukai), pp. 111-114. Or, Morita Teiko, *Kinsei Gabundan no Kenkyū* (Tokyo: Kyūko Shoin, 2013).

organizers, Chikage, Suetaka, and Kageo, had studied directly or indirectly under the *kokugaku* scholar Kamo no Mabuchi (1697–1769), whose efforts to recover Japan's past were an implicit critique of the corrupt Tokugawa Bakufu and its incompetence in handling Japan's crises. [see Tanya Barnett: "The Poetics of Nostalgia: *Kokugaku* and the *Jūban Mushi-awase*," in this publication] Reviving an old political system centered on the emperor turned out to be exactly how the Meiji Restoration was accomplished less than a century later. Yet one senses that the group that gathered at Mokubo-ji in 1782 did not have revolution, much less imperialism, on their mind.

What attracted our University of Hawai'i team to this project in the first place, especially given that all but myself on the team are modern literature specialists? Several grad students and faculty from UH had been volunteering at the Honolulu Museum of Art, helping to catalog the Lane Collection after receiving training from the museum staff and a team of scholars from the National Institute of Japanese Literature. One day, the Lane Collection Research Associate, Ms. Kiyoe Minami, showed some of us the two scrolls that make up the *Jūban Mushi-awase*, and we were immediately taken. [see also Kiyoe Minami: "What *Jūban Mushi-awase Emaki* has brought to education in Hawai'i," in this publication] Even before we knew anything about it, we were attracted by the richness of the mountings, the vivid details of the paintings, and the poems and written judgments (which we could scarcely read). And the sheer oddity of seeing twenty set paintings each of which had a cricket placed in it somewhere.... One of our students, Hilson Reidpath, said "We must do something with this!" We decided it would be a worthy task to try and transcribe, then translate the text so that the museum would have something for signage if they ever exhibited the scrolls. We saw it as a real-life way to learn how to read Japanese cursive script (*kuzushiji*) and to use our experience reading traditional Japanese poetry to interpret poems we had never seen and which had no annotations to guide us.

Little did we know what we were getting into! I remember six of us spending over three hours one afternoon trying to decipher just one of the poems, and even then, we could not get the whole thing! Grad students have their own work to worry about, so it became obvious that our grand plan would not likely come to fruition, yet most of the group wanted to continue as best we could just because of how unusual an opportunity it was.

Then, Dr. Teiko Morita, a scholar doing research in the general area of Edo poetry activities in this period, learned of the Lane Collection scrolls. She had been studying this very contest, and others like it in the Chikage/Suetaka group, and had just learned of this Lane Collection version. She flew to Honolulu, and by happy chance, our team of students and profs was available the day she came to the HoMA to look at the scrolls. In those two hours, everything she told us about the background of the contest further whetted our own enthusiasm, which in turn energized Prof. Morita. She was excited because the Lane Collection set was, she believed, a "presentation version" of the text – a set of scrolls that had been carefully painted and calligraphed on paper and mountings of the highest quality, evidently to be presented to someone of very high rank.

She returned to Japan, obtained funding for an international collaborative project, and we have been working together ever since early 2021. The pandemic was actually a blessing in one way: we ended up meeting monthly on Zoom so that our collaboration was truly ongoing – something we could not have done just by e-mail or a one or two-time visit to each other.

The collaboration has been a stimulating experience for all concerned. Naturally, the UH team learned immeasurably as the Japan scholars shared their painstaking research and approach with us. At the same time, we contributed some key observations, and also brought a broader perspective to the project. We were encouraged to add our own annotations to our work, even if in some cases we took a different tack than our Japanese counterparts. Thus, the English translation is not "just" a translation of the Japanese original and the scholarly notes provided by the Japan team, but is a product of our own scholarship, as well. [see Andre Haag: "Lost and Found in Translation of the *Jūban Mushi-awase* Scrolls," in this publication] Furthermore, it was a boon to have Kiyoe Minami as part of the project. More than once she dug into the Lane Collection database and produced documentary evidence to help resolve a question the research team had encountered.

Jonathan Zwicker (UC Berkeley), though not part of the translation work team, provided historical framing at the start and end of the project. [see Jonathan Zwicker: Along the "River of Death": On the Fate of the Mokubo-ji after the "*Jūban Mushi-awase*," in this publication] In the early stages of our Zoom meetings, Bonny McClure, a graduate student at Berkeley, also participated and offered some excellent

input, but the demands of her own graduate program made continued participation impossible.

Translation Note: Following the original text, we generally use the terms "Left" and "Right" in our translation to refer to poets, poems, or arrangements from the Left team and Right team respectively. Unless otherwise noted, all translations in the text and notes are our own. In Romanizations, we followed modified Hepburn, except we spell the particle "o" as "wo." As it was not feasible to reproduce all the paintings twice (once for the Japanese section and again for the English), the English reader of the print version of this book will need to refer to the reproductions of each round on pp. 20-23 and pp. 24-44 in the Japanese section. The scroll layout can be found on pp. 20-23 of the Japanese section, and detailed views of each round from p. 24 through p. 44. Please note that the scroll reads from right to left, and in poetry contest, the Left takes precedence over the right. So, on the pages that show closeups of each page, the illustration on the top right is actually the painting for the Left team, and vice versa. Below them is a close-up of the judgment text for each round. Other illustrations are cross-referenced in the text.

Introduction

Morita Teiko

In the latter half of the 18th century in Japan, the spirit of venerating antiquity, known as *shōkoshūgi* (尚古主義), became popular in both Kyoto, where the emperor resided, and Edo, where the shogun held power. In Kyoto, Emperor Kōkaku, who ascended to the throne in the eighth year of An'ei (1779), aimed to re-establish imperial authority by reviving and restoring numerous court rituals and Shinto ceremonies (cf. Satoru Fujita, *Kōkaku Tennō: Jishin o Ato ni Shite Tenka Banmin o Saki to Shi* (Emperor Kōkaku: Putting Himself Second and His People First), Kyoto: Minerva Shobō, 2018). In Edo, Tayasu Munetake, the second son of Shogun Tokugawa Yoshimune, well-versed in ancient clothing, music, literature, and court practices, organized a "Plum Matching Contest" in the second year of Meiwa (1765) in a conscious attempt to restore traditional Heian period court customs. During the An'ei and Tenmei eras (the 1770s and 1780s) after Munetake's passing in Edo, figures such as Mishima Kageo and Kamo no Suetaka, connected to the Tōshō (堂上) poetry school, and deeply knowledgeable in Heian period works such as *The Tale of Genji*, organized a series of events reviving the old "object contest" (*mono-awase*) tradition, including a "Fan Matching Contest" (*ōgi-awase*) and a "Garden Plant Matching Contest" (*senzai-awase*) in the eighth year of An'ei (1779).

But in this volume we are introducing another "object contest" organized by these poets, who were drawn to traditional Heian culture – a literary event that took place on the very banks of the Sumida River where the central figure of *Tales of Ise* (Episode 9), commonly believed to be Ariwara no Narihira (825-880), composed the famous poem "Capital bird / if you are true to your name / I have something to ask you: / Is the one I love back home / still there or not?" (*Na ni shi owaba / iza koto towamu / miyakodori / waga omou hito ha / ari ya nashi ya to*). It is known as *A Match of Crickets in Ten Rounds of Verse and Image* (*Jūban Mushi-awase*).

The *Jūban Mushi-awase* event has been discussed in several research papers since Kikuchi Andō's introduction in 1984 ("*Mishima Jikan no Jūban Mushi-awase hashigaki* [Introduction to Mishima Jikan's *Jūban Mushi-awase*]" in *Edo no Wagakusha,* Tokyo: Seishōdō Shoten). Eight locations within Japan were known

to possess scrolls related to it (refer to Teiko Morita's "Introduction"). At one point, Kiyoe Minami, a research associate at the Honolulu Museum, contacted me, mentioning that there was a set of scrolls related to *Jūban Mushi-awase* in the Richard Lane Collection at HoMA, and she requested my assistance in examining it. I followed up on this request, and on February 18, 2020, I examined the *Jūban Mushi-awase Emaki* in the Lane Collection vault. I realized that not only was it the equal of the copy held by the Daitōkyū Kinen Bunko (Gotoh Museum) in Tokyo, which until now had been considered the best edition, but indeed surpassed it. This is because the *Jūban Mushi-awase* scrolls in HoMA of Art were designed and calligraphed by Mishima Kageo (Mishima Jikan), one of the participants in the actual contest at Mokubo-ji. (See my "*Jūhasseiki Mono-awase Fukkō to* Jūban Mushi-awase Emaki, [The *Jūban Mushi-awase* Scrolls and the Revival of Object Contests in the 18th century"], *Kagami*, #52, Tokyo: Daitōkyū Kinen Bunko, March 2022, pp. 60-90.)

Sometime before I first saw the scrolls in 2019, Robert Huey of the University of Hawai'i at Mānoa, along with his graduate students, had started reading this *Jūban Mushi-awase Emaki* as part of their coursework (see Kiyoe Minami, "What *Jūban Mushi-awase Emaki* has brought to education in Hawai'i" in this publication). On February 21, 2020, when I was conducting my research, Huey and his graduate students visited HoMA of Art. With the original *Jūban Mushi-awase Emaki* before us, I provided them with an explanation of the scrolls. The students, brimming with strong interest and a voracious appetite for knowledge, bombarded me with questions one after another. I was deeply impressed by their enthusiasm, convinced that the charm of the original *Jūban Mushi-awase Emaki* itself was the source of their passion.

I thought it would be fascinating to engage in collaborative research on the *Jūban Mushi-awase Emaki*, a set of scrolls that captivates viewers regardless of nationality. Subsequently, I reached out to Huey, and after discussions in online meetings, it was decided to conduct international collaborative research workshops focused on transcribing and annotating the text in HoMA's copy of the *Jūban Mushi-awase Emaki*. This initiative became part of the Grant-in-Aid for the Scientific Research and International Joint Research Acceleration Fund (International Joint Research Enhancement (B)) for the 2020-2023 fiscal years, titled "International Research on the Classical Revival in 18th-19th Century Japan" (20kk0006). These workshops

included participants from Japan, including Morita Teiko (Principle Investigator), Iikura Yōichi (Co-Investigator), Nagasaki Kiyonori (Co-Investigator), Matsumoto Ōki (Co-Investigator), Yamamoto Yoshitaka (research collaborator), and Arisawa Tomoyo (research collaborator). International collaborators included Dr. Robert Huey and graduate students from the University of Hawaiʻi, as well as Jonathan Zwicker and graduate students from the University of California, Berkeley (UCB). Furthermore, Kiyoe Minami from HoMA also participated. The first research session took place on April 24, 2021.

The workshops, held approximately once a month for thirteen sessions, convened on Saturdays from 10 AM to 1 PM Japan time to accommodate the time difference. The first session involved a presentation by me giving an overview of HoMA's *Jūban Mushi-awase Emaki*, with a total of sixteen participants from Japan, Hawaiʻi, and UCB. The second session included my presentation on annotations to the colophons detailing the events surrounding the *mushi-awase*, along with Zwicker's presentation titled "Devices for Thinking About the Past: Literary Sociability and Historical Consciousness Around the Bunka Era," examining the antiquarian tendencies of Edo period playwrights during the Bunka era. From the third to the thirteenth sessions, each meeting progressed by discussing one section at a time. Morita covered colophons and sections one, three, five, seven, and ten, Matsumoto covered sections two, four, six, and eight, and Iikura covered section nine. The seventh session was an exception, focusing on research reports and discussions without annotations.

During the first half of each session, presenters delivered their findings based on transcriptions, as well as modern Japanese translations, and annotations prepared in Japanese (providing a starting point for discussion and further research), followed by Q&A and discussions, moderated by Iikura. The second half, moderated by Yamamoto, involved discussions by the Hawaiʻi team, led by Huey, on the English translation and annotations for the same section. As Huey noted in the introduction to this book, the international collaborative research workshop achieved unexpected results. Each session featured lively, uninhibited, and enjoyable discussions, unveiling exciting arguments. Huey, in particular, offered insights often surprising to Japanese researchers from unique perspectives. At relevant times, Minami provided information essential to the annotations by sharing visual materials

from HoMA collection. The workshop's international context brought a unique and stimulating dynamic. Playing a significant role in bridging discussions between the Japanese and international teams were Yamamoto, who spent his high school and college years in the United States and is proficient in English, and Minami, who has had a long history in Hawai'i.

Recordkeeping for the workshop discussions was managed by Arisawa, enabling easy incorporation of discussions into the annotations. Starting from the seventh session, Kawarai Yūko, a graduate student specializing in classical literature, joined, contributing valuable insights from the perspective of a waka researcher. From the twelfth session onwards, Katō Yumie, a new research collaborator, also participated. Pier Carlo Tommasi from the University of Hawai'i joined partway through, adding sharp questions.

Starting from November 25, 2022, after going through the entire *Jūban Mushia-awase Emaki* in the international collaborative research workshop, Iikura, Matsumoto, and Morita held in-person annotation review meetings to prepare the annotation manuscript. The review meetings extended over thirteen sessions, each lasting between two to six hours. At the in-person review stage, the significance of the *Jūban Mushi-awase Emaki* waka and its relationship with topically-categorized waka collections (*ruidai wakashū*) from the Edo period became apparent. In light of this, Matsumoto compiled a list of potentially relevant waka from such collections.

This book presents the results of a three-year international collaborative research project along with an intensive annotation review process, centered on the scroll-set *A Match of Crickets in Ten Rounds of Verse and Image* (*Jūban Mushi-awase Emaki*). It is simultaneously published in Japanese (I. Main Text, II. Essays & Columns, III. Appendices) and English (I. Main Text, II. Research Articles, Perspectives).

For the Japanese version, the facsimile of the main text (I. Main Text) was produced using the *Jūban Mushi-awase Emaki* held at the Honolulu Museum of Art, which we had been deciphering during the international collaborative research meetings. The photographs were taken by Scott Kubo, the Digital Image Editor at HoMA. The collated main text, modern Japanese translation, and annotations were handled by the research team. Matsumoto was responsible for the collated main text and its notes, while Iikura, Matsumoto, and Morita were responsible for the modern Japanese translation and annotations. Morita contributed an introductory

essay to the book based on the historical context of the *Jūban Mushi-awase Emaki*, and Minami, who has been involved in cataloging the Richard Lane Collection at HoMA, provided insights into the collection.

Regarding the essays and columns in Japanese (II. Essays & Columns), translations were provided by Iikura for the articles by Tanya Barnett, Robert Huey, Francesca Pizarro, Hillson Reidpath, Jonathan Zwicker, and Andre Haag. These translations underwent checks by the respective authors, with the final review conducted by Huey. Barnett, Pizarro, Reidpath, and Haag, despite not being specialists in early modern literature, actively participated in the research meetings, raising various questions and engaging in discussions, showcasing their enthusiasm for and curiosity about the playfulness and antiquarianism of Edo's intellectual circles. Their contributions revealed a sincere engagement with the subject matter from their unique perspectives. Zwicker's essay on the Sumida River, focusing on both pre-modern and modern landscapes, provided particularly stimulating insights.

The book also includes an essay by Katō Yumie, titled "*Uta-awase* in the Edo Period," which provides an overview of the history of poetry and object matches (*uta-awase* and *mono-awase*) in the early modern period, setting the stage for understanding the significance of the *Jūban Mushi-awase*.

During the An'ei and Tenmei eras when the *Jūban Mushi-awase* was held, there was a flourishing of playful gatherings by comic renga authors. Arisawa Tomoyo's essay, "Intellectuals in Edo at the End of the 18th century and the Beginning of the 19th century: Their Pleasures and Considerations," focuses on the intellectual play and inquiry in Edo during this period.

Essays relevant to the main text and literary background include Kawarai Yūko's "*Jūban Mushi-awase* and *The Tale of Genji*" and Yamamoto Yoshitaka's "Sinitic Elements in the *Jūban Mushi-awase*: From Insect Poetry to Bird-and-Flower Painting." Kawarai delves into the handling of *The Tale of Genji* by Katō Chikage, who judged the arrangements (*tsukurimono*) for the *Jūban Mushi-awase*, while Yamamoto explores the possibilities of the Chinese literary context in appreciating the sound of insects and the depiction of scenes with insects.

In his essay titled "The Relationship between the Text of *The Tale of Genji* and Chikage Tachibana in the Early Modern Period," Matsumoto Ōki also discusses Chikage's treatment of *The Tale of Genji* in his judgments of the arrangements in the *Jūban Mushi-awase*.

This book includes color reproductions of the arrangements (*suhama*, also referred to as *tsukurimono*) as painted on the *Jūban Mushi-awase* scrolls. Although there was no art history specialist on the research team, we received valuable insights from Kadowaki Mutsumi, who not only provided guidance but also contributed a fascinating essay titled "A Study of *Tsukurimono* in the *Jūban Mushi-awase Emaki* from the Standpoint of Art History Research."

As appendices for the Japanese version (III. Appendices), we included "Biographical Introductions" and "Transcription and Collation." The "Biographical Introductions" provide explanations about the individuals who participated in the *Jūban Mushi-awase*. Based on information in the annotations, these introductions were compiled by Arisawa. The "Transcription and Collation" section features a faithful transliteration of the original text by Matsumoto and a collation of discrepancies with other versions by Morita.

For details about the English version, please refer to Huey's "Introduction." In the English version's "I. Main Text," translations and annotations by Huey and the University of Hawaiʻi team, based on the discussions and results of the international collaborative research meetings, are presented.

In this research project, Nagasaki Kiyonori, as a sub-investigator, took the lead in the initiative to provide the TEI (Text Encoding Initiative)-formatted text data for *Jūban Mushi-awase Emaki* to the world. This initiative was conducted concurrently with the international collaborative research meetings. As a result, the main text, modern Japanese translation, and English translation of *Jūban Mushi-awase Emaki* are currently available online, formatted according to the TEI guidelines. The data entry was diligently performed by Fujiwara Shizuka, a research assistant at Kyoto Sangyō University (and a Post-doctoral Programme Graduate Student at Kyoto Women's University). Nagasaki presented the project's outcomes under the title "Digital Representation of *A Match of Crickets in Ten Rounds of Verse and Image*: Text Encoding and Viewer Implementation for a Japanese Poetry Match" at the TEI conference 2023 held in Germany.

In September of the same year, Iikura, Matsumoto, Katō, Arisawa, Morita, and Huey conducted a final check of the original document at HoMA for confirmation before the book's publication. Even though we had extensive discussions during the research meetings, seeing the original manuscript in person brought out the intricate details of the illustrations that we had not fully realized before. Each

depiction of the bell crickets and pine crickets, caught at the moment that they were spreading their wings and chirping, was unique, surprising us with the lifelike representation of the *Jūban Mushi-awase* scenes. (See enlargements on pp. 55 and 56.) It is likely that the insights gained from the in-depth reading of the text during the research meetings contributed to this realization. On September 15, a workshop on *Jūban Mushi-awase Emaki* was held at the University of Hawaiʻi at Mānoa Library, where Huey, Morita, Matsumoto, Reidpath, and Minami presented their research findings. Attendees included not only researchers but also individuals from libraries, museums, and the Consulate-General of Japan in Honolulu, leading to an active question-and-answer session. While the research project commenced during the COVID-19 pandemic, and international collaborative research had been conducted online for a long time, this was the first time that members met face-to-face for direct discussions, marking a significant step toward the publication of research findings.

In conclusion, I have focused above on a review of the process involved in our international collaborative research meetings, and I express my sincere gratitude to all those who participated. To our readers, we hope that through the words and illustrations of the *Jūban Mushi-awase Emaki* held at the Honolulu Museum of Art, you can touch the vitality of Edo people in the late 18th century in Japan, who, inspired by Kyoto's court culture, sought to extract classical knowledge and create something anew across time and space. Additionally, if this attempt to report the findings in both Japanese and English languages contributes to Japanese literature studies worldwide, it would be an unexpected joy.

Finally, we extend our heartfelt thanks for the significant contributions of Iikura Yōichi and of Nishiuchi Tomomi at Bungaku Tsūshin (Bungaku-Report), in the editing of this book.

I

The Main Text, Background, and Commentary

Jūban Mushi-awase (A Match of Crickets in Ten Rounds of Verse and Image)

Left: Bell cricket[1]
Right: Pine cricket

Judge for the insect arrangements: Chikage[2]
Judge for the poems: Suetaka[3]

Round 1 (See p. 24 for image.)

Left: Toshinari[4]

It is not when rain falls,	Ame narade
but right when crickets trill	furitsutsu[5] mushi no
that it becomes	naku nae ni
a scene to behold –	kite mo mirubeku
this canopy of bush clover![6]	hagi ga hanagasa

---

1 In present-day Japanese, the *suzumushi* (bell cricket) refers to *Meloimorpha japonica*, while the *matsumushi* (pine cricket) refers to *Xenogryllus marmoratus*. (Both belong to the order *Orthoptera*.) Evidence is strong that in the Heian period, the nomenclature was reversed, so that what we now call the "suzumushi" was then called "matsumushi," and vice versa. However, for the purposes of this event, taxonomy is less important than literary intertext, as described by Hilson Reidpath in his essay "The Many 'Voices' of Crickets" in this publication. One of our challenges in this English translation is to convey this centuries-old textual relationship. See also Illustration on p. 51.

2 See "List of Participants," L-3.

3 See "List of Participants," R-1.

4 See "List of Participants," L-1.

5 We see a pun on *furu*, meaning "to fall" (as in rain) and also "to ring (as in a bell)," the "trilling" of the bell cricket.

Right: Suetaka[7] (See p. 25 for image.)

In which autumn was it	Tamagoto no
that the melody	shirabe ni itsu no
of a jewel-like koto	aki yori ka
first came to be likened	matsumushi no ne mo
to notes of the pine cricket?	kayoisomeken

[Judgments:]

The arrangement on the Left takes its inspiration from "You people who are serving [the lord], offer him a canopy."[8] Fashioning the stand with a rust-colored hunting cloak sleeve, they use a court cap of state as the insect's cage, and on top of a branch of bush clover, they have placed a silver rain hat (*kasa*). The insect was selected and brought from Miyagi Plain. The Right refers to the time Teiji no In no Mikado [the retired emperor Uda] went to Nishikawa. Tadamine wrote the following in the preface to the poems offered to Uda: "At one point, waiting for the moon to emerge over the ridge of the mountains, the pine crickets' tones were mistaken

---

6 Strictly speaking, *kasa* (笠) is a conical hat, which is how it is interpreted in the arrangement, hence the pun on *kite* (meaning "to come" and "to wear"). But in the older poem on which this is based (see Note 8 below), *kasa* may also be referring to a large umbrella-like implement, held in the hand, and raised over the heads of royalty and other high-ranking people. We could not fit both meanings into one translation, but chose "canopy" because a "canopy of bush clover" sounded better in the main poem.

7 See "List of Participants," R-1.

8 This refers to *Kokinshū* #1091: "You people serving [the lord] / offer him a canopy (*kasa*)! / for dew dripping down / under the trees on the Miyagi Plain / is thicker than rain." (*Misaburai / mikasa to mōse / Miyagino no / kono shitatsuyu wa / ame ni masareri.*)

for a *koto*."[9] On the tray, the Right team has set a small *kin* and the insect placed in a cage with twine wound around it, all in a *matsugasane* color scheme.[10] Both arrangements were the height of courtly elegance. However, the insect that actually comes from Miyagino Plain, known for its bell crickets, has captured my imagination, so the Left wins.

In the esteemed poem on the Left, with the lines "*furitsutsu mushi no*" ("rain falls / but right when crickets trill") and the image of a canopy of bush clover serving as a rain hat, it is truly striking how skillfully words and feeling come together.[11] The poem on the right has nothing in particular to comment on. Furthermore, it was composed by this lowly judge. Following precedent, I will not issue a judgment.[12]

---

9 A koto is a stringed zither that is laid on the ground and played from a kneeling position. The instrument referred to here is strictly speaking a *kin*, which is actually a specific type of *koto*. The *kin* has seven strings with no bridges, and is generally shorter than the koto we know today; the sides are often pinched in near the head and tail, and the tail end is often rounded, like a spoon.

10 *Matsugasane* (松重ね) refers to a color-layering pattern found in Heian-period layered gowns. At its most basic, it features light green in the middle, with purple or crimson in the outer layer. It has an auspicious connotation.

11 The judge uses the honorific prefix *mi* in front of the word "poem," which is appropriate considering that the Left poet is Doi Toshinari, the highest-ranking member of the event. Presumably, Toshinari's family connections in Miyagi enabled him to import actual Miyagi bell crickets for the contest.

12 Traditionally, the first entry from the Left team in any contest is assigned to the highest-ranking person in the group, and would never lose the round.

Round 2 (See pp. 26-27 for images.)

Left: Momoki[13]

Evening dew has fallen	Yūtsuyu no
on overgrown cogon grasses[14]	furinuru yado no
by the timeworn hut	asajiu ni
where just as in times past	mukashi nagara no
comes the trilling of bell crickets.	suzumushi no koe

Right: Motosada[15]

The moonlight	Yama no ha ni
yet to emerge	mada ideyaranu
from behind the mountain's edge –	tsukikage wo
do you, too, yearn for it,	nare mo wabite ya
chirping pine cricket?	matsumushi no naku

[Judgments:]

The Left refers to the scene [in *The Tale of Genji*] in which Myōbu is dispatched by carriage to the home of Kiritsubo's mother as a messenger from

---

13 See "List of Participants," L-2.

14 *Asaji* (浅茅) refers to cogon grass, which is an invasive species that has plumes at the ends. A place that is overrun with it is called *asajiu* (浅茅生). This image occurs several times in the contest. See also Round 5.

15 See "List of Participants," R-2.

the emperor.[16] Thus, the team has constructed a carriage, and placed a bell cricket inside. It is especially clever the way they have indicated that "the crickets chirp with all their might."[17] The Right arrangement draws its inspiration from the poem "I have lost my way / on the autumn moors..."[18] Onto a tumble-down hut fashioned of horsetail rushes and bordered by fencing made by tying twigs together, they have pasted paper that is as transparent as crystal, and have set the insect inside there. It is most ingenious. People felt that it is superior to the Left arrangement.

The Left has presented a poem that is not shallow in feeling, as if we are seeing in front of us the scene at the home of Lady Kiritsubo's mother. The Right poem, too, is not lacking in charm in the lines "do you, too, yearn for it?" but the moon alone is the dominant image, and the sounds of the insects are perhaps a bit too faint. The Left should win.

---

16 The arrangement refers to an iconic scene from the "Kiritsubo" chapter of the *The Tale of Genji,* in which the emperor sends one of his ladies-in-waiting, Myōbu, to console the mother of his recently deceased consort, Kiritsubo. (See Seidensticker, pp. 7-10.) The scene begins with Myōbu's carriage being pulled up to Kiritsubo's family home, now overgrown with cogon grasses (*asajiu*). When Myōbu leaves after sharing memories of the dead lady, she offers this poem: "Though bell crickets chirp / with all their might / until they are spent / my tears fall without break / throughout the long night." (*Suzumushi no / koe no kagiri wo / tsukushite mo / nagaki yo akazu / furu namida kana*). Kiritsubo's mother replies, referring to the message of condolence from the emperor, whom she obliquely calls "one beyond the clouds," signifying his courtly status: "Heavy the dew / in thick cogon grasses / where insects cry incessantly – / Now added to this the tears / of one beyond the clouds." (*Itodoshiku / mushi no ne shigeki / asajiu ni / tsuyu okisōru / kumo no uebito*). This scene is also iconic in Genji paintings, which often feature a carriage as a central image.

17 The judge is quoting from Myōbu's poem, in which she says "the crickets chirp with all their might." (See previous note.) The judge is saying that the slight billowing of the carriage blinds in the arrangement is a clever way to portray this.

18 *Kokinshū* #201, Anonymous: "I have lost my way / on the autumn moors / I shall seek lodgings / over by where / the pine crickets raise their voices." (*Aki no no ni / michi mo madoinu / matsumushi no / koe suru kata ni / yado ya karamashi*).

Round 3 (See pp. 28-29 for images.)

Left: Chikage[19]

As I draw near	Kiku no hana
thinking to pluck those chrysanthemums	kazashi ni semu to
to decorate my hair	tachiyoreba
the bell cricket cries out	oshimu ni nitaru
as if in protest.	suzumushi no koe

Right: Kageo[20]

Charmed by the cries	Matsumushi no
of the chirping pine crickets –	naku naru koe ni
for though it is autumn	hikarete wa
they nonetheless stir	aki mo ne no hi no
feelings of New Year's day.[21]	kokochi koso sure

---

19 Chikage is the judge for the arrangements, so he is judging his own team when he talks about the Left arrangement. See "List of Participants" (L-3) for more details on this important literary figure.

20 See "List of Participants." (R-3) Kageo calligraphed the scrolls. See also the Postscript.

21 *Ne no hi* refers to the first day of the Rat in the new year of the Chinese sexagenary calendar. It traditionally involved rituals and a banquet. It was also associated with the practice of uprooting seedling pines (*ne no hi no matsu*) and new herbs (*wakana*) to give as gifts to wish someone a long life. *Ne* can also refer to the sound a cricket makes (*mushi no ne*), thus slyly suggesting that "this autumn day is truly a day filled with cricket chirps."

[Judgments:]

For the Left arrangement, on a small tray on top of an unvarnished wood desk shaped like a stand for ornamental flowers,[22] they have placed an insect cage with a decorative spray of chrysanthemums inserted into the top. Over this they have put a gossamer cloth cover into which the poem has been stitched. This is a reference to the time that Lord Kanemori[23] sewed a poem into a cloth cover used at a celebration for the Great Retired Priest Kaneie.[24] The arrangement on the Right echoes the lines from the *Kokinshū* preface that the "sound of pine crickets makes one pine for one's friend, reminding one of the twin pine trees of Takasago and Suminoe."[25] On top of an old-fashioned desk, a cover has been stitched down with a braiding of vermillion twine. They fashioned an insect cage in the shape of a book, and next to it laid a branch of five-needled white pine. On the table's cover, part

---

22 The Japanese term is *kazashi no dai*, which refers to a stand or holder for (usually artificial) flowers that might be taken out and placed in the hair or on the headdress, or also might just be there as a kind of proto-*ikebana*. Seidensticker calls them "stands for the ritual chaplets." (p. 551.)

23 Taira no Kanemori (d. 990), one of the Thirty-six Poetic Sages of the Heian period. Of royal lineage, he was made a commoner and took the Taira name. He took part in several *mono-awase*, and participated in, among other events, a 985 (Kanna 1) poetry party sponsored by Retired Emperor Enyū that was held on the *ne no hi* of that year at which Kanemori posed the topics and wrote the preface.

24 Fujiwara no Kaneie (929-990); father of Michinaga, and husband of Michitsuna no Haha. Morita Teiko argues, with evidence from a series of poems in the *Kanemorishū* (*Kokka Taikan* #56-72), that this event was for Kaneie's 60th birthday.

25 The full passage from the *Kokinshū* kana preface is "sound of pine crickets makes one pine for one's friend, reminding one of the twin pine trees of Takasago and Suminoe." "Twin pines" (*aioi no matsu*) refers to two trees growing from a single trunk.

of the passage from the *Kokinshū* preface has been decoratively embroidered.[26] The Right aspires to refinement, clearly conveying the essence of the pine cricket without explaining it outright. Although I prided myself that our offering on the Left would surely win this round, reflecting on it now, the arrangement lacks a close connection[27] to the bell cricket, and should undoubtedly lose.

The Right poem speaks to being drawn by the cries of the pine cricket and notion of New Year's in autumn, while the Left poem describes the bell cricket crying in reproach as one draws close to pluck the spray of chrysanthemums crowning its cage. Each poem is pure in form and direct in expression such that one can easily understand them. If I were forced to say it, I humbly wonder whether the crying of the bell cricket as late as the chrysanthemum days of autumn[28] might be a bit questionable. However, for someone like me, Suetaka, to be added to esteemed group of judges on such an occasion as this – what greater happiness could there

---

26 *Ashide* (葦手) is a decorative writing style in which the characters take pictorial forms or act as design elements. This technique is also seen in the cloth put over the cage in the Left arrangement. In the Right painting, from left to right – reverse of the usual writing order – the phrase "sound of pine crickets" is represented by a rebus (the actual pine cricket in the book-shaped cage), followed by the phrase "pining for one's friends" in stitching, which in turn is followed by an actual pine branch (representing the Takasago and Suminoe pines, though they are not mentioned by name), and ending with the phrase "reminding one of twin pine trees," in stitching.

27 In the context of waka, *yose* means some sort of connection, including associated vocabulary (*engo*). The term appears frequently in poetry contest judgments from the Kamakura through Muromachi periods (the Thirteenth through Sixteenth centuries) and suggests a connection between elements of the poem – a connection that is sanctioned by tradition. The point here is that the arrangement for the Left (bell cricket) does not have anything in it that relates specifically to the bell cricket. In other words, it could be any type of cricket. The Right, on the other hand, refers directly to "pine" and to pine cricket through the reference to the *Kokinshū* kana preface.

28 *Kiku no ori* refers to the 9th Day of the Ninth Month, also called *kiku no sekku*. *Sekku* are the seasonal festival days, esp. 1/7, 3/3, 5/5, 7/7, and 9/9. This 9th Day of the Ninth Month (roughly mid-October in the Gregorian calendar) is somewhat later than one would normally expect bell crickets to survive, hence the judge's comment about the image in this poem being "questionable" (*obotsukanashi*).

be in the Way of Poetry? Be that as it may, it would not be very helpful for me to issue a judgment on the merits of this round's entries and incur from the start the resentment of one team's participants, so these matters are best left to the consideration of the group as whole.[29] After discussing things among themselves, everyone concluded that in ancient times it was not uncommon to award a "good tie" in cases like these.[30]

29 "Group as a whole" is *shugi* in Japanese. A *shugihan* contest is one that is judged by the group through discussion. Because of this comment and other similar ones, it appears that this contest was *shugihan*, which was one way to avoid making enemies.

30 *Yokimochi* refers to a "good tie," that is, a tie where both poems are equally good, or occasionally, equally mediocre. Here it is the former.

Round 4 (See pp. 30-31 for images.)

Left: Chūjun[31]

Bell cricket hidden
among the oak leaves,
like a bell on the tail of a falcon,
its evening voice
rings out forcefully.[32]

Taka no o no
narashiba kakure
suzumushi no
furiidete naku
yūgure no koe

Right: Gencho[33]

Even the crickets' cries
reverberate with sadness:
autumn evening in Katsushika
on the banks
of the Sumida River.

Mushi no ne wa
aware mo fukashi
Katsushika no
Sumidagawara no
aki no yūgure

---

31 See "List of Participants," L-4.

32 We see a possible reference here to #1568 of the *Enbun Hyakushu* (c. 1357, Enbun 2), on the topic of "Hunting with Falcons" by Tokudaiji Kinkiyo (1312-1360): "Falcon-hawk's bell / ringing from oaks leaves / on the Ono Plain. / Its sound is our guide / as we hunt until nightfall." (*Hashitaka no / ono no narashiba / naru suzu no / oto wa shirube ni / karikurashitsutsu*).

33 See "List of Participants," R-4.

[Judgments:]

On the Left, they made gold netting in the shape of a bell (*suzu*) and lodged the insect inside. They have set this on top of a low table in the shape of a *suzuita*.[34] Inside a brocade feed-pouch they inserted the poem. The way they have brought together and arranged the elements of a falconry hunt is manly (*masurao*), yet at the same time elegant (*miyabitari*). The arrangement on the right draws inspiration from this poem in *Shin Senzaishū*: "Our cries mingle / awake on an autumn night – / the chirps of the crickets / the dew on my pillow / all are tears!"[35] The insect cage is in the shape of a arm-rest/pillow. Into the pillow they have sewn a brocade design [of phoenixes] that is associated with Tōdai-ji temple. (See illustrations on pp. 75-76.) The addition of a spray of autumn grasses is very lively, and I believe it to be clearly better than the Left arrangement.

In the Left poem, the lines – "the tail of a falcon hidden among the oak leaves, etc." – flows nicely. The image of "evening on the banks of the Sumida River" is not without its charm, but it just flatly says "the crickets' cries are sad." Might the song of the insect have been more subtly expressed? It is hard to ignore the "forceful" bell cricket hidden in the oak leaves.

34 A *suzuita* is a small tab used to affix a hawk-bell or falconry bell (*takanosuzu*) to the tail of a hawk or falcon when hunting. See Illustration on p. 75.

35 *Shinsenzaishū* #485 by Ōe (Nagai) Munehide (1265-1327), a warrior poet based with the Bakufu in Kamakura, who had 23 poems in various imperial anthologies. The Japanese text: *Naki kawasu / aki no nezame wa / mushi no ne mo / makura no tsuyu mo / namida narikeri.*

Round 5 (See pp. 32-33 for images.)

Left: Fusayuki[36]

Are these fields of Narumi,[37]	Chigusa saku
full of flourishing autumn grasses,	Narumi no nobe no
your home, bell cricket,	suzumushi wa
where you return, singing,	naga furusato ka
dressed in full brocade?	nishiki kite naku

Right: Yoshimitsu[38]

Having been left behind	Sumisuteshi
in the evening dew	Asajigahara no
of Asajigahara,[39]	yūtsuyu ni
are you crying in distress,	omoimidarete
yearning pine cricket?	matsumushi ya naku

---

36 See "List of Participants," L-5.

37 Narumi (鳴海) is a place name in old Owari Province (modern Nagoya area). There are a few references to "Narumi no no" (the Narumi Plain) in waka, usually also mentioning *suzumushi*.

38 See "List of Participants," R-5.

39 In older poetry, *asajigahara* was, generically, a broad field of cogon, sedge, or miscanthus grasses. But there was actually an area near the Sumida River, just south of the Shirahige Bridge, on the east side the river and a quarter mile south of Mokubo-ji, that was called "Asajigahara," (see picture on p. 83) so, given the location of this event, this word is at least doing single duty, and possibly double-duty as a poetic place name, and also the location of the actual contest. There is also an Asajigahara in Nara that appears in a few old poems. As a poetic place (*uta-makura*) it is associated with frost (*shimo*) and dew (*tsuyu*).

[Judgments:]

The Left alludes to the poem by Tachibana no Tamenaka,[40] "when he had finished his appointed term in Michinoku and passed through the Narumi Fields in Owari Province on his way back to the capital: 'They remain unchanged / here in my home: / Bell crickets chirp / their evening song / in the fields of Narumi.'"[41] They have laid out an uprooted *hagi* branch and placed the poem inside a prayer packet.[42] The Right offers a painting depicting the time when "the Lady of *Asajigatsuyu*[43] painted a picture of herself and one evening, lost in distracted longing, wrote the following poem on the picture: 'At evening / when white dew settles / among the

---

40 Tachibana no Tamenaka (d. 1085) was an accomplished poet who studied under Nōin (988-1050?).

41 *Furusato ni / kawazarikeri / suzumushi no / Narumi no nobe no / yūgure no koe*. The poem is *Shikashū* #121, and the clause preceding it here is also directly quoted from the headnote in that collection.

42 The "uprooted" *hagi* (bush clover) refers to an old story about Takenaka that when he was recalled to Kyoto from his post in Michinoku, he uprooted twelve cases worth of *hagi* plants to take back with him. The anecdote first appears in the book of poetic lore called *Mumyōshō* (c. 1211, Jōgen 5) by Kamo no Chōmei (1155-1216). (See S. Hisamatsu and M. Nishio, eds., *Karonshū Nōgakuronshū, Nihon Koten Bungaku Taikei 65* (Tokyo: Iwanami, 1981), p. 95. For an English translation, see Hilda Kato, "The *Mumyōshō," Monumenta Nipponica*, V. 23, No. 3/4 (1968), p. 422.

A "prayer packet" (*nusabukuro*) was a kind of envelope in which one carried paper prayer strips (*nusa*) to offer to the roadside gods when traveling.

43 There is a tale (*monogatari*) from the late Kamakura period with the title *Asajigatsuyu* (lit., "dew on cogon grasses") attributed without evidence to Fujiwara Tameie (1198-1275). It is no longer extant, but a partial version consisting of 27 poems exists in the Tenri Library. (The poem cited here is #25.) In the Tenri version, the lady is simply called "Himegimi" (Her Ladyship). The poetry collection *Fūyō Wakashū*, compiled in 1271, also makes reference to the tale and to the lady painting a picture of herself; therein, the heroine is referred to as Asajigatsuyu no Naishi no Kami. It is she who is depicted in the painting for this round, and to whom this poem is attributed. Here and other places in *Jūban Mushi-awase*, *Fūyōshū*, which is a collection of poems from various tales (*tsukurimono*), many of which are no longer extant, seems to have been a strong influence.

wormwood leaves / who would come calling here? / the pining crickets wonder.'"[44] Drawing inspiration from this, they painted a picture of a distraught woman and made the painting's scroll-spindle a cage for the insect. Since both Left and Right are charming, this round must be a Tie.

The diction in the Left poem is artless,[45] and shows the old proverb "returning home covered in brocade"[46] in an interesting new light. The Right poem is smoothly put together, and is profound in feeling, so the judge is at a loss to decide between them. In the end, the evening dew of Asajigahara seems a little deeper.

---

44 The section in quotation marks, including the poem, comes directly from the *Fūyōshū* (poem #298). See previous note for more information about the story and *Fūyōshū*. The painting itself includes the lady's name, Asajigatsuyu no Naishi no Kami, and the lines "*tare toubeshi to*" ("who would come calling here?"). The Japanese text of the poem is: *Yūgure wa / yomogi ga moto no / shiratsuyu ni / tare toubeshi to / matsumushi no koe.*

45 *Itawaru* means "take great pains with; take care of." Its negative form, *itawarazu*, can be seen in poetry commentary from the late Heian period, as meaning not so much "careless" as "carefree, easy, relaxed." We have used the term "artless" here, with its implication of being without guile or pretense.

46 "Old proverb" (*furugoto*) is a reference to a Chinese proverb "Kokyō e nishiki wo kazaru" (故郷へ錦を飾る) – to return home covered in silk brocade (that is, with glory).

Round 6 (See pp. 34-35 for images.)

Left: Fusako[47]

Like tangled reeds[48] the intermingled cries of bell crickets, trilling deep into the autumn night are hard to brush away.	Midareashi no midaruru koe mo suzumushi no furisutegataki aki no yowa kana

Right: Yasoko[49]

In the field of many maiden flowers[50] the voice of the pine cricket intently waiting for someone – its chirp unrelenting.	Ominaeshi ōkaru nobe ni furihaete hito matsumushi no koe shikiri nari

---

47 See "List of Participants," L-6.

48 *Midareashi* has several meanings but here it refers to reeds growing in a profuse and disorderly way, and is used metaphorically – "like tangled reeds." In his *Munetaka Shinnō Sanbyakushu* (#99), Prince Munetaka (1242-1274) uses the expression in a poem to suggest the faltering lights of fireflies as summer moves inexorably to autumn, which also fits well with this poem.

49 See "List of Participants," R-6.

50 "Maiden flower" is the standard translation for *ominaeshi*, the yellow fringed flower that appears in the Right painting, *omina* being an older pronunciation of the word *onna* (woman). The literal translation of the Chinese characters used to write *ominaeshi* (女郎花), suggests a courtesan rather than a maiden, but the Heian meaning was more like "lady." The common English name for the flower is Golden Valerian.

[Judgments:]

The Left arrangement refers to the poem in *Motozaneshū*[51] [sic] "composed when [the poet], hearing that someone he used to know well[52] had moved to Tamasaka,[53] in the Province of Tsu, went there and met him/her[54] on an evening when they could hear the bell crickets chirping."[55] They have constructed a coffer of silver and placed a cricket inside, and made bridge pillars out of fragrant aloeswood.

---

51 Fujiwara no Motozane (fl. 935-961) was one of the Kintō's Thirty-six Poetic Sages (*Sanjūrokkasen*). *Motozaneshū* was his personal poetry collection, of which there are several texts. None of them is considered definitive, but they are very close to each other in content. This episode does not appear in any of the extant texts, but comes instead from *Tadamishū* (Mibu no Tadami [fl. 954-960] was also one of the Thirty-Six Poetic Sages; see also following note). This kind of confusion may show the fluidity of older texts in an age when copyright and authorship were not protected by law, and texts were copied by hand and passed down from person-to-person.

52 What appears in the first two lines in quotation marks is a paraphrase of a headnote found in the *Tadamishū* (not the *Motozaneshū*). It is possible that the confusion arose from the use of a larger text called the *Kasen Kashū* (歌仙歌集) which was a collection of many of these shorter personal collections. In some versions of the *Kasen Kashū*, the *Motozaneshū* and the *Tadamishū* are adjacent to each other, with no page numbering. It would be easy to lose track of which chapter one was reading. It is also possible that the judge was working from memory here and simply misremembered the source. Matsumoto Ōki's essay in this volume discusses these kinds of "errors."

53 The place name can also be a pun on the word *tamasaka*, meaning "rare, uusual, unexpected," often used in the context of meeting someone unexpectedly. This pun plays out later in the judgment.

54 In the various accounts of this story, the gender of the friend is usually unspecified, though there is a version that suggests that the "friend" was a former lover.

55 As far as extant texts go, this passage is from *Tadamishū* not *Motozaneshū*. However,

The Right arrangement is inspired by the scene in *Motosukeshū* which speaks elegantly (*miyabitaru*) of "a poetry contest during the reign of Murakami in which the court ladies were victorious,[56] so that on the following Eighth Month, 20th day, the losing team made, as a loser's gift,[57] a cage of threads into which they placed pine and bell crickets, and then decorated with maiden flowers."[58] There is no way to choose between Left and Right. Nevertheless, the participants said that the sudden, unexpected trill of the bell cricket of Tamasaka[59] was better so a Win was awarded to the Left.

the poem that appears in the version of *Tadamishū* that is considered standard in *Kokka Taikan* seems to have no connection with the Left painting, which depicts the remains of a bridge. There is another textual line of *Tadamishū* that comes through the *Sanjūrokuninshū* (Collections of the Thirty-Six Poets – a compendium of the collections of all thirty-six poets). In this version, Tadami's poem reads: "Unexpectedly, today / we meet again / at Tamasaka. / The bell crickets' trill / sounds just as in times past." (*Tamasaka ni / kyō aimireba / suzumushi wa /* ***mukashinagara*** *no / koe zo kikoyuru.*) The connection between this version of the poem and the painting is the word *nagara*, suggesting the Nagara Bridge, which was known for having rotted away except for some of its pillars (*hashibashira*). (See also Robert Huey's column on the Nagara Bridge.) Refer also to the Left poem in Round Two of this contest, which likewise features the image of the bell crickets sounding just as they did long ago.

56 This refers to the *Ōwa Ninen Gogatsu Yokka Kōshin Dairi Uta-awase*, held in 962 (Ōwa 2), sponsored by Emperor Murakami, who also acted as judge. For details in English, see Roselee Bundy, "Men and Women at Play: The Male-Female Poetry Contests of Emperor Murakami's Court," *Japanese Language and Literature*, V. 46, No. 2 (Oct. 2012), pp. 221-260. Bundy specifically discusses this contest on pp. 230-235.

57 *Makewaza* refers to a formal presentation of gifts from the losers to the winners after any sort of contest. By presenting *ominaeshi* (maiden flowers), the men were implying that the women had used their womanly charms on Emperor Murakami to secure their victory. See Bundy, p. 231.

58 The quotation marks indicate where Kageo quotes the *Motosukeshū* text verbatim.

59 Morita Teiko argues that the cricket in the Left arrangement, with its reference to *Tamasaka*, is actually chirping during the judgment discussion, hence Kageo calls it "the Tamasaka cricket," punning on the word *tamasaka* with its meaning of "rare, unexpected" as well as its function as a place name.

The Left is "hard to brush away," and the Right speaks of "intently waiting." Each has its points, and either one is indeed "hard to brush away." Yet if I were to choose one over the other while amidst a "field of many maiden flowers," my heart is in confusion like "tangled reeds," I would likely earn a name as an unreliable judge, so I must call this round a "good tie."[60]

60 The two poets in this round are women, hence the judge's comment about being in a "field of many maiden flowers." He is making a reference to *Kokinshū* #229, by Ono no Yoshiki (d. 902): "Had I taken up lodgings / in a field of many / maiden flowers / unfairly would I have earned / a name for fickleness!" (*Ominaeishi / ōkaru nobe ni / yadoriseba / ayanaku ada no / na wo ya tachinamu*).

Round 7 (See pp. 36-37 for images.)

Left: Yoshiaki[61]

Grasses of longing – [62]	Omoigusa
is it out of yearning that	omoi arebaya
the bell crickets' trills	yūtsuyu ni
resound amidst	koe furitatete
the evening dew?	suzumushi no naku

Right: Masanaga[63]

As night wears on	Fukuru yo no
the moon crosses the sky,	tsuki mo utsurō
reflecting in dewdrops	akigusa no
deep in autumn grasses	shitatsuyu fukami
where pine crickets chirp.	matsumushi no naku

[Judgments:]

On the Left arrangement, they have placed the cricket into a small enclosure bounded on four sides by hanging bamboo blinds. The way the gentians thrust their heads out with a self-satisfied air is charming. Taking up the sense of the poem "Here in my garden / where maple leaves fall / ever deeper, / for whom does the pine cricket pine / that it should chirp so much?"[64] the Right has constructed an

61 See "List of Participants," L-7.

62 "Grasses of longing" is a poetic euphemism of long pedigree, referring to the gentian, called *rindō* in Japanese. Gentians have deep blue flowers with white centers and are similar to the Chinese Bell Flower (*kikyō*).

63 See "List of Participants," R-7.

64 *Kokinshū* #203. Author and Topic unknown: *Momijiba no / chirite tsumoreru / waga yado ni / tare wo matsumushi / kokora nakuramu.*

arrangement (*suhama*) of scattered maple leaves, and they have made the maple tree itself the cricket's cage. Since I cannot really say which is better, Left or Right, I call this a Draw.

The Left poem is a typical autumn evening scene, and the conceit that one can hear the sound of longing even in the chirps of the crickets (though they do not have emotions) perched in the grasses of longing is charming both in spirit and diction. As for the Right poem, although one senses some sort of resonance (*en*) in the part about even the moon reflecting the depths of autumn, if I have to choose, I give the Win to the Left because in the Right poem, the pine cricket image is not sustained throughout the poem.

Round 8 (See pp. 38-39 for images.)

Left: Masatsune[65]

As if accompaniment	Hashitaka no
to the ringing of	osuzu no oto ni
the sparrow hawk's tail bell–	tagūmeri
trilling songs of crickets	kariba no Ono ni
fill the hunting fields of Ono.	naku mushi no koe

Right: Ariyuki[66]

What a pleasure	Tanoshisa wa
it would be to spend	chitose no aki mo
one thousand autumns here.	koko ni hemu
Today, at last, the crickets	matsu chō mushi ni
That I've so 'pined' for!	kyō wo machiete

[Judgments:]

On a stand of woven twigs, the Left has placed a falcon tether and a falcon bell, and next to that, the cricket's cage.[67] The Right has spread out silk layers in a *matsugasane* color scheme on top of a poem stand,[68] onto which, in gold paint, they

---

65 See "List of Participants," L-8.

66 See "List of Participants," R-8.

67 See Round 4, Left above, which also uses a falconry motif.

68 A *bundai* (or *fudai*), which we translate as "poem stand," was a low table used in poetry contests and events. Poems submitted for the event were placed there. In this *suhama*, a poem is placed on the poem stand by painting it onto a piece of silk cloth, then laying the cloth on the stand. For *matsugasane*, see Note 10 for Round One.

have written this poem from the "Names of Things" section of *Shūishū*: "White waves gather / jewel-droplets from rapids / beneath the falls / and string them onto / threads of flowing water."[69] The cricket cage is draped loosely by a five-color cord.[70] The Right is so elegant and entrancing that we judge it the superior entry.

For the Left, the phrase "As if accompaniment / to the ringing of / the sparrow hawk's bell" strikes us as a very skillful way, in its diction and its overtones, to make one hear the sound of the bell cricket.[71] In The Right poem, the lines "Today, at last, the crickets / that I've so pined for" are very appealing in how they bring the scene to life, but then there is that line "What a pleasure..." coming out of nowhere![72] Is it not a rather unsettling phrase? As most agreed that the Left poem was superior, we awarded it the Win.

---

69 *Shūishū* #369, Names of Things (*Mono no Na*): *Takitsuse no / naka ni tama tsumu / shiranami wa / nagaruru mizu wo / o nizo nukikeru*. The judgment cites the entire poem, but only the second and fifth lines are written as characters on the cloth: "nakani tama tsumu" ("gather jewel-droplets") and "o ni zo nukikeru" ("and string them"). The painting of the waterfall and the rapids flowing from it acts as a rebus for the other three lines of the poem. Both the reference poem and the arrangement focus on flowing water, which is a subtle reminder that this literary event takes place on the banks of the Sumida River.

70 *Goshiki no ito* refers to a cord made by twisting five colors of thread (green/blue, yellow, red, white, and black) together. It has auspicious and Buddhist connotations. It is the cord that a Pure Land adherent will hold on their deathbed, attached to an image of Amida, for example. Both Left and Right arrangements feature cord/string.

71 The reason for the judge's enthusiasm here is that the poet makes the reader hear the bell cricket without actually using the words "bell cricket."

72 *Futo* as an adverb suggests something sudden, quick, surprising, unexpected, and so on. The feeling here is that is a phrase that "came out of nowhere" and the judge thinks it is too casual for the situation.

Round 9 (See pp. 40-41 for images.)

Left: Chisen[73]

Even if it means	Miyako ni to
abandoning one's hurried journey	isogu tabiji mo
to the capital,	furisutete
who could pass this by –	tare kawa sugin
the trilling of bell crickets?	suzumushi no koe

Right: Mitsuru[74]

Who can plumb the depths	Awaresa wo
of this pathos?	tare kumishiramu
nearby the well, deep in dew –	tsuyu fukaki
songs of pine crickets	tsutsui no moto no
are filled with longing.	matsumushi no koe

[Judgments:]

The Left arrangement taps into the spirit of the verse "Along the station road, the sound of the (official) traveler's bell crossing the mountain at night..."[75] On an old-style desk they have placed the insect cage, a stone in the shape of a

---

73 See "List of Participants," L-9.

74 See "List of Participants," R-9.

75 Both the poem and the *suhama* make reference to the second line of a couplet found in *Wakan Rōeishū*, #502, by Du Xunhe (late Tang, c. 890), which is quoted in the judgment.

mountain, and a "station bell."[76] In the Right arrangement the poem "Leaves of the paulownia / have now become / too deep to walk through / though it is not as if I expect / anyone to come"[77] has been stitched into [the cover on] the stand, and at the base of a paulownia tree, they have made a well-curb, into which they have placed the insect. The Left arrangement is economical in expression; the Right is deeply moving. Neither is better or worse than the other.

The Left poem expresses in unadorned, relaxed, and free-flowing language the reluctance of one hurrying to the capital to abandon his journey. It is like a poem a priest in an old tale might compose, and considering the poet, it is quite charming.[78] The Right poem captures the feeling of sadness in the chirping crickets at the base of the well and it is truly an evocative poem. The Left poem is charming, the Right is evocative. Though they do not resemble each other in terms of form, when we compare them to each other, after all, we must call it a "good tie."

---

76 "Station bell" (*umayazutai no suzu*), more commonly known as *ekirei*, were bells issued by the government to people on official business to alert stations along the way to give those travelers priority and provide horses and support staff as needed. Most of them are somewhat squared off on the sides (square or hexagonal), but some, like the one in the painting, were doughnut shaped. These latter were popular as lid rests (*futaoki*) in tea ceremony, which many of the participants in this contest practiced.

77 *Shinkokinshū* #534, by Shikishi (or Shokushi) Naishinnō (?-1201). *Kiri no ha mo / fumiwakegataku / narinikeri / kanarazu hito wo / matsu to nakeredo*. This poem was widely praised by medieval commentators. In fact, only the last two lines are stitched in, and the prominent pine cricket (whose name puns on the word "wait") stands as a rebus for the word "expect [someone to come]."

78 It is difficult to tell whether the judge is referring to a specific priest and tale, or more generally, "like a priest in an old tale." There are no obvious connections between Chisen's poem and something from an existing old story, but a poem (*Shinkokinshū* #262) by the priest Saigyō (1118-1190), which became the basis for the Nō play *Yūgyō Yanagi*, expresses a similar sentiment: "By the roadside / where clear waters flow, / in the shade of a willow tree / I thought I might stop / just for a while, but lingered..." (*Michi no be ni / shimizu nagaruru / yanagikage / shibashi tote koso / tachidomaritsure.*) It is also unclear why the judge says "considering the poet [Chisen]...." We know little about Chisen other than that he was a physician, and perhaps the judge's comments comes from the fact that physicians generally shaved their heads, thus resembling monks.

Round 10 (See pp. 42-43 for images.)

Left: Toyoaki[79]

Bell crickets trilling,	Suzumushi no
gather near the eaves	nakiyoru noki no
hung with aging blinds.	furusudare
Though a thousand nights may pass,	chiyo wo furu tomo
will I ever tire of their song?	koe akame yamo

Right: Kagemasa[80]

With pine crickets' tearful cries,	Matsumushi no
even the moon reflected	naku ne tsuyukeki
on the surface of	niwa no omo ni
the dew-drenched garden	tsuki mo aware ya
takes on greater sadness.	soete miyuramu

[Judgments:]

The Left arrangement plays off of the lines in the "Bell Cricket" chapter of *the Tale of Genji*: "the Empress purposely sent people off onto distant moors to find and catch [pine crickets] and then release them in her garden."[81] They have constructed an insect cage in the shape of a rolled-up blind and added various autumn flowers and grasses. The Right team has formed a lute (*biwa*), fastened onto it a

79 See "List of Participants," L-10.

80 See "List of Participants," R-10.

81 See Seidensticker, p. 672. While Genji and the Third Princess are admiring the bell crickets in her garden, he tells of how Akikonomu preferred the pine cricket, even sending people out to catch them.

gauze "plectrum guard"[82] onto which they have painted an autumn moor scene, and have placed the pine cricket therein. This makes reference to the passage in the "Flute" chapter of *The Tale of Genji* in which Yūgiri plays the tune "Sōfuren" on a lute and the Second Princess's mother recites: "... they are unchanged from autumn's past, these songs of the crickets."[83] The arrangement is very striking and auspicious, so one declares it the winner.

In the Left the flow of diction in the lines "aging blinds / though a thousand nights may pass" is readily comprehensible, and in an intensely compelling way the spirit and words of the poem truly capture the essence of this world where time moves ever on. In the esteemed Right poem, too, the phrase "even the moon ... takes on greater sadness" is well put together and affecting, and it is hard to choose between the two poems. However, the Right poem is our host's composition; moreover, in the Left poem the hum of insects can be heard throughout the composition from start to finish, so the various participants were urged not to shift the Win over to the guest [Toyoaki].

---

82 Called *bachimen* in Japanese, this refers to a strip of leather placed across the body of a lute near the strings to prevent excessive wear from the back-and-forth movement of the plectrum. Here, as the lute is decorative, the *bachimen* is made of gauze.

83 See Seidensticker pp. 661-662 for the scene, though the translation here is our own.

Postscript: (See p. 44 for images.)

In Katsushika, where grebes gather by the River Sumida, at an old temple called Mokubo-ji,[84] sometime after the 10th Day of the Eighth Month,[85] a matching contest of arrangements and poetry on the theme of crickets was hosted by Minamoto no Kagemasa. We divided into two teams – Bell Cricket on the Left and Pine Cricket on the Right – and placed the insects on a variety of stands that we felt suited the respective poems. The names of the assorted team members are recorded with the poems they composed, so I will not list them here. The judges were Chikage[86] for the poems and Suetaka[87] for the arrangements. Befitting the season, the day was clear and unbearably hot, but by evening a longed-for breeze blew cool through our sleeves. As the moon shone brightly, unobstructed, we ventured out onto the edge of the veranda and drank saké. In the garden we were entranced by the long-awaited faces of blooming bush clover, while the sounds of the insects humming brightly back and forth had their own charms. Feeling that we would be remiss to let the event pass without comment, we set down the particulars of what occurred on two scrolls.[88] The hope is that what we shared on that occasion might plant the seeds that would grow into "grasses of remembrance," arousing longing for the past long after we were gone.

Recorded in the Second Year of Tenmei (1782), toward the end of the Eighth Month. Minamoto Kageo[89]

---

84 Mokubo-ji is located across the Sumida River and a little north of Asakusa's Sensō-ji in Tokyo. See Introduction for more information.

85 This would be after mid-September in the Gregorian calendar.

86 See "List of Participants," L-3.

87 See "List of Participants," R-1.

88 "Set down" refers to both copying the text of the poems and judgments, and making paintings of the arrangements.

89 See "List of Participants," R-3.

Jūban Mushi-awase
List of Participants by Round

We have listed the participants by Team (Left or Right) and by Round, rather than alphabetically, and have included the Chinese characters for the names (given or pen names) as they appear on the scrolls. Some of the participants in this event are still unidentified beyond the name by which they appear in the contest. Most of this information is derived from the identifications that appear in the Japanese-language annotations in this book. (See pp. 219-226.)

L-1: 利徳 Doi Toshinari (1748–1813). Born in Sendai as the third son of Daimyo Date Munemura (1718–1756), he was adopted out to the Doi clan in Kariya-han in Mikawa Province, where he became the Daimyo of Kariya before he turned twenty. He spent much of his time pursuing the way of tea and other cultural activities in Tokyo, neglecting his duties to his domain, which faced economic problems. In 1782 – the very year of *Jūban Mushi-awase* – his constituents filed a formal complaint with the government about his behavior. In the end, he was forced to retire in 1787 (Tenmei 7).

R-1: 季鷹 Kamo no Suetaka (1754–1841). Born in Kyoto, he studied waka under the auspices of Prince Arisugawa Orihito (1753–1820). He moved to Edo at the age of 19 at the behest of Kageo (see below), and participated in poetry activities with him and the poet Chikage (see below). Suetaka judged the poems in the *Jūban Mushi-awase*.

L-2: 桃樹 Yoshida Momoki (1737–1802). Of the samurai class, Momoki served as a *yoriki* (assistant) under the Magistrate of the Northern District of Edo. In addition to being a waka poet, he was also a Confucian scholar, as well as a disciple of renowned *kokugakusha* Kamo no Mabuchi (1697–1769).

R-2: 元貞 Motosada. Family name, dates, and profession unknown, but his name appears in several literary events sponsored by Kageo (see below) during this period.

L-3: 千蔭 Katō Chikage (1736–1808). Chikage was a talented calligrapher and influential poet of the Edo-ha school along with Murata Harumi (1746–1811). He befriended Suetaka (see above), and studied under Kamo no Mabuchi from 1744 (Kanpō 4) until the latter's death in 1769. Like Yoshida Momoki (see above), he served as a *yoriki* (assistant) under the Magistrate of the Northern District of Edo. He judged the arrangements for the *Jūban Mushi-awase*.

R-3: 景雄 Minamoto Kageo (1727–1812). Also known as Mishima Jikan (三島自寛), he was a *kokugaku* scholar in the line of Kamo no Mabuchi. His family provided kimono for the Tokugawa house. Like Suetaka, he was from Kyoto and originally studied waka under Prince Arisugawa Orihito. He calligraphed the entire text, including the Postscript, for the Lane Collection copy of the *Jūban Mushi-awase*.

L-4: 忠順 Uno (?) Chūjun. Details are uncertain, but he was a shogunal bodyguard (*kinjuban*) and participated in at least one other poetry event with this group.

R-4: 元著 Nagata San'emon Gencho. He was direct retainer of the Shogun (*hatamoto*), but other details are unknown. He also participated in another poetry event with this group.

L-5: 総幸 Ōyama Fusayuki. Dates and details unknown. Served as a patrol officer (*dōshin*) under the Magistrate of the Northern District of Edo, and also participated in one other literary event around this time.

R-5: 芳充 Yoshimitsu. Biographical details unknown.

L-6: 房子 Fusako. She was apparently Suetaka's daughter. Biographical details unknown. She belonged to the Gikantei Poetry Club (*Gikantei Utakai*) associated with Suetaka.

R-6: 八十子 Yasoko. Perhaps the daughter of a samurai family. Biographical details unknown. She also belonged to the Gikantei Poetry Club (*Gikantei Utakai*) associated with Suetaka.

L-7: 芳章 Tanaka (?) Yoshiaki. A swordsmith. Otherwise, identity unknown.

R-7: 正長 Nara (?) Masanaga. A swordsmith. Otherwise, identity unknown.

L-8: 真恒 Masatsune. Biographical details unknown. His name appears in one other literary event in this period.

R-8: 有之 Ariyuki. Takeda Shun'an (Ariyuki was his pen name). A physician. Otherwise, identity unknown.

L-9: 知宣 Chisen. Details uncertain, but perhaps a physician for the Bakufu. He also participated in other literary events organized by Suetaka.

R-9: 躬弦 Yasuda Mitsuru (1763–1816). Mitsuru was a physician for the Matsudaira clan and part of the Edo-ha poetry school, active with Suetaka and Chikage.

L-10: 豊秋 Ōe Toyoaki. Biographical details unknown. He belonged to the Gikantei Poetry Club (*Gikantei Utakai*) associated with Suetaka and was particularly active in literary events organized by Suataka during this period.

R-10: 蔭政 Kawamura Kagemasa. A direct retainer of the Shogun (*hatamoto*). Otherwise, biographical details are unknown. He was the sponsor (*shusaisha*) for this event.

Calligrapher and Postscript: Minamoto Kageo (源景雄). See Round 3, Right.

The Appeal of the *Jūban Mushi-awase*, a Condensed Version of Classical Knowledge

Morita Teiko

1. The Popularity of *Mushi Kiki* in Edo and *Jūban Mushi-awase*

In this work, the *Jūban Mushi Awase* held by the Sumida River at the Mokubo temple in the Eighth Month of the Second Year of Tenmei (1782) is highlighted. This event involved participants creating a world based on classical texts alongside the Sumida River, where they competed in creating an aristocratic and nostalgic atmosphere by having bell crickets and pine crickets sing while composing waka poems. In Kyoto, there was a tradition of aristocrats collecting insects outdoors, putting them in cages, and presenting them to the imperial court as a playful activity known as *mushi erami*, which dated back to the reign of Emperor Horikawa. In Edo during this period, there was a trend of *mushi kiki*, where insect sellers roamed the streets with cages containing bell crickets and pine crickets, and people would bring cushions and saké to scenic spots in the autumn evening to enjoy the sounds of these insects.

Amidst this insect craze, and apart from the above-mentioned Mokubo-ji poets, a group of *kyōka* (狂歌) authors held a *mushi kiki* event along the Sumida River embankment on the 14th day of the Eighth Month. Following the theme of Kinoshita Chōshōshi's *Shochū Uta-awase*, they composed *kyōka* poems expressing love by associating their emotions with insects. Although their event was published as *Ehon Mushi Erami*, (literally, "Illustrated Book of Selected Insects") edited by Kitagawa Utamaro and Yadoya no Meshimori (Ishikawa Masamochi) in two volumes in 1788, it was in fact a multi-color woodblock print book depicting insects with seasonal flowers and adopting the form of a *kyōka* poetry contest on insect-related themes. While this *mushi kiki* event had been held sometime before Tenmei 6 (1786), as noted by Kikuchi Yōsuke in *Utamaro*: 'Ehon Mushi Erami,' 'Momochidori Kyōka-awase,' 'Shiohi no tsuto' (Kodansha Selection, 2018), it may have been influenced by the elegant event *Jūban Mushi-awase* held earlier by the Kageo group

in 1782, and the recording of this event in the color illustrated scrolls *Jūban Mushi-awase Emaki*.

Thus, this book unfolds the story of the *Jūban Mushi-awase*, which may have influenced the popular culture scene in Edo at the time.

2. *Jūban Mushi-awase* and Its Overview Based on the Heian Period Classics

According to the postscript by Mishima Kageo, the *Jūban Mushi-awase* event took place after the 10th day of the Eighth Month in the second year of Tenmei (1782) along the Sumida River at Mokubo-ji. The organizer was *fudai* vassal Gen (Kawamura) Kagemasa. There were twenty participants, two assigned to each round, including daimyo, *hatamoto*, shogunate-approved merchants, doctors, and male and female poets, regardless of social status (refer to the "List of Participants" in this book). Originally from Kyoto, Mishima Kageo, a shogunate-approved kimono merchant, entered the service of Prince Arisugawa Yorihito in the Seventh Month of the Eighth Year of Hōei (1758) (Archives of the Imperial Household Agency Shoryōbu, *Roster of Students of Prince Arisugawa Yorihito* [Kan'en 2 - Meiwa 6]). Serving as the Prince's "poetry representative" in the Kantō region, he played a central role in organizing poets affiliated with Prince Arisugawa in Edo while being a central figure in the revival of *mono-awase* competitions. He participated in the *Ōgi-awase* (Fan Contest) in 1779, the *Nochinotabi Ōgi-awase* (Later Fan Contest) in 1781, the *Senzai-awase* (Contest of Garden Plants) in 1782, the *Jūban Mushi-awase* in 1782, the *Shunju no Arasoi* (Battle of Spring and Autumn) in 1786, and the *Fumi-awase* (Brush Contest) in 1788, contributing to the revival of poetic competitions. He was also a patron of Suetaka, who had come to Edo in 1772 and served as a judge for poetry. Of the twenty participants in the *Jūban Mushi-awase*, twelve poets attended monthly poetry meetings held at Suetaka's residence, Gikan-Tei, during the First to Seventh years of Tenmei (1781-1787). Additionally, Katō Chikage, the judge for the insect arrangements, was also close to Kageo and Suetaka. Thus, looking at the composition of the participants, the *Jūban Mushi-awase* event was a competition organized around the personal relationship between Suetaka and his patron Kageo, who created the *Jūban Mushi-awase Emaki*, and the event featured guests such as Toshinari Doi, the lord of the Kariya domain in Mikawa Province.

According to Kageo's postscript, despite the scorching heat on that day, the twenty men and women divided into left and right teams. The left team composed waka poems inspired by bell crickets that were placed in arrangements (*suhama*), while the right team did the same with pine crickets placed in arrangements. The main text and illustrations reveal that the arrangements on both sides were gorgeously crafted with the high skills of artisans. On some arrangements, various plants such as plume or pampas grass (*susuki*) and bush clover (*hagi*) were planted, and live bell crickets and pine crickets were made to sing. Given the significant cost and time required to create these arrangements, it can be inferred that the poems were not composed on the spot but were prepared in advance. As the evening approached, a cool breeze blew, and when the light of the autumn moon spread throughout, participants went to the edge of the temple veranda, and while sipping saké, enjoyed the newly bloomed bush clover flowers in the garden and the charming cries of insects.

Now, consider this setting: men and women sitting together, bush clover blooming in the garden, insects singing, and participants attaching poems to arrangements that featured live plants, live bell crickets and pine crickets singing... What could have inspired such an event?

Let us examine the sources of inspiration for each arrangement in the *Jūban Mushi-awase*: (Bold text indicates classical works from the Heian period.)

1 Left: ***Kokin Wakashū*** and ***Genji Monogatari***; Right: **"Ōi River Excursion Waka Preface"**
2 Left: ***Genji Monogatari***; Right: ***Kokin Wakashū***
3 Left: ***Kanenorishū***; Right: ***Kokin Wakashū*** Kana Preface
4 Left: [Inspired by falconry implements]; Right: *Shinsenzai Wakashū*
5 Left: ***Shiika Wakashū*** and *Mumyōshō*; Right: *Asuji-ga-tsuyu*
6 Left: ***Tadamishū***; Right: ***Motosukeshū***
7 Left: ***Genji Monogatari***; Right: ***Kokin Wakashū***
8 Left: *Shūgyoku Wakashū*; Right: ***Shūi Wakashū***
9 Left: ***Wakan Rōeishū***; Right: *Shinkokin Wakashū*
10 Left: ***Genji Monogatari***; Right: ***Genji Monogatari***

From this we can see that many arrangements were created based on classical works from the Heian period. The *Jūban Mushi-awase* event, in its themes and arrangements, drew heavily on classical works from the imperial court. The specific details of each arrangement can be found in the annotations (in Japanese and to some extent in English) for the various rounds in this book.

3. Why the *Jūban Mushi-awase* Was Held at Mokubo-ji

Now, why did those who admired literary works from the Heian court choose Mokubo-ji by the Sumida River as the place to revive old practices by means of the *Jūban Mushi-awase*? The *Sumidagawa Ōrai*, published in the fourth year of Kansei (1792), contains the following entry:

> The Sumida River, known as the foremost attraction in Musashi Province, has been praised by generations of poets. In particular, the excellent poem by the courtier Lord Narihira in *Tales of Ise* (*Ise Monogatari*) is widely known. Now, the Sumida River derived its name from "the river through Suda Mura." Upstream is known as Arakawa. The temple of Umewaka-maru is called Bairyūzan Mokubo-ji. Next to the main hall, a willow tree is planted as a marker, and beneath the willow, there is a small shrine, marking Umewaka's grave. It is an excellent Buddhist memorial. This guidebook considers this area as a foremost place and suggests that you also explore the surrounding area within a mile or two. Should you come to see it, it is northeast of Edo in Musashi Province, by the Sumida River.

The main text of the *Sumida River Ōrai* describes the Sumida River as the prime attraction in Musashi Province, where poets have left excellent poems for generations. It particularly mentions that Narihira, who was long considered the model for the protagonist of *Tales of Ise*, composed a famous poem by the Sumida River: "Capital bird, / if you are true to your name / I have something to ask you: / Is the one I love back home / still there or not?" (*Na ni shi owaba / iza koto towamu / miyakodori / waga omou hito ha / ari ya nashi ya to*). In the latter half of the 18th century, those who aspired to the elegance of the imperial court found the image of the Narihira character standing on the Sumida River bank and longing for Kyoto to be appealing. A century before them, waka poets of the Tōshō school, such as

Konoe Nobutada and Prince Arisugawa Yukihito, had also composed poems longing for the capital (Kyoto) from the banks of the Sumida River (collected in *Murasaki no Hitomoto*), in imitation of Narihira's. Thus Kageo and his colleagues considered the area along the Sumida River – a place associated with longing for the ancient imperial court – to be an ideal location to revive *Mushi-awase.*

Furthermore, the *Sumidagawa Ōrai* (Kansei 4 edition) depicts the "Eight Scenic Views of the Sumida River" seen from Bairyūzan Mokubo-ji. The text mentions a willow tree next to the main hall of Mokubo-ji along the Sumida River, with a mound for Umewaka underneath. The view from Mokubo-ji was considered the best scenic spot along the Sumida River. Considering the description in Kageo's postscript, where he mentions going out to the veranda of Mokubo-ji where the Sumida River is visible, drinking saké while enjoying the autumn moon, the garden's bush clover, and the sounds of insects, it seems that Mokubo-ji, historically known also as a resting place for falconry during the hunting excursions of the Tokugawa shoguns, was an appropriate location for them to revive the long-lost *Mushi-awase* tradition.

4. The Design of *Jūban Mushi-awase* as Seen through its Poetry and Illustrations

From the waka (31-syllable poems) presented in connection with the arrangements, we can extract expressions for different times of day in the first and second volumes. The following are examples:

[First Volume] (First half of the event) → Expressing the time period around sunset and before moonrise
Round 1: Left "Dew," / Right "Cricket awaiting the moon"
Round 2: Left "Evening dew," / Right "The moon not yet risen"
Round 3: Left (no specific time), / Right (no specific time)
Round 4: Left "Evening voice," / Right "Autumn evening"
Round 5: Left (no specific time), / Right, "Evening dew"

[Second Volume] (Second half of the event) → Expressing the time period after moonrise, midnight, and late-night
Round 6: Left "Midnight in autumn,"/ Right (so specific time)

Round 7: Left "Evening dew," / Right "Night deepens as the moon crosses the sky"
Round 8: Left (no specific time), / Right (no specific time)
Round 9: Left (no specific time), / Right (no specific time)
Round 10: Left "a thousand nights pass," / Right "the moon reflected on the dew-drenched garden"

The waka recorded in the first volume (Rounds One through Five) represents the expressions for the time just before sunset when the moon is yet to rise, while the second volume (Rounds Six through Ten) use expressions for the time after the moon has risen, midnight, and the late-night. This suggests that the expressions used in the waka changed to match the progression of the *Mushi-awase* event in real time. Considering that Mokubo-ji, the venue, was historically a well-known scenic spot with a rich history, and the view of the Sumida River from Mokubo-ji changed with each passing moment, it can be presumed that both the arrangements and the waka were prepared in advance, anticipating the changing aspects of the autumn evening, the garden's evening dew, the transitioning moon, and the performances on the event day.

Now, let's examine how the live bell crickets and pine crickets, placed in the arrangements, were expressed in the waka.
Round 1, Left (Toshinari): "crickets trill"
Round 1, Right (Suetaka): "notes of the pine cricket"
Round 2, Left (Momoki): "the trilling of bell crickets"
Round 2, Right (Motosada): "chirping pine cricket"
Round 3, Left: (Chikage): "the bell cricket cries out"
Round 3, Right (Kageo): "cries of the chirping pine crickets"
Round 4, Left (Chūjun): "like a bell... its evening voice rings out"
Round 4, Right (Gencho): "crickets' cries"
Round 5, Left (Sōkō): "bell crickets... singing"
Round 5, Right (Yoshimitsu): "crying... pine cricket"
Round 6, Left (Fusako): "intermingled cries of bell crickets"
Round 6, Right (Yasoko): "voice of the pine cricket"
Round 7, Left (Yoshiaki): "bell crickets' trills"

Round 7, Right (Masanaga): "pine crickets chirp"
Round 8, Left (Masatsune): "trilling songs of crickets"
Round 8, Right (Ariyuki): (no sound words)
Round 9, Left (Chisen): "trilling of bell crickets"
Round 9, Right (Mitsuru): "songs of pine crickets"
Round 10, Left (Toyoaki): "bell crickets trilling"
Round 10, Right (Kagemasa): "pine crickets' tearful cries"

In almost all of the twenty waka from the first through the tenth rounds, expressions like "trilling of the bell cricket" and "chirp of the pine cricket" are included, depicting the scene of the insects making noise. The only exception is the poem on the Right in Round Eight, by Ariyuki: "What a pleasure / it would be to spend / a thousand autumns here. / Today, at last, the crickets / that I've so 'pined' for!" (*Tanoshisa wa / chitose no aki no / koko ni hemu / matsu chō mushi ni / kyō wo machiete*).

In the original poem, there is no verbal expression of the sound or appearance of the pine cricket. This waka in fact received a negative judgment. On the other hand, the commentary for the poem on the Left in Round Ten, for example, says, "in the Left poem the hum of insects can be heard throughout the composition from start to finish, so the various participants were urged not to shift the Win over to the guest [Toyoaki]," suggesting that the accurate representation of the sounds of bell crickets and pine crickets was one of the crucial points in determining the victory or defeat of the waka.

Now, let's take a closer look at the enlarged photos of the live bell cricket from the Left team's arrangement, and live pine cricket from the Right team's arrangement in Round One.

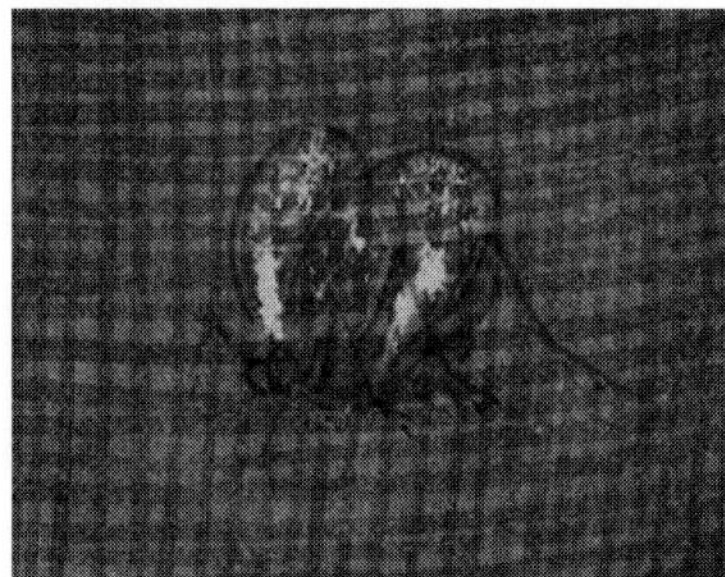
(Figure1) Round One, Left, Bell cricket

(Figure2) Round One, Right, Pine cricket

What we can see in the illustrations are a bell cricket and a pine cricket with spread wings. The depiction accurately reflects the movement of the wings when bell crickets and pine crickets make noise. Thus, in the arrangements presented along with the waka, live bell crickets and pine crickets were indeed making noise at that very moment. The waka had to be composed with the assumption that bell crickets and pine crickets were currently making noise.

Conclusion:

In 1942, Andō Kikuji introduced the Kageo's postscript from the *Jūban Mushi-awase*, and now, eighty-three years later, with the collaboration of many individuals, we are able to share the original photographs, in a critical edition, with transcription, modern language translation, commentary, English translation, and the public exhibit of the *Jūban Mushi-awase Emaki* on the Honolulu Museum of Art's website. In the latter half of the 18th century, people in Edo, inspired by the court culture of Kyoto, creatively reconstructed imperial court literature across time and space. By considering the sensory aspects of vision, hearing, smelling, and the touch of the autumn wind, and delving into the performances on the day of the event, we hope you can appreciate the condensed classical knowledge in the captivating *Jūban Mushi-awase Emaki*.

※ This response includes parts based on the findings of the *Jūban Mushi-awase Emaki* Study Group and Annotation Review Committee. I express my deep gratitude to all participants.

※ In composing this manuscript, I extend heartfelt thanks to HoMA for granting permission to view the scrolls and include photographs in this book. The published photographs of the *Jūban Mushiawase Emaki* held by the Honolulu Museum of Art (photographed by Scott Kubo) are based on the Collection of the Honolulu Museum of Art. Purchase, Richard Lane Collection, 2003 (TD 2011-23-415).

※ This manuscript is an abridged version of the Japanese " 解題 " (Introduction). We encourage scholars who can read Japanese to read the longer version, as well, since it contains more detail.

The Richard Lane Collection at the Honolulu Museum of Art

Minami Kiyoe

Opened in 1972 in Hawai'i, U.S.A. by Anna Rice Cook (1853–1934), daughter of a missionary family, the Honolulu Museum of Art (HoMA) is accredited by the American Alliance of Museums. The collection exceeds 50,000 pieces spanning 5,000 years. Among them, the collection of Japanese art is particularly noteworthy. In 2003, approximately 6,000 titles of Japanese woodblock-printed books, mainly from the Edo period, 3,000 Japanese, Chinese, and Korean paintings, and 850 *shunga* (erotic art) and ukiyo-e collected by Dr. Richard Douglas Lane (1926–2002) were added to HoMA, which now is home to one of the largest Japanese art collections in the United States, both in quality and quantity. *Jūban Mushi-awase Emaki* (picture scrolls of *A Match of Crickets in Ten Rounds of Verse and Image*) is also included in the Lane Collection.

1. Richard Douglas Lane

Richard Lane was a prominent figure in the postwar Japanese art world, a scholar of ukiyo-e, a collector and an art dealer. He was born in Florida in 1926, grew up in Queens, N.Y., and served in the U.S. Marine Corps as a Japanese interpreter during World War II. After the war, he studied Japanese and Chinese at the University of Hawai'i, and then went on to study Asian languages at the University of California, Berkeley, the University of Michigan, and the University of London. He received his M.A. in Japanese Literature from Columbia University in 1949 with a study of Ihara Saikaku (1642–1693). From 1950 to 1952, he studied Japanese literature at the University of Tokyo, Waseda University, and Kyoto University, while interacting with Edogawa Rampo (1894–1965) and Itō Seiu (1882–1961). He taught elementary Japanese language and culture at Columbia University from 1953 to 1954 as Donald Keene's (1922–2019) predecessor. He then received his PhD in classical Japanese literature from Columbia University in 1958. When James A. Michener (1907–1997), Pulitzer Prize-winning author of *Tales of the South Pacific* (1947), donated 5,400 ukiyo-e to HoMA, Lane joined the staff of the museum in

1959 and continued to research and catalog Michener's ukiyo-e collection until 1971. Exchanges between HoMA and Lane continued thereafter. Known for his many excellent academic publications, including *Images from Floating World: The Japanese Print* (1978) and *Hokusai: Life and Work* (1989), Lane was fluent in reading *kuzushi-ji* (characters written in cursive style) and seal scripts on ukiyo-e. With a deep knowledge of classical Japanese art and literature, Lane made many accomplishments as a scholar.

2. The Richard Lane Collection

Lane, who lived in Yamashina, Kyoto in his later years, died of chronic heart disease in 2002 after 76 years of life. He was predeceased by his wife and died without a will or heir. Therefore, HoMA, with whom he had a close relationship, purchased his collection, and it was transferred to Hawai'i. The greatest feature of his collection are Japanese woodblock-printed books from the 17th to 19th centuries, especially rich in illustrated books from the 17th century, such as *Moronobu ehon* (books illustrated by Hishikawa Moronobu [?–1694]). There are also a number of rare *kurohon* and *aohon* (both are illustrated popular fiction published during the Edo period) that only exist in this collection. The diversity of the Lane Collection is reflected in the many categories. For Chinese art, there are Chinese Buddhist and Daoist paintings of the Yuan (1271–1368) and Ming (1368–1644) dynasties as well as Chinese landscape paintings. The collection of Korean art includes a rare Korean painting from the Joseon dynasty (1392–1897) depicting a gathering of scholars. There are also Japanese paintings of the Kanō school in Kyoto, collected under the influence of Lane who spent the later years of his life in Kyoto. In addition, there are Japanese picture scrolls such as *Jūban Mushi-awase Emaki* that show the revival of Heian court culture in Edo period, *shunga*, which have made it possible for HoMA to hold three special exhibitions, and ukiyo-e from the end of the Edo to the Meiji period. The vast Lane collection is still under research, and thus its expanse is not yet known. Under such circumstances, it is very gratifying to see one of the works in the collection spotlighted, and the results of the research introduced to the world in this book. Lane's achievements as a scholar are already internationally recognized, so Lane would have been delighted that the excellence of his collection will be made known to the world .

II

Research Articles, Perspectives

A Study of *Tsukurimono* in the *Jūban Mushi-awase Emaki* from the Standpoint of Art History Research

Kadowaki Mutsumi

The *tsukurimono-zu* (we are using the English word "arrangements" in this book) in these scrolls depict objects displayed on the day of the poetry contest held after the Eighth Month, 10th day of 1782. In other words, is the scrolls are a "record of the depiction of miniature vessels and trees on the *shima-dai* platforms that represent the world of Heian period tales and ancient poems described in the judgments which address the merits of the poems in the contest." To be sure, the depictions in this work are concrete and detailed, and have the aspect of a record of objects. However, it is most interesting to note that these are not mere records, but rather paintings that have been elaborately designed and arranged to be worth seeing. In this paper, I examine each of the paintings together with related works, and describe some of what I have noticed from the standpoint of art historiography, including the background of the inspiration for the shapes of the objects and the information, knowledge, and aesthetic sensibilities shared by the people involved in *Mushi-awase* regarding these objects. I note that I have not seen actual work, only digitized copies of it.

The Genealogy of *Tsukurimono*

It is believed that the practice of displaying *tsukurimono* along with *mono-awase* (lit. "object contest") began in the Heian period (794–1185). Suzuki Jun notes that *mono-awase* contests gradually faded away, although they continued to exist in small numbers, and that it was not until the late Edo period (1603–1867) that a series of *mono-awase*, including *Jūban Mushi-awase*, the subject of this book, were prominently displayed by samurai families and townspeople in the city of Edo. However, other than *Jūban Mushi-awase*, there does not seem to be any other examples depicting *tsukurimono* from that time.

On one hand, since the Early Modern (*kinsei*) period, *tsukurimono* consisting of a scene or doll placed on top of a *shimadai*[1] were commonly used as wedding ornaments. These are known as called "Takasago dolls." However, there were also

cases where *shimadai* were used to decorate banquet halls, not limited to weddings, and one example depicting this was the *Kikujidō* (Chrysanthemum Boy) (Fig. 1, p. 155, Waseda University Library), one of the four seasonal *shimadai* introduced in the Shijō School's cooking instruction manual *Setsuyō Ryōri Taisen* (1714). Also, *Musashi-no no Meigetsu* (Fig. 2, p. 155, Waseda University Library) depicts a *shimadai* with a quail in a field of silver grass in the *Tōgoku Meishōshi* (1762), a geographical journal featuring poetic place names and old poems from all over Japan, written by Torikai Suiga and painted by Tsukioka Settei. For example, the late works of Sumiyoshi Gukei (1631-1705), a Yamato-e artist employed by the Shogunate, include the *Rakuchū Rakugai Zukan* (Scroll of Sights in and around Kyoto; Tokyo National Museum) and *Tohi Zukan* (Scroll of Kyoto City and Countryside; Konbu-in Temple). These scrolls depict shops in the streets of Kyoto that make and sell *shimadai*. In the latter scroll, a craftsman appears to be arranging a Takasago doll on a *shimadai* with his hands, and cranes and other hand-made objects are scattered around his knees. The artifacts in this work under discussion must have been created by such craftsmen.

Examples that Express Admiration for the Culture of the Heian Period

In the Left arrangement in Round 3, the Right Arrangements in Rounds 8 and 9, waka poems are written directly on the *tsukurimono* arrangements. However, some verses of the poems are omitted, and the motifs of the waka poems are suggested by the motifs of the objects. For example, in Left arrangement in Round 3, the words of the poem "As I draw near / thinking to pluck those crusanthemums ..." are embroidered on a thin cloth. However, the word "chrysanthemum" is not actually embroidered, but the painted chrysanthemum itself indicates the word. This is one of the techniques used in medieval and later artworks (paintings and crafts) like the *Funabashi Makie Box* (Tokyo National Museum) by Hon'ami Kōetsu (1558–1637), in which a waka poem is written on the lid of the box, but the word "Funabashi" (pontoon bridge) is not written, but instead a lead plate is used to represent the bridge.

---

1 A *shimadai* is an irregularly-shaped tray with a landscape on it, placed on a stand. It was originally intended to represent the Island of Peng-lai (Japanese, Hōrai) – a land of eternal life – and was thus used on auspicious occasions.

In addition, the Round 3 Right arrangement depicts an insect cage in the form of a booklet of the poetry collection *Kokinshū* and in the Round 5 Right arrangement, the insect cage is in the form of a picture scroll depicting the Lady Naishi, from the story "Asajigatsuyu" in the act of painting something. In other words, Naishi is "depicted in a painting of an insect cage which itself is in the form of a scroll painting," which is an interesting way of showing a meta-artistic approach to the painting.

There are other similar works in which various forms of paintings such as booklets, picture scrolls, folding screens (*byōbu*), and hanging scrolls are depicted on the screen; the pictures painted on them are to be enjoyed as "pictures within pictures." See, for example, *Juttai waka tekagami* (private collection, Fig. 3), which is accompanied by the calligraphy of ten court nobles, including the Shōren-in Priest-Prince Shōrenin Sonshō (1651–94). In Fig. 3 (, p. 156), a picture scroll drawn on silk and cut into its shape is pasted on a paper mount, and the "cord" used for hanging the picture is painted directly on the mount, and a paper weight cut into its shape is pasted on the paper. This type of work, which can be called a kind of "handicraft" (*saikumono*) in that it is a miniature representation of a real object, is an approach that is seen throughout the *Jūban Mushi-awase* scrolls.

The above examples became popular in the early Edo period amid the trend toward the revival of imperial culture centering on Kyoto and the imperial court, and were continued throughout the Edo period. In the mid-to-late Edo period, they began to be performed outside of Edo and the court, as well. These scrolls are a perfect exemplar of that trend.

Relationship with *Eiga Monogatari* (A Tale of Flowering Fortunes)

Of the arrangement for Round 6, Left , the judgment says: "They have constructed a coffer of silver and placed a cricket inside, and made bridge pillars out of fragrant aloeswood." It is based on a poem in the *Motozaneshū* (correctly, the *Tadamishū*) in which half of *shimadai* is the sea and the other half is white sand and pine trees. Interestingly, this arrangement is similar to the one placed in front of Emperor Murakami on the far side of the right panel depicting the "Senzai-awase" scene (Figure 4, p.157) in the painted screens known as *Eiga Monogatari-zu* (Tokyo National Museum), by Tosa Mitsuhiro (1675–1710).

In the *Senzai-awase*, two teams submitted the arrangements that appeared in front of Emperor Murakami: the Left team, headed by the Superintendent of the Office of Palace Painting (*E-dokoro*), and the Right team, headed by the Superintendent of the Office of Palace Works (*Tsukumo-dokoro*). The arrangement on the far side of the screen painting is actually on the right side as viewed by the emperor (the hem of whose robe is just visible in the upper right of Figure 4, p. 157). The text of *Eiga Monogatari* describes the arrangement that sits on the emperor's left (or nearest the viewer of the screen) as follows: "A stream and rocks are all drawn in, hedges are made of silver, and various insects are made to live in them." This is similar to the words used by the judge in the *Jūban Mushi-awase* to describe the Left arrangement in Round 6.

At the same time, the description of the Right poem in Round 6 is based on a poetry contest by court ladies in the reign of Emperor Murakami, which is included in the *Motosukeshū*, so the name of Emperor Murakami also appears in this work.

In other words, the Left arrangement in Round 6 is similar in form to the arrangement that appears on Emperor Murakami's right in the *Eiga Monogatari-zu* screen painting, but the *Jūban Mushi-awase* judge's description of it is closer to how the text of *Eiga Monogatari* (the tale) describes the arrangement on Emperor Murakami's left.

Considering that contests including arrangements (*tsukurimono*) – among them the exemplary *Tentoku Palace Poetry Contest* (*Tentoku Dairi Uta-awase*, 960) that was conducted in the presence of Emperor Murakami – first appeared in the Heian period, it is not surprising that the organizers of the *Mushi-awase* would be aware of *Eiga Monogatari*, and the *Senzai-awase* and poetry contest conducted in the presence of Emperor Murakami. The similarity between the Left arrangement in Round 6 and the *shimadai* depicted in *Eiga Monogatari* makes us think that a repository of old paintings and sketches (*funpon*) may have been referred to in the creation of the Left team's arrangement, or that some information may have been provided by the painters.

The focus on Heian period imperial court culture, which as mentioned above is evident in the arrangements in Round 3, Left, Round 8, Right, and Round 9, Right, must be related to the fact that Mokubo-ji, the setting for the *Mushi-awase*, was associated from its very beginning with Umewakamaru, the son of a court

noble in Kyoto. The temple was also visited by imperial envoys throughout the Edo period, and it was probably because of this that the temple was a place in Edo where the fragrance of courtly culture was particularly strong.

Mokubo-ji Temple and Hawk Hunting

Mokubo-ji was a place associated not only with the Heian court, but also with the Tokugawa Shogunate, as well. Around 1643, the Sumidagawa Goten, a falconry palace of the Tokugawa Shoguns, was built in (or near) the precincts of the temple.

Although the judgment discussions for the paintings in Round 4, Left, and Round 8, Left do not mention the relationship with the shoguns' falconry or the Sumidagawa Goten, the arrangements in those two rounds depict falconry-related objects such as "a brocade feed pouch" and "a falcon tether and a falcon bell" respectively, presumably because of the connection with the shogunal falconry. A feed pouch (*uchigaibukuro*) such as in the painting in Round 4, Left, is usually made of cloth and is tied at both ends. However, a falconry feed pouch is usually made of bamboo to hold live birds that are used as food for falcons, so the brocade pouch depicted here is not suitable for this purpose. Although it may be based on some misunderstanding about the falconry pouch, the reason why the beautifully painted pouch was made here must be because this area was the place for falconry by the Shogun's family. It is likely that the cloud-and-crane pattern depicted here, which is typical of traditional court cloth, reflects the actual item selected specifically for this occasion.

The Shōsōin Pillow and *Buriburi*

In the judgment for the arrangement in Round 4, Right, we find: "The insect cage is in the shape of a pillow. Into the pillow they have sewn a brocade design [of phoenixes] that is associated with Tōdai-ji temple." In fact, the pillow does display the phoenix design known as *Purple-ground Phoenix-shaped Brocade* (see Fig. 5, p. 159) owned by the Shōsōin Repository. However, it is difficult to imagine that the people involved in the *Jūban Mushi-awase* actually saw the Shōsōin collection, so it can be assumed that they referred to the so-called *Genrokuzu*. The *Genrokuzu* was created by order of Priest-Prince Saishin of Kanshuji (1671–1701), the Bettō of Tōdaiji Temple, when the Shōsōin was opened in 1693. A number

of copies of this work were produced up to the Meiji period. For example, the National Diet Library copy of this work (date of production unknown) depicts a large phoenix on an orange background and labels it as "On'ikake (?) (御倚掛)"(see Figure 5), which is similar to the term "Oni'kake pillow" in this judgment remarks. However, since the picture in the *Jūban Mushi-awase* has details, such as the color of the phoenix's crown, that are not found in the National Diet Library version of the *Genrokuzu*, we may assume that the artists for the Mushi-awase were referring to a copy of the *Genrokuzu* that provided more information.

The octagonal shape of the pillow, with strings tied at both ends, is reminiscent of a *buriburi* (a traditional rolling toy associated with New Year's). See, for example, the *surimono* print *Buriburi with Potted Pheasant's Eye Flowers and Plum*, by Kitagawa Tsukimaro (birth and death unknown) (1816, Machida City Museum of Graphic Arts) (Fig. 6, p. 160). The *buriburi* in that print is similar to the one in the *Mushi-awase* screen in that it is likewise mounted on a box made of willow, and the orientation of the *buriburi* is also alike. It is possible that the two works were both informed by the same earlier model.

In addition, many *surimono* prints are still-life paintings. Some depict a *shimadai* decorated with pine trees as a New Year's gift, and many are composed of multiple pieces, all of which are similar to the style of this arrangement in the *Jūban Mushi-awase*. The heyday of *surimono* came in the Bunka Bunsei era, (1804–1830), later than the *Mushi-awase* screens, but it can be argued that this painting in the *Mushi-awase* has something in common with the culture and aesthetic sense of the Kyōkaren group in Edo, which formed the basis of *surimono*.

The Painter

Finally, let us discuss the painter. At first glance, this work can be judged to have been painted by a Yamato-e artist. However, it is difficult to determine the artist's name because there is no signature or seal, and there are no large, clearly drawn figures, trees, or rocks, which are normally a basis for determining the artist's identity, as they tend to reveal the artist's personality. In the Yamato-e world at that time, the Tosa school was led by Tosa Mitsusada (1738–1806), who belonged to a different family, and the Sumiyoshi school, which split off from the Tosa school, was led by Hiroyuki (1755–1811), whose father, Hiromasa (1729–97), founded the Itaya family. Comparing this work with those of these painters, the basic painting

techniques are the same, and there are some similarities in the pine tree branches, etc., suggesting that the painter of this work studied painting under these leaders.

The portrait of Katō Chikage (1807, Tokyo National Museum), one of the organizers of the *Jūban Mushi-awase* and the judge of the arrangements in the contest, was painted by Hasegawa Sadatada (a samurai of the Awa domain) and Watanabe Hiroki (an official painter of the Awa domain). Hiroki had the aforementioned Hiroyuki as his teacher, and Chikage may have had some connection to this line of painters.

Incidentally, the postscript of the contest states that Chikage came up with the idea of creating "record paintings" after the poetry contest: "Feeling that we would be remiss to let the event pass without comment, we set down the particulars of what occurred on two scrolls." However, according to the similarities between this work and the previously mentioned works, it is possible that the organizers referred to the drawings they had collected and that the artist was involved and provided reference materials in the conception of what kind of structure to create.

A similar work, *Mushi Jūban Uta-awase Emaki* (Daitōkyū Kinen Bunko collection), bears the signature of Tanaka Totsugen (1767–1823), a student of the aforementioned Mitsusada. Suzuki Jun points out that there is no evidence that Totsugen ever went to Edo, and that he was 16 years old at the time of the work, thus too young to have produced it. However, since Morita Teiko has shown that the Lane Collection scrolls predate the Daitōkyū version, it is possible that the pictures in *Mushi Jūban Uta-awase Emaki* were produced at a later date, and since it is possible to copy pictures without going to Edo, the possibility that the Daitōkyū version is in Totsugen's hand seems worth examining. However, as I have not seen the actual work myself, I would like to refrain from further comment.

As described above, by observing this work as a painting and comparing it with related works, we can grasp the rationale and ingenuity behind its form, as well as the knowledge and tastes of the people involved, that cannot be understood from the written texts alone. This work is a truly interesting example of the elegant and stylish activities of the cultural figures of the Edo period.

Mono-awase and *Uta-awase*

Katō Yumie

Introduction

Jūban Mushi-awase Emaki (henceforth, "*Jūban Mushi-awase*") is a type of *mono-awase*. *Mono-awase* is a game in which designated objects are divided into left and right teams and are matched against each other to compete over which is superior. Given how simple the act of competing over the superiority of things is, pinpointing the origins of *mono-awase* is difficult; however, this became a popular pastime in aristocratic society during the Heian period.

The basic format of *mono-awase* included a judge (*hanja)* who used the words "win" (*kachi*), "loss" (*make*), or "tie" (*ji*), which signified a draw, in their decisions. The reasoning for the *judge*'s decision was called a judgment (*hanji*). Additionally, the members of each team were called *kataudo* (participants). Officials included not only the judge but also the *kataudo no tō*, who was in charge of the progress of both the *hidarikata* ("left team") and *migikata* ("right team"); the *nennin*, who provided support and took care of people; and the *kazusashi*, who was in charge of recording the matches. Therefore, the *mono-awase* of the aristocratic society during the Heian period was established as a ceremonial activity due to the influence of other formal activities where left and right sides are similarly established to compete for superiority.

As stated in *Makura no Sōshi*, "How can one not be happy when winning in *mono-awase* or some other match?" (Passage 258). *Mono-awase* was practiced mainly in the court aristocratic society during the Heian period and gradually spread to later generations. It was of various types, including *kai-awase*, *uta-awase*, *e-awase*, *monogatari-awase*, and *ne-awase*, and *mono-awase* is known to have been conducted in various fields, such as plants, animals, literature, stationery, and utensils. There were some competitions in which a *waka* poem and a *bundai* ("writing stand") which was decorated with an object or scene (called a *suhama*) connected to that poem, were presented, and the poem would be sometimes judged along with the object. Then, from the late Heian period onward, when *uta-awase* flourished, *waka* poetry was given more weight, and the *mono-awase* increasingly became a literary

game. *Uta-awase* is also a type of *mono-awase*; however, records of *mono-awase* began later than those of *uta-awase*, and *uta-awase* was also the most prevalent type of *mono-awase*.

In the *Jūban Mushi-awase*, the reason why the judgments included a *mushihan* ("insect judge"), who judged insects, and a *utahan* ("poetry judge"), who judged the *waka* poems that were presented, and why arrangements (*suhama*) were also featured is related to these changes in the *mono-awase* and the flourishing of the *uta-awase*. Therefore, it can be said that the history of the *mono-awase* and *uta-awase* was deeply connected to the *Jūban Mushi-awase*. The relationship between the restoration of *mono-awase* in the eighteenth century and the creation of *Jūban Mushi-awase* is detailed in Morita Teiko's commentary included in this book. Therefore, this column seeks to understand the background behind the *Jūban Mushi-awase* by summarizing the history of *uta-awase* while paying attention to the changes in the *mono-awase*.

1. *Uta-awase* style and period classification

Like other *mono-awase*, *uta-awase* was an event in which people were divided into two groups, *hidarikata* (left team) and *migikata* (right team), and competed by pairing one *waka* poem at a time. The *uta-awase* could be held in various ways. In some cases, the host and participants actually gathered and read aloud *waka* poems in what was called *hikō*, after which they shared mutual criticism, and the judge arbitrated the superiority of the poems. However, in other cases, such as the *Roppyakuban Uta-awase*, only the *hikō* was conducted; the *waka* poems were sent to the judge to have them write down their judgments, which were then read out loud publicly at a later date. In the *Sengohyakuban Uta-awase*, the *waka* poems were paired without a public *hikō* reading, or sometimes, the judgment was also recorded with the poem and submitted to the host. In another format called *jika-awase*, only one's own *waka* poems were paired.

When people actually gathered to conduct an *uta-awase*, each poet (called *utayomi*) would compose their poem, which would be intoned aloud by a person known as a *kōji*, and after all the poems from both teams had been intoned out loud, the participants would critique each other's poems. In some cases, judgments were made by consensus of the left and right participants, which was called a *shūgihan* (group judgment). However, in cases where the match was highly competitive, a

judge would be appointed to determine the winner. Initially, this began as a recreational event for the Heian aristocracy, and the host at the time was most often the emperor; however, it soon began to be hosted by senior aristocrats as well. Afterward, *uta-awase* hosted by poets, wives, and monks were gradually held. The event is said to have flourished from the Heian period to the early Kamakura period, with over 400 *uta-awase* held during the Heian period alone.

Uta-awase, which were held for over a thousand years from the Heian period to the Meiji period, are said to be among the most important events in the history of *waka* poetry, second only to *chokusenshū* (imperially commissioned anthologies). Hagitani Boku laid the foundation for research on *uta-awase* of the Heian period. However, the various *uta-awase* from the Kamakura period onward have not yet been fully researched, with the publication of *uta-awase* and the spread of transcriptions being outlined only in the early modern period. Thus, it could be said that research on the topic has just begun.

As mentioned above, *uta-awase* styles are various, and even the same *uta-awase* event has different hosting intentions and significance in *waka* poetry history depending on the hosting time and location, status and position of the host and participants, and so on. Next, I summarize representative *uta-awase* and their features for each period. Minegishi Yoshiaki divided the history of *uta-awase* into the three periods of ancient, medieval, and early modern periods, with the ancient being the Heian period, the medieval being the Kamakura and Muromachi period, and the early modern being from the Edo period to the end of the Meiji period. Although this column will roughly follow this period classification, only the Edo period will be covered for the early modern period.

2. *Uta-awase* in the Heian period

The oldest known *uta-awase* is the *Minbukyō no ie Uta-awase* (885–887) hosted by Arihara no Yukihira. *Uta-awase* were encouraged during the reigns of both Emperor Kōkō (reigned 884–887) and Emperor Uda (reigned 887–897) as a means of revitalizing the *waka* poem. As can be seen by the fact that *waka* poems from the *Kanpyō Ontoki Kisainomiya no Uta-awase* (889–893) and *Koresada no Miko no Ie no Uta-awase* (around 893), which were hosted during this period, were included in the *Kokin Wakashū* about 10 years later, these *uta-awase* were conducted before the compilation of the *Kokinshū*.

Afterward, the *uta-awase* as a form of public ceremony rapidly took shape, reaching its first completed form in *Tentoku Yonen no Dairi Uta-awase* (960), which was hosted on a grand scale by Emperor Murakami in the *Seiryōden* hall of the imperial palace. Other *uta-awase* were hosted during the Tentoku period, however, this particular *uta-awase* was so famous that it could be understood even when abbreviated as *Tentoku Uta-awase*, and it also became the standard for *uta-awase* in later generations. The left team and right team participants matched their clothing and accessories' colors with their respective team members, and the participants, who were dressed in dazzling costumes, gathered to create a gorgeous and luxurious space. It was recorded that the *Tentoku Uta-awase* began after three in the afternoon and continued throughout the night, accompanied by drinks and orchestral music. Thus, the *Tentoku Uta-awase* was a party-like event that brought together the essence of the imperial culture. The judge of the *Tentoku Uta-awase* was Fujiwara no Saneyori, and a famous anecdote recalls how he struggled with a judgment due to the excellent quality of both the *waka* poems submitted by Mibu no Tadami and Taira no Kanemori, who appeared in the final 20th round, and because the emperor was humming the poem by Kanemori, Saneyori chose him as the victor. These poems were also reproduced side by side in the later works *Shūi Wakashū* and *Hyakunin Isshu*.

Incidentally, thought the waka specialists like Kanemori and Tadami in the *Tentoku Uta-awase* were all influential poets representative of the era, they only played supporting roles compared to the participants who actually competed with their poems during the *uta-awase*. To illustrate: the *Dairi Uta-awase* was held at the Seiryōden; therefore, it would have been impossible for anyone who was not a *kugyō* (court noble) or *denjyōbito* (courtier) to even participate publicly. In other words, the high-ranking, aristocratic participants far outnumbered the generally lower-ranking "professional" poets. Though the *Tentoku Uta-awase* is an extreme example, the *uta-awase* up until the mid-Heian period had a strong sense of entertainment, and the presence of the specialist *waka* poets was generally not noticeable.

However, in the latter part of the Heian period, when middle-ranking aristocrats who were close to the cloistered government gained political power, the *uta-awase* changed into a literary event centered on poets. Middle-ranking aristocrats as well as monks and *shinkan* (Shinto priests) became prominent hosts, with many *uta-awase* held in poetry circles and among poets. Additionally, unlike in the past, the

participants were always the *waka* authors, the status of the judge improved, famous poets became both authors and judges in the contests, and the *uta-awase* became a place for serious discussions about *waka* poetry. The discussion content was reflected in the written judgments, and some authors wrote down their own views on *waka* poetry as separate poetic treatises (*karonsho*). Therefore, when considering the character and significance of the *uta-awase* from this period onward, the identity of the participating poets, the judge, and the host became an important factor.

Toward the end of the Heian period, the party-like meaning of the *uta-awase*, as exemplified by the *Tentoku Uta-awase*, was gradually lost, with this trend becoming even more pronounced when public order and political conditions became unstable following the civil war that broke out in Kyoto. The number of *waka* poems being paired increased from around this time, and new judgment methods such as *futarihan* (two judges) or *tsuihan* (later judging) were born; however, the space for conducting *uta-awase* as an event was becoming lost. As previously mentioned, an *uta-awase* format involved sending a scroll, on which the paired *waka* poems were written, to the judge who then wrote down their judgments and presented them at a later date. This format, however, was used in the historical circumstances described earlier, which were gradually disappearing.

3. *Uta-awase* in the Kamakura and Muromachi periods

In the Kamakura period, the *uta-awase* flourished in an unprecedented way. Behind this rise was the presence of Emperor Gotoba, who was aiming to restore the prestige of the imperial court. The *uta-awase* that were held were still literary in nature, but their scale gradually grew. A representative *uta-awase* was *Roppyakuban Uta-awase* (1193), which was held by Fujiwara no Yoshitsune. Twelve poets participated, including Fujiwara no Suetsune and Kenshō of the Rokujō house, Fujiwara no Teika and Jakuren, associated with the Mikohidari house, and members of powerful families such as Jien and Nakayama Kanemune. A total of 1,200 *waka* poems, with each of the participating poets composing 100, were arranged in sequence into an *uta-awase*. This *uta-awase* is known for the heated debate between the left and right teams, resulting in a formal protest (*nanchin*). The judge who was in charge, Fujiwara no Shunzei displayed his theories on poetry clearly in his judgment comments (*hanji*). His remark that "it is a regrettable thing that there are poets

who have not read *the Tale of Genji,*" would have a considerable influence on future generations.

Several years later, Retired Emperor Gotoba (Gotoba-in) hosted what was considered the largest *uta-awase* in history: *Sengohyakuban Uta-awase* (1201–1202). At the orders of Gotoba-in, 100 *waka* poems composed by 30 of the most representative poets of their time were paired in an *uta-awase* format, with one each on the left and right as a pair. There were 10 judges, including Gotoba-in, Shunzei, Yoshitsune, Teika, Jien, and Kenshō, with each judging 150 pairs of poems. Their judgment styles were also elaborate, with Yoshitsune writing his as Chinese poem couplets, Gotoba-in using *Oriku* (a kind of puzzle poem), and Jien using *waka*. One outcome of the *Roppyakuban Uta-awase* and *Sengohyakuban Uta-awase* was the the compilation of the *Shinkokin Wakashū*.

In the early Kamakura period, *shūgihan* contests, where judgments were made by a consensus of the left and right team members, became popular, drawing on the poetics espoused by the father and son judges: Fujiwara no Shunzei and Teika. The *Roppyakuban Uta-awase* was lauded as a monumental piece that gave birth to a new style of poetry, and *Sengohyakuban Uta-awase* as a record that showed the aspects of the poetry circle of Gotoba-in, with both *uta-awase* being highly acclaimed from a literary standpoint. It was also a time when various styles of *uta-awase* emerged in rapid succession and became the norm for later generations, with examples including the *jika-awase*, which refers to *waka* poems written by a specific individual; *senka-awase*, which selected and paired excellent poems; *shika-awase*, which paired *waka* poems and Chinese poems; *monogatari-awase*, which paired *waka* poems appearing in stories, as well as other variations.

Incidentally, the early Kamakura period was traditionally regarded as the literary peak of the *uta-awase*, after which there were few contests of note, and the *uta-awase* format became just another literary format. However, in recent years, as research in *uta-awase* in the Muromachi period has progressed, more specific features have emerged, and its evaluation has also begun to change.

Many of the judgments of the *uta-awase* in this period were by consensus (*shūgihan*), and the *uta-awase* became quite popular again from the mid to late Muromachi period, with a restoration of the authority of the judge, centering on Ichijō Kaneyoshi and Asukai Masachika. Additionally, Ogawa Takeo points to the *tsugiuta* as one the variants of the *uta-awase* that emerged during this period.

Tsugiuta was a type of extemporaneous group poetry event that began in the middle of the Kamakura period. It involved preparing *tanzaku* (strips of paper for writing poems) that each had poetry topic (*dai*) already written on it. These are then distributed among the participants by lottery (called *tandai*) or according to poetic ability. The participants would then compose poems consistent with the topic on their respective *tanzaku*, submit them, and intone them out loud.

The submitted *tanzaku* were gathered and arranged in order of the topics as they were posed, and then bound by punching a small hole in the top. In *tsugiuta* events where the topics were assigned by lottery, the various *tanzaku* were collected together, and all the poems transcribed onto a booklet or scroll in an *uta-awase* format in no particular order, in a practice called *ran-awase* (random rounds). Moreover, the *uta-awase* that grew out of a *tsugiuta* session concluded with comments, good and bad, and judgments from the participants, but dispensed with a formal written judgment.

Ogawa also notes that *jika-awase*, which was popular among poets in the Shinkokin era, became popular again during the Sengoku period. Also, in some situations, poetry instructor families, such as the Asukai and Reizei, did not want to write down judgments for *uta-awase*, so matches were decided by the participants' votes.

4. *Uta-awase* during the Edo period

The Edo period was a time when commercial publishing flourished, but the *uta-awase* conducted during this period were overwhelmingly handwritten transcriptions rather than woodblock-printed books. From the Genroku period, *uta-awase* judged by the participants began to be held in Kyoto and Osaka by commoners without official rank, and once various *kokugaku* schools were established, many *uta-awase* were held within these schools. According to Kansaku Ken'ichi, a feature of *uta-awase* in the Edo period was that its purpose was for the study and training of poets within a specific group or association; thus, it was conducted among members of a particular poetry school. Unlike the earlier medieval period, generally no intersection with other schools or associations occurred in the Edo period. Therefore, the *uta-awase* that they held were normally within the school and distributed through transcriptions. However, at times, contemporary *uta-awase* were published. *Kada Arimaro-ke Uta-awase*, which was held in Edo in 1741 with

Kamo no Mabuchi as the *judge*, was published nearly 70 years after the event and is considered to be a pioneer of its kind. Contemporary *uta-awase* then started to be published among the lower classes as an opportunity to learn about the leadership and pedigree of each of the poetry schools.

Meanwhile, the only confirmed *uta-awase* by court nobles during this period was the *Sentō Uta-awase* conducted in 1641 by Gomizunoo-in, and it is also the only case in the Edo period in which an event of court *waka* poetry was published. After that there are no records of *uta-awase* being conducted publicly by the "Tōshō group," as court nobles and courtiers who composed waka came to be called. Court nobles learned about poetry from *uta-awase* that were held during the earlier medieval period, such as the *Roppyakuban Uta-awase*. On the other hand, *uta-awase* in the Edo period were mainly hosted by commoners rather than court aristocrats. Additionally, in the middle of the Edo period, many types of *kyōka-awase* (contests of lighter, often humorous poems) were published, and in this period, *mono-awase* also became popular among *kokugakusha* (Japanese classical scholars), leading up to the *Jūban Mushi-awase*. For more information, please refer to the explanations provided by Morita Teiko included in this book.

Conclusion

As mentioned above, the style and meaning of *uta-awase* and *mono-awase* have changed over time. The act of pairing *waka* poems or objects and competing for superiority sometimes gave rise to intense discussion. Like the *Tentoku Uta-awase,* the *Jūban Mushi-awase* was a party-like *mono-awase*, but it was not enough just to prepare *waka* poems or objects for the competition. As Watanabe Yasuaki has argued, a stage suitable for the competition was needed, and a presence that could serve as a mentally unifying force was essential. What was the space set up for *Jūban Mushi-awase*, and what was the mentally supporting pillar for the hosts and participants? I hope that readers can get a feel for these by taking in the main text and illustrations.

[References]

1. Kojiruien Publication Society, *Koji Ruien–Yūgibu– Yōmaki*, Volume 1, Item "*Mono-awase*". Tokyo: Yoshikawa Kōbunkan, 1972.

2. Matsuo Satoshi, Nagai Kazuko, eds., *Makura no Sōshi, Nihon koten bungaku zenshū*, 16. Tokyo: Shōgakukan, 1997.
3. Minegishi Yoshiaki. *Uta-awase no kenkyū*. Tokyo: Sanseido, 1954 (first edition), Tokyo: Partos Publishing, 1995 (reprint).
4. Hagitani Boku. *Heianchō Uta-awase Taisei–Zōho shintei*. Kyoto: Dōhōsha Printing, 1969 (first edition), 1979 (reprint), 1995 (new and expanded edition).
5. Hashimoto Fumio. *Ōchōwakashi no kenkyū*. Tokyo: Kasama Shoin, 1972.
6. Hagitani Boku. "Uta-awase," in *Sekai Hyakkajiten*. Tokyo: Heibonsha, 1955 (first edition), 2007 (revised edition).
7. Yasui Shigeo. "Uta-awase," in *Waka Bungaku Daijiten*. Chiba: Koten Library, 2014.
8. Watanabe Yasuaki. *Waka to wa nanika*. Tokyo: Iwanami Shinsho, 2009.
9. Nishiki Hitoshi. *Uta-awase wo yomu: kokoromi no waka-ron*. Tokyo: Kachōsha, 2022.
10. Iwatsu Motoo. *Uta-awase no karonshi-teki kenkyū*. Tokyo: Waseda University Press, 1963.
11. Ogawa Takeo. *Bushi wa naze uta o yomu ka: Kamakura shōgun kara sengoku daimyō made*. Tokyo: Kadokawa Gakugei Publishing, 2008.
12. Ogawa Takeo. "Muromachi / Sengoku no buke to uta-awase: Tamekazuhan Uta-awase wo megutte," in Sasaki Takahiro, Satō Michio, Takada Nobutaka, Nakagawa Hiroo, eds., *Koten Bungaku Kenkyū no Taishō to Hōhō*. Tokyo: Kachōsha, 2024.
13. Kansaku Ken'ichi. "Kinsei uta-awase no shomondai," in Yasui Shigeo, ed., *Uta-awase no Honshitsu to tenkai: Chūsei / kinsei kara kindai e*. Kyoto: Hōzōkan, 2024.
14. Katō Yumie. "Shūseki sareru uta-awase: Ozawa Roan to Kashoshūshū," *Bungaku / Gogaku*, Vol. 238, August 2023.

Intellectuals' Pleasures and Considerations: Focusing on Edo at the End of the 18th Century and the Beginning of the 19th Century

Arisawa Tomoyo

Introduction

Around 1782, when the *Jūban Mushi-awase* held at Mokubo-ji, Edo was in the midst of an unprecedented *monogatari* boom. Suzuki Jun[1] points out that "in the latter half of the Edo period, in addition to the trend toward the restoration of imperial culture, there were also cases of *mono-awase* being held mainly by samurai families and townspeople, perhaps influenced by the haikai style of *ku-awase*." These were meetings where like-minded people competed using items based on a theme. He lists six important *mono-awase* events, starting with a "plum contest" (*ume-awase*) in 1765, and including the *Jūban Mushi-awase*, and notes that the popularity of *mono-awase* by *kyōka* poets followed in rapid succession.

While waka poetry is the most important form of elegant culture, *kyōka* poetry is its secular form. *Mono-awase* by *kyōka* poets was a parody of the traditional *mono-awase*, and was an activity that was looked down on, but they shared the common point that it was a place for intellectual games involving nobles.[2]

In this paper, I will focus on the *mono-awase* of *kyōka* poets that flourished in Edo at the end of the 18th century, discuss the similarities and differences with *Jūban Mushi-awase*, and then refer to the historical research meetings that took place in the early 19th century to give my personal view on the nature of intellectual play in the late modern era in the time and space of Edo.

---

1 Suzuki Jun, "*Jūban Mushi-awase* to Edo Tsukurimono Bunka," in *Tachibana Chikage no Kenkyū,* (Perikansha, 2006).

2 For more information on the *Takara-awase-no-kai* and *Kyōbun Takara-awase no Ki,* see *Kyōbun Takara-awase no Ki no Kenkyū* , edited by Nobuhiro Shinji et al, Kyūko Shoin (2000).

1. *Mono-awase* and Parody in Edo at the End of the 18th Century

One of the most famous *mono-awase no kai* held by *kyōka* poets was, for example, the *Takara-awase no kai* held on April 25, 1783, at the restaurant Kawachiya Hanjirō near Ryōgoku Yanagi Bridge in Edo (present-day Tokyo). At this event, *kyōka* poets and writers of *gesaku* books brought in spurious "treasures," and gave each other a *kyōbun* (nonsensical phrase) clue that was a play on the origin of the object, in order to compete with each other for the most ingenius comparisons. In other words, while poking fun with a completely straight face, the participants were performing a parody of the then-fashionable, elegant *mono-awasekai*.

A record of the *Takara-awase no kai* was published as the *Kyōbun Takara-awase no Ki*[3] (published in July of 1857, painted by Kitao Masayoshi and Kitao Masanobu), which records the forms and ideas of the artworks presented at the meeting. The fact that the *Jūban Mushi-awase Emaki* in the Honolulu Museum of Art's collection records the meeting in both pictures and text is common with the *Kyōbun Takara-awase no Ki*, but the fact that it is a picture scroll and the *Kyōbun Takara-awase no Ki* is a printed book is interesting because it shows an awareness of the difference between the courtly and the secular worlds.

One of the "treasures" exhibited at *Takara-awase no kai* was "a hat sewn by a bush warbler" (*uguisu no nuu chō kasa*) [See lower right of Fig. 1 on p. 173 of the Japanese text]. Of course, it is not really a hat sewn by a bush warbler, but rather a tea bowl that has been turned upside down to look like a hat, on top of which is placed a sharp-edged spoon (*sekkai*) that court ladies called a "bush warbler" (*uguisu*), thus creating a "treasure" that could not exist in reality by combining the appearance (hat) and name (bush warbler) to playfully show it off. The expression "a hat sewn by a bush warbler" is based on poems from the *Kokinshū* (905) that liken plum tree blossoms to a hat sewn together by a bush warbler perching in the tree. This kind of play – borrowing a metaphor from classical waka poetry and recreating it using everyday objects – popularizes the classics.

---

3 Images can be viewed at the National Library of Japanese Literature database. Information on books owned by the National Institute of Japanese Literature is as follows.
URL：https://kokusho.nijl.ac.jp/biblio/200014753/1?ln=ja
DOI：https://doi.org/10.20730/200014753

In the Left entry in Round One of the *Jūban Mushi-awase*, there is a similar example: the hat of bush clover (*hagi ga hanagasa*) mentioned in the poem is visually expressed by placing an artificial silver hat next to a spray of bush clover. On the other hand, in the *Kyōbun Takara-awase no Ki*, the complication of relying on the euphemism "bush warbler" for a sharp-edged spoon, which has a completely different form from an actual bush warbler, creates an interesting moment of realization, and it is clear that this was a meeting where the *kyōka* poets were competing over whose conceptions were the most imaginative.

2. Commonalities between the Elegant and Secular *Mono-awase* as Seen in the Participants and Location

Jūban Mushi-awase is an elegant and the *Takara-awase* is a secular *mono-awase*, but if we look at the occasions of each meeting, we can find some commonalities.

According to the *Kyōbun Takara-awase no Ki*, "the hat sewn by the bush warbler" was exhibited together with an entry called "rope made of woman's hair," by Migaru no Orisuke (also known as the *gesaku* writer Santō Kyōden, who also drew the pictures for the *Kyōbun Takara-awase no Ki* under the name Kitao Masanobu). However, "the hat sewn by a bush warbler" was not his own idea, but rather the idea of a person from a high-ranking family associated with *kyōka* artists, and Migaru no Orisuke exhibited it on behalf of that noble person.

As to the identity of this "noble family," the commentary entitled *Kyōbun Takara-awase no Ki no Kenkyū* (A Study of the *Kyōbun Takara-awase no Ki*[4]), mentions Lord Sessen (the second son of Lord Unshū Matsudaira, Nobuchika), Lord Kōchō (Sakai Hōitsu's older brother Tadazane), Lord Toryō (Sakai Hōitsu, under the *kyōka* pen name of Shiriyakenosarundo), and others as possibilities. Their names also appear in *Tanagui-awase*[5] (1784), a collection of illustrations of hand towels drawn by Kyōden.

---

4 Note 2, ibid, *Kyōbun Takara-awase no Ki no Kenkyū*.

5 Images can be viewed at the National Library of Japanese Literature database. Information on books owned by the National Institute of Japanese Literature is as follows.
URL：https://kokusho.nijl.ac.jp/biblio/200008234/1?ln=ja
DOI：https://doi.org/10.20730/200008234

As Hōitsu, who was famous for his paintings, was the second son of Sakai Tadaomochi of the Banshū-Himeji feudal domain, the *kyōka* circles of the Temmei period were also a place for noblemen to play. The fact that noblemen of the daimyo lineage appeared under aliases in the parody *mono-awase* by the *kyōka* poets is something held in common with the *Jūban Mushi-awase*. This indicates that the *mono-awase* culture in Edo functioned as a place where people could temporarily transcend their status and play together.

By the way, *Tanagui-awase* is a collection of works by hand towel designers exhibited at a temple near Shinobazunoike in Ueno in June of 1871, and the designs were reproduced in the book. The hand towel exhibited by the aforementioned Toryō was a design of a hawk for falconry [See Fig. 2, p. 175]. An actual cord is tied from the painted hawk's legs to the dowel from which the towel is hung, as if the dowel is a part of the perch.

This design is a warrior calling card in the same way that the Left arrangement in Round Four of the *Jūban Mushi-awase* has an assortment of falconry implements inspired by the "bell" of the bell cricket, and is indicative of the samurai class. The *Tanagui-awase*, differs in style in various ways that depart from the usual form: the works by the nobles Lord Setsusen, Lord Kachō, and Lord Toryō are displayed at the beginning; the layout of each page is spacious; the hand towels are depicted hanging on a magnificent towel rack, and so on.

It should be noted that even though this literary play is conducted by a mix of aristocrats and townspeople, the subject matter and the manner in which it is expressed suggest that attention was paid to the social backgrounds of the creators.

There is an argument that the *Tanagui-awase* was never actually held, but was a fictitious event that took place only on the pages of a booklet. On the other hand, Kazuo Hanasaki[6] thinks that it was actually held at a temple called Shōkō-in. The basis for this belief is a scene depicted in the *kibyōshi* (comic novel) book *Ateji Katakoto Shinandokoro* (by Sakuragawa Tohō and illustrated by Santō Kyōden,

---

6 Tani Minezō and Hanasaki Kazuo, *Share no Dezain: Santō Kyōden ga Tanagui-awase*, (Iwasaki Bijutsu-sha, 1986).

published in 1786). In a scene from an impromptu writing event (*sekigaki*) held in what is thought to be the famous restaurant "Dondon-an," there is a verse that reads, "Kurotobi-shikibu came here on the occasion of the *Tanagui-awase.*" Based on the location of the Dondon-an, Hanasaki speculates that Shōkō-in may have been the location of the *Tanagui-awase.*

As is also the case with the *Jūban Mushi-awase*, the fact that temples are chosen as the venue for *mono-awase* may be one key to understanding literary get-togethers (*kai*) in Edo.[7]

3. A Meeting of the Society for Archaeological Research in Edo in the Early 19th Century.

The *mono-awasekai*, which flourished at the end of the 18th century, declined under the influence of the Kansei Reforms. But that did not mean that this kind of intellectual activity, bringing together people of different social classes, disappeared completely from the Edo scene. In fact, in the early 19th century, there were many meetings where people brought ancient items such as vessels and antiquities to be discussed and examined. Behind this phenomenon was an archaeological boom influenced by the Kamigata (Kansai) region.

One of the most important of these was the exhibition of old calligraphy works and paintings organized by Sugawara Tōsai, a Kanō school painter in the service of the Akita Domain.

Once a month, starting around October 1806, Tōsai held a meeting at his home to appreciate old paintings and calligraphy. It was not just a meeting to admire rare works. Tōsai would also hide identifying signatures and seals on the works, and the members would write their guesses on a piece of paper and put them in a box, which they would later open to verify the answers.[8]

---

7 The exhibition of paintings and calligraphy organized by Tani Bunchō on February 22, 1794 was also held an Kannō-ji Temple (Robert Campbell, "Kanshō no Nagare: Shogakai Shiseki Sono Ni," *Bungaku*, Vol. 8, No. 3, July, 1997).

8 Kato Eibian, *Waga Koromo*, vol. 2, in Mori Senzō et al, eds., Nihon Shomin Seikatsu Shiryō Shūsei, vol. 15 (San'ichi Shobō, 1971).

The participants included renowned cultural figures such as the painters Tani Bunchō and Watanabe Kazan, the Japanese scholar Yashiro Hirokata, the shogun's advisor Ishikawa Tairō, and the connoisseur Hiyama Tansai. When the paintings and calligraphy were being appreciated, the Japanese and Chinese classical texts were simultaneously consulted, and the ancient paintings and calligraphy were examined by intellectuals in various fields.[9]

Toshiko Tamamushi[10] points out that among the leaders of the ancient painting and calligraphy art appreciation study groups, and appreciation societies of the time, those in the ranks of shogunate vassals, senior officials of feudal lords and lords, and connoisseurs of the merchant class pushed the quality of their analysis of ancient painting and calligraphy to a level where it could be considered scholarly research. Tosai's exhibitions were probably the driving force behind the painting and calligraphy research of the time.

Eshi Seimei Kanji Ruishō[11] is a book in which Tōsai collected biographies of Japanese painters and their calligraphic imprints and seals, and arranged them in traditional Japanese alphabet (*iroha*) order. This book can be inferred to be a compilation of the results of the above-mentioned appreciation meetings, since it contains the names of those who provided materials and information, including participants in Tōsai's exhibition meetings. Together with the books *Bunchō Gadan*, by Bunchō, *Kibō Shōroku* and *Rin-ō Gadan* by Hirokata, all of whom were members of the exhibitions, it becomes clear what kind of old books and paintings were presented at the exhibitions and what kind of books were used as the basis for the discussions.

---

9 Yasuda Atsuo, "Edo Jidai Kōki ni okeru Shoga Tenrankai to Kantei: Tani Bunchō to Sono Shūhen," in Nakamura Toshiharu. ed., Zenkindai ni okeru Tsukanoma no Tenji *Kenkyū*, Report of Research Results, Grant-in-Aid for Scientific Research (B), FY2002-2008, Subject No. 17320029, March 2009; and Arisawa Tomoyo, "Sugawara Tōsai no Koshoga Tenkankai," *Kamigata Bungei Kenkyū*, No. 16, June 2019.

10 Tamamushi Toshiko, "*Koga Bikō* ni Miru Asaoka Okisada no Nihon Kaigakan," Koga Bikō Kenkyūkai, ed., *Genbon no Koga Bigō no Nettowāku*, Shibunkaku Shuppan, 2013.

11 *Eshi Seimei Kanji Ruishō* (画師姓名冠字鈔), The National Diet Library has a 13-volume transcript of the manuscript, and the Century Cultural Foundation of Keio University's Shidobunko Research Institute has three copies of what are believed to be handwritten manuscripts.

One of the draws for the discerning participants was the fascination of the paintings and calligraphy on display, and the discussion that ensued as they sought out sources in Japanese and Chinese books.

The members of the association did not have exactly the same objectives, but rather contributed to or benefited from the association in various capacities according to their own interests and professional needs. On the other hand, it is noteworthy that Bunchō, Hirokata, and Tansai, who seem to have been central to the group, were involved in the compilation of *Shūko Jisshu*, a woodblock-engraving catalog of archaeological and artistic antiquities.

For example, Hirokata, who served as the Bakufu Secretary (*yūhitsu*), borrowed valuable paintings from Zōjōji Temple, which was associated with the Tokugawa family, and brought them to the exhibition.[12] This example illustrates the unique characteristics of an association that has a person with privileged access to temple treasures. In addition, the record of a discussion at the exhibition on the method of making reduced-scale drawings confirms that this was a group of people who were responsible for the project of compiling *Shūko Jisshu* by drawing scaled reductions of old paintings and calligraphy from various regions, and that drawing reductions was a practical method of collecting old paintings and calligraphy for them.[13]

Furthermore, the name of Matsudaira Sadanobu, who led the compilation of the *Shūko Jisshu*, and the name of Satake Yoshikazu, feudal lord of the Akita domain, appear in the *Eshi Seimei Kanji Ruishō*. These records suggest that these exhibitions were not entirely private, but were part of a larger project by Sadanobu to collect antiquities and antiquarian artifacts.

---

12 Arisawa Tomoyo, "Bunka Gonen – Ikoku Jōhō to Shōko; Chi no Dainamizumu," in Suzuki Ken'ichi, ed., *Wagiri no Edo Bunkashi – Kono Ichinen ni Nani ga Okotta ka*, Bensei Shuppan, 2018.

13 Note 9: Arisawa paper.

Conclusion

The "plum contest" mentioned in the introduction to this essay was hosted by Tayasu Munetake at his own residence as a literary event for the heads of the Three Great Tokugawa family (*Gosanke*) members. It is pointed out in Suzuki Jun's *Tachibana Chikage no Kenkyū*, and in this book that subsequent *mono-awase* were also held by people related to the TAYASU family, and that they were based on a high level of interest in and deep knowledge of traditional events of the imperial court and samurai families.

The *mono-awase* associations of *kyōka* poets and associations for the study of ancient calligraphy and paintings from the early 19th century follow in the same vein. Interest in and knowledge of "antiquity" by people with the same interests were loosely connected from the court nobles to the samurai, and from the samurai to the townspeople, and emerged in line with the interests and social position of the organizers and participants of individual meetings, sharing and playing with knowledge.

The fact that exchanges transcending social status took place in such spaces, with both public and private aspects coexisting, may indicate the peculiarity of the time and space of Edo in the late early modern period.

Jūban Mushi-awase and *The Tale of Genji*

Kawarai Yūko

As a researcher of *The Tale of Genji*, the first thing that caught my interest when I read *Jūban Mushi-awase* was the style of the arrangements (*suhama*) in Round Ten. Both the Left and Right teams adapted *The Tale of Genji* in their arrangements. At least, that is what Chikage, who played a role of judge, said. *The Tale of Genji* is very appropriate for the last round of the *Jūban Mushi-awase* because it is representative of Heian period literature, to which the contest stands as a tribute.

Firstly, let's look at the Left and Right arrangements. In the Left team's arrangement, a rolled-up bamboo blind is used as insect cage, and autumnal flowers such as chrysanthemums, bush clover, and Japanese pampas grass are placed next to it. Chikage attributes this to a remark made by Genji in Chapter 38, "Bell Crickets" (*Suzumushi*) of *The Tale of Genji*. This remark was made in the scene where Genji comes into the room where his wife (Onna Sannomiya), who had become a nun after having had an adulterous relationship, is reciting sutras. Autumn crickets are singing in the garden, and the voice of bell crickets is especially beautiful among them. When Genji hears this, he tells her, "Empress Akikonomu (Genji's foster daughter and Empress of the Emperor Reizei) said that the voice of pine crickets was excellent, so she went out of her way to make her servants gather them in fields far away and release them into her garden." This is the source of the Left team's arrangement.

Now, the Left team in the *Jūban Mushi-awase* is the group that creates arrangements focusing on <u>bell crickets</u> and composes waka poems about them. Why on earth was an arrangement created inspired by the episode of Empress Akikonomu praising <u>pine crickets</u> (the topic assigned to the Right team) in the important final round? This is the first question. However, Genji later said, "The voice of the pine crickets released by Empress Akikonomu is no longer heard, so the life span of the pine crickets may be short in spite of its auspicious name. Pine crickets are also reluctant to chirp, so the friendly bell crickets are sweeter," and he goes on to praise bell crickets. In this scene, Genji compares the bell crickets and the pine crickets, and the bell crickets are said to be better, which is indeed a fitting end to *Jūban*

Mushi-awase, in which the bell crickets and pine crickets are pitted against each other. However, if that were the case, Genji's praise of the bell crickets should have been used as the source for his statement.

Moreover, in this scene, the rolled-up bamboo blind that the Left team created for the arrangement does not appear in any part of the scene in *The Tale of Genji*. Why did Chikage mention this particular Genji episode to praise pine crickets? And why did they add a rolled-up bamboo blind that does not appear in that scene in the story?

Let us consider these questions after checking the Right team's arrangement. In the Right team, the lute (*biwa*) is used as the insect cage. The surface of it is covered with a thin cloth depicting maiden flowers and bush clover. Chikage says this was inspired by Chapter 37, "The Flute" (*Yokobue*) of *The Tale of Genji*. "The Flute" depicts the people left behind after the death of a man named Kashiwagi. Kashiwagi was an excellent aristocrat, but he was unable to put aside his love for Onna Sannomiya, had an affair with her, and she gave birth to his son. When Genji found out about this, Kashiwagi ended up dying in agony. The scene in question is when Yūgiri, Genji's son and Kashiwagi's best friend, visits Kashiwagi's wife (Ochiba no Miya) to comfort her. He was asked by Kashiwagi to take care of Ochiba no Miya, but secretly he has feelings for her. He wanted to hear her play the koto, so he played a piece called "Sōfuren" on the lute and asked her to join him.

The Left team created an arrangement based on the lute played by Yūgiri. Interestingly, however, no pine crickets appear anywhere in this scene. "The songs of the crickets" are heard in the garden of Ochiba no Miya's mansion, and her mother, who comes out to answer Yūgiri, composes a waka poem about "the songs of the crickets," but such words can be found here and there in *The Tale of Genji*. At first glance, it seems strange that the Right team, which should commend pine crickets, should create the final arrangement, not from a scene of pine crickets, but from a scene in which autumn crickets are merely singing. If they wanted to adapt from a scene in *The Tale of Genji* in which pine crickets appear, they could have taken, for example, the much-loved parting at Nonomiya (one of the most famous scenes in the work, in which Genji bids farewell to Lady Rokujō who is going to Ise), where pine crickets also play a part in creating a sad, elegant atmosphere.

I thought it was strange and most interesting that both the Left and Right teams would make such a scene choice at the end of *Jūban Mushi-awase*.

It was not easy to find an answer to the mystery of this motif. In fact, I have not yet found a right answer. Although I have not found it, I would like to write down some of my thoughts.

One possibility is that there were different interpretations of *The Tale of Genji* then than there are today. On the Left team, for example, could it be possible that the episode of Empress Akikonomu told in the "Suzumushi" chapter was perceived by the creators of the *Jūban Mushi-awase* to be related to the following episode involving Empress Akikonomu, from "The Typhoon" (*Nowaki*) chapter.

This is the scene where Yūgiri visited Empress Akikonomu on the morning after a tempest. When Yūgiri looked in, he saw Empress Akikonomu's court ladies sitting with the bamboo blind rolled up, and in the garden, little page girls had been sent out with insect cages to fetch dew for their insects. The rolled-up bamboo blind of Empress Akikonomu's room and the insects she seems to have admired are shown as a set. This is a famous scene that is often depicted in paintings, and it is not unnatural that this scene is evoked by Genji's comment. If we take this scene into consideration, too, it becomes somewhat easier to understand the Left team's arrangement, where the rolled-up bamboo blind is used as an insect cage. However, this is only speculation, and there are no descriptions in commentaries of the time that link these two scenes.

Another possibility is that they had a special reason for taking up the character Kashiwagi in *The Tale of Genji* at the end of *Jūban Mushi-awase*. Chikage's point of reference for the Left team's arrangement is the scene in which Onna Sannomiya appears, having taken the tonsure to atone for a secret affair with Kashiwagi. As for the Right team's arrangement, Chikage relates it to Ochiba no Miya, Kashiwagi's widow. In both cases, women who were related to the deceased Kashiwagi appear. Although we do not know the details at all, we can understand the strange choice of scenes to some extent if the participants agreed to end with an episode related to Kashiwagi on both the Left and Right teams, and thus they were compelled to search for scenes related to Kashiwagi.

Or another possibility is that, in fact, the source of these two arrangements was not *The Tale of Genji*. In other words, Chikage just thought so. Chikage's judgement comments in *Jūban Mushi-awase* are difficult to grasp. For example, the Left team's waka poem in the first round:

It is not when rain falls,
but right when crickets trill
that it becomes
a scene to behold –
this canopy of bush clover!

As the source poem for the above waka poem, Chikage points to a waka poem from *Kokin Wakashū*, "You people serving [the lord] / offer him a canopy (*kasa*) / for dew dripping down / under trees on the Miyagi Plain / is thicker than rain." and says that the bell crickets in the arrangement were brought all the way from Miyagino, as is mentioned in the poem. It appears that Chikage had sufficient information about arrangement in advance, since he could not know the "birthplace" of bell crickets without information from the Left team. On the other hand, however, Chikage points out that the source for the Right team's waka poem for Round Six is a headnote from the *Motozane-shū*, but in fact, the *Tadami-shū* is correct. Although we must consider the possibility that this is not a mere factual error, it is still a bit tricky.

Chikage also says that the source of the Right team's arrangement for the First Round is "At one point, waiting for the moon to emerge over the ridge of the mountains, the pine crickets' tones were mistaken for a koto." from the preface of "Ōigawa gyokō waka" (the Imperial Visit to the Ōi River). However, it is clear that the Right team's waka poem for the First Round,

In which autumn was it
that the melody
of a jewel-like koto
first came to be likened
to notes of the pine cricket?

is based on the famous waka poem "The sound of the koto / borne to us / on wind through pines. / From whence did it first come? / Strings or pine needles? (*Koto no ne ni / mine no matsukaze / kayou nari / izure no o yori / shirabe somekemu*)" by Saigū no Nyōgo. If so, this waka would naturally be echoed in the koto depicted in the arrangement, but Chikage does not (perhaps, daringly) take note of it, and

points out only the lines from "Ōigawa gyokō waka" as the basis of the relationship between the pine cricket and the koto.

In this way, Chikage may, intentionally or unintentionally, inaccurately identify the sources of arrangements. This raises the question of whether the arrangements for the Round Ten are really based on *The Tale of Genji* as Chikage says.

I have tried to answer this question, but I am still not sure. Fortunately, *Jūban Mushi-awase* also retains Chikage's commentary on the arrangements and beautiful paintings. It is a miracle for me, as a researcher of Heian literature, that the paintings have even survived, and together with Chikage's easy-to-understand judgement comments, I feel as if I somehow understand. However, I personally felt that the ease of understanding made the complexity of adapting *The Tale of Genji* and a revival of Heian court culture clearer. I think that *Jūban Mushi-awase* has clarified and confronted the problems that have been overlooked due to the incomprehensibility of classical literature in general, through the judgement comments and detailed paintings. We do not know if the Left and Right teams in Round Ten intended to refer to *The Tale of Genji* or not. However, as long as Chikage mentioned *The Tale of Genji* in his judgements, that in itself is an adaptation of *The Tale of Genji*, so I think that accepting his words and considering their meaning may be a clue to understanding the position of *Jūban Mushi-awase* as an event in the "Heian court revival."

Sinitic Elements in the *Jūban Mushi-awase*: From Insect Poetry to Bird-and-Flower Painting

Yamamoto Yoshitaka

Detecting a tinge of sadness in the chirping of insects in the fall or depicting insects as aesthetically pleasing objects inside beautiful paintings are conventional practices found in Sinitic literature and visual art, shared across premodern East Asia among intellectuals well-versed in classical Chinese texts. While the *Jūban Mushi-awase* draws heavily on classical Japanese cultural traditions in its presentation of *waka* poems in cursive script and vivid paintings of *suhama* arrangements, it would be remiss to say those traditions appeared out of nowhere. They grew out of a cultural milieu in which the Sinitic repertoire common to the Sinographic sphere, including poetry on insects and bird-and-flower painting, provided fertile ground for literary and artistic creativity.

1. Insect Poetry in the *Wakan rōeishū*

The *waka* poem and *suhama* arrangement by the Left team in Round 9 of the *Jūban Mushi-awase* both allude to a Sinitic couplet in the *Wakan rōeishū* (A Collection of Japanese and Sinitic Poems to Sing), an early eleventh-century anthology of Japanese *waka* poems and Sinitic poems by Chinese and Japanese poets.[1] This fact bolsters our assumption that the participants of the match must have been intimately familiar with this oft-consulted anthology, whose "autumn" section contains poems grouped under the topic of "insects." The first poem is a five-character Sinitic quatrain by Bai Juyi (772–846), a Middle-Tang Chinese poet cherished by Heian-period Japanese courtiers:

> Chattering, chattering beneath the darkened window,
> droning, droning deep within the grass—

1 See the notes to the English translation in the present volume.

on autumn days, grieving women's hearts,
through rainy nights, saddening the ears of men![2]

The sounds of autumnal insects murmuring in the grass reverberate in the hearts of women longing for their itinerant husbands (as per poetic convention in Tang China) and in the ears of men living a quiet, reclusive existence. The first two characters in each of the first two lines are onomatopoeias imitating those insect sounds: *qieqie* and *yaoyao* if vocalized in modern Chinese, *setsusetsu* and *yōyō* when read in Japanese. Sinitic poetry featuring insect trills likely provided a foundation on which the trope, so prevalent in classical Japanese poetry and prose, of the forlorn lover surrounded by insect cries could firmly establish itself in the Japanese literary tradition.

2. Insect Poetry in the *Shijing*

It turns out that the poem by Bai Juyi quoted above is based on an even older Sinitic poem. Bai Juyi directly borrowed the onomatopoeia in the second line of his poem–*yaoyao* in Chinese and *yōyō* in Japanese vocalization–from a poem in the canonical *Shijing* (Classic of Poetry), the oldest surviving collection of Sinitic poetry dating from the eleventh to seventh centuries BCE. Its first four lines read:

Yaou-yaou went the grass-insects,
And the hoppers sprang about.
While I do not see my lord,
My sorrowful heart is agitated.[3]

According to the commentaries by Mao Heng (fl. second or third century BCE) and Zheng Xuan (fl. second century CE), *yaoyao* represents the sounds of insects humming in the grass as if to call out to one another in the manner of a man

---

2 J. Thomas Rimer and Jonathan Chaves, trans. *Japanese and Chinese Poems to Sing: The Wakan rōeishū*. New York: Columbia University Press, 2017. p. 104.

3 James Legge, trans. *The Chinese Classics*, Vol. IV – Part I. *The She King, or the Book of Poetry*. Hong Kong: Lane, Crawford & Co., 1871. Bk. II, Ode III. p. 23.

and a woman desiring each other's company.[4] Mao and Zheng also note that the "lord" in the third line refers to a minister or senior official, and that the poem as a whole expresses his soon-to-be wife's feelings of anxiety about not being able to see him during her premarital journey from her parents' house to his. Bai Juyi's composition recreates this ancient poetic image.

A later commentary by Zhu Xi (1130–1200), often consulted by Edo-period Japanese literati, offers a slightly different reading. Zhu suggests that the speaker of the poem may be a woman whose husband has been long gone while traveling on duty in a distant land.[5] Zhu's interpretation resonates with the well-established trope, in classical Japanese literature, of the pine cricket that sings as though to yearn for an absent lover.

3. Insects in Bird-and-Flower Painting

A vast array of flora and fauna appear in the *Shijing*. In fact, Confucius once pointed out that a good reason for studying the poems therein was so that "we become largely acquainted with the names of birds, beasts, and plants."[6] Illustrated guides, published in Edo-period Japan, to plants and creatures populating the poems in the *Shijing* provide visual representations of the "grass-insects," identifying them as locusts or grasshoppers.[7] The rather lifeless, monochrome illustrations in such study guides seem, however, to have little in common with the brightly colored paintings in the *Jūban Mushi-awase*. The latter displays a much closer affinity to bird-and-flower paintings.

---

4 An early moveable-type edition (*kokatsuji-ban*) of the *Maoshi*, reprinted in seventeenth-century Japan, contains these commentaries. Digital images of a copy held by the Kyoto University Library are available on NIJL's Union Catalogue Database of Japanese Texts at https://kokusho.nijl.ac.jp/biblio/100386057/ (images 15 and 16).

5 Vol. 1 of *Shikyō shūden*, published in Japan in 1724.

6 James Legge, trans. *The Chinese Classics*, Vol. I. *Confucian Analects, The Great Learning, and The Doctrine of the Mean*. London: Trübner & Co., 1861. Chapter IX. p. 187.

7 See, for example, *Rikushi chōjū sōmoku chūgyo* (published 1779) and *Mōshi hinbutsu zukō* (published 1785).

The Sinitic genre of "bird-and-flower painting" (*huaniaohua* in Chinese and *kachōga* in Japanese) encompasses depictions of not only birds and flowers, but also insects, fish, animals, and all kinds of plants and trees.[8] Colorful paintings of grass, flowers, and insects, often imbued with auspicious meanings and called "grass-insect paintings" in modern scholarship, were produced in great quantities in Yuan, Ming, and Qing China, and many found their way into Edo-period Japan.[9] The famed painting manual *Jieziyuan huazhuan* (Mustard Seed Garden Manual of Painting), first published in Qing-dynasty China and widely circulated in Edo-period Japan mainly in the form of reprints, contains exquisitely produced polychrome woodblock-printed images depicting live insects alongside flowers in bloom.[10]

The painter(s) of the *Jūban Mushi-awase* scrolls may not have been consciously trying to emulate bird-and-flower paintings in any way. Nonetheless, viewers today may still find it fruitful to examine the *suhama* arrangements and illustrations within the context of, as well as in comparison to, Sinitic bird-and-flower paintings, particularly those featuring insects.

---

8 Imahashi Riko. *Edo no kachōga: hakubutsugaku o meguru bunka to sono hyōshō*. Tokyo: Sukaidoa, 1995. p. 16.

9 Toda Teisuke and Ogawa Hiromitsu, eds. *Chūgoku no kachōga to Nihon*. Tokyo: Gakushū Kenkyūsha, 1983. Figures 63–70 and p. 108. Miyazaki Noriko. *Kachō, sansuiga o yomitoku: Chūgoku kaiga no imi*. Tokyo: Chikuma Shobō, 2018. pp. 226–256.

10 See vols. 3 and 4 of the 1748 Japanese reprinted edition in the Gerhard Pulverer Collection, Freer Gallery of Art, National Museum of Asian Art. Digital images are available at https://pulverer.si.edu/node/1127/title (vols. 3, 4).

The Relationship between the Text of *The Tale of Genji* and Chikage Tachibana in the Early Modern Period

Matsumoto Ōki

In the early modern period, *The Tale of Genji* spread in a variety of forms as its audience expanded to the general public. The text of *The Tale of Genji*, which had previously been available only in manuscript form within a limited circle, became available to a countless number of people with the rise of a publishing culture. The variety of manuscripts was also abundant, with digest editions and colloquial editions appearing in addition to the direct text of the stories. For more information on *The Tale of Genji* as published in the early modern period, see Fukuko Shimizu's *Geni Monogatari Hanpon no Kenkyū* (A Study of woodblock-printed editions of *The Tale of Genji*) (Izumi Shoin, 2003).

The most significant text of *The Tale of Genji* in the early modern period is *Kogetsu-shō* by Kigin Kitamura. Published in 1673, *Kogetsu-shō* was a groundbreaking work in that, although it was a commentary on the tale, it included the entire text of the tale. Until then, commentaries dealing with the main text (*honbun*) itself dealt only with the text, though some simple illustrations might be included. Those commentaries which focused on annotations of *The Tale of Genji* text (*chūshakusho*) only discussed the annotations. These two types of commentary functioned independently of each other. In the case of the annotation-focused commentaries, since they only cited such parts of the original text as were being annotated, it was difficult to grasp the entire story from the annotations, so they sometimes made reference to other outlines or summaries of the text to fill in the gaps. This phenomenon of not including the entire text of the tale in commentaries is thought to be due to the fact that, prior to the Muromachi period, those who sought annotated books probably already had some kind of text in hand and a general understanding of the contents of the tale, so there was no need to include the full text of the tale. In the early modern period, however, people who had never seen the text of *The Tale of Genji* or who did not have basic knowledge of the tale became potential readers, and this led to the appearance of the annotated text, which was *Kogetsu-shō*.

Kogetsu-shō shows the original text in the lower two-thirds of each page,

and the corresponding notes are given as headnotes, while the subject and simple contextual notes are given next to the text. This format makes *The Tale of Genji* extremely easy to read and provides the reader with sufficient knowledge to understand its contents. Because of its convenience and rich content, *Kogetsu-shō* remained the most commonly used text until the early modern era. For example, it is known that Akiko Yosano and Ichiyō Higuchi also used *Kogetsu-shō*. It can be said that the enjoyment of *The Tale of Genji* from the early modern period onward became broader and deeper with the appearance of *Kogetsu-shō*.

Although some of the participants in the *Jūban Mushi-awase* may have been able to refer to historic manuscripts, the majority of the participants most likely enjoyed the story through the published text of *Kogetsu-shō* and other works. The *Kogetsu-shō* must have been of great importance to Chikage Tachibana. The National Diet Library has an edition of *Kogetsu-shō* formerly owned by Chikage, and the fact that it contains Chikage's own marginalia as well as notes reflecting the theories of Kamo no Mabuchi, Chikage's teacher, suggests that their scholarship and literary output developed with *Kogetsu-shō* as a foundation. For more details, see Suzuki Jun's essay "Tachibana Chikage no Wabun to *Genji Monogatari*" in *Tachibana Chikage no Kenkyū* (Perikansha, 2006).

So, it happens that quite a few of the excerpts Chikage copied from the text of *The Tale of Genji* have survived, and they provide some insight into the relationship between Chikage and *The Tale of Genji*. Many of Chikage's excerpts from *The Tale of Genji* were published in the form of calligraphy manuscripts known as *hōjō* (法帖：A copy or facsimile of a predecessor's handwriting or an inscription, etc., used as a model for calligraphy or for appreciation). Chikage's perception of *The Tale of Genji* can be understood through these excerpts. The fact that samples of Chikage's handwriting were highly valued and that excerpts from various classic works were published is reported in detail in "Hagizono Hōjō-ki" by Suzuki Jun (see above). In the case of *The Tale of Genji*, the specific examples include the "Otome" chapter, in Chikage's *Tachibana-no-Chikage Chūshū-jō*, the "Nowaki" chapter, in *Kanaibumi Chūgū-jō*, the "Suma" chapter, in *Sumanokaisashi*, the "Sawarabi" chapter, in *Sawarabi-jō*, and the "Kiritsubo" chapter, in *Konohana-jō*, among others.

If these texts were based on *Kogetsu-shō* mentioned earlier, it is assumed that they would be based on the characteristics of the texts that circulated after the Muromachi period in the Teika-bon lineage (Aobyōshi-bon lineage), as seen from

the history of the text of *The Tale of Genji*. However, when we actually check the differences in the text of the various *hōjō* calligraphy samples we find that they are not necessarily based on the *Kogetsu-shō* and in addition, there are quite a few cases in which the Genji text that we find in the samples does not match any of the texts circulating at the time. Since the purpose and intent of making a copy of an existing manuscript and copying an excerpt from a manuscript in order to create an exemplary calligraphy sample are very different, they may not be suitable for comparative study. It is not difficult to imagine that in the case of the exemplary model, the visual impact of the brush style would have been more important than the accuracy of the text. For that matter, not adhering strictly to the literal text is a quality shared by the *Jūban Mushi-awase Emaki* in question. To put it crudely, it might be said that the details of the text did not matter as long as the general content was understood.

Perhaps it would be best to understand in this same light that fact that among the various classical literary works cited in the *Jūban Mushi-awase*, there is at least one case in which the text cited in the scrolls cannot be found in the surviving manuscripts (though the difference is slight). While we cannot rule out the possibility of intentional alterations or references to a specific manuscript that is no longer extant, it is also quite possible that the *Mushi-awase* participants may have remembered things incorrectly. In cases where it is sufficient to simply present a certain location for a certain work, they may have been satisfied to just leave it at that. This matter requires further study.

The Poetics of Nostalgia: *Kokugaku* and the *Jūban Mushi-awase*

Tanya Barnett

This column examines the relationship between the *Mushi-awase* and the Edo-era literary and philosophical school of thought known as national learning or nativism (*kokugaku*), of which the *Mushi-awase*'s organizers, Chikage and Suetaka, were adherents. Fundamental to this connection between the *Mushi-awase* and the *kokugaku* movement is the art of poetry itself. *Kokugaku* scholars believed that poetry, specifically *waka*, allowed people to recover the pure spirit, language, and earnest nature of the ancient Japanese past, which they argue had been lost due to the powerful influence of Confucianism and Chinese culture.

As Robert Huey points out in his introduction, this criticism of Chinese cultural influence was undergirded by a political critique of the Neo-Confucian didacticism that governed the Tokugawa shogunate's reign and their failure to navigate the myriad natural disasters and social unrest that befell Edo society. As a result, "*kokugaku* scholars viewed Tokugawa society as plagued by a fragmentation of community, and looked to poetry as one means for restoring wholeness and harmony to their world." (Peter Flueckiger, *Cambridge History of Japanese Literature*, p. 479). Poetry was not merely a personal act for one to convey their genuine emotions, but a communal one, wherein those sentiments echo the emotions and communal bonds forged by those in the ancient past. In this way, the *Mushi-awase* gathering might be considered as a microcosm of this tenet. This is reflected in the postscript, which recalls an atmospheric night of comradery and an outpouring of emotion that "might plant the seeds that would grow into 'grasses of remembrance,' arousing longing for the past long after we were gone." Yet, as we can see by Chikage and Suetaka's respective judgments of the poetic merit of the poems themselves and their accompanying arrangements, there were strict guidelines for composing poetry that could access the authentic emotions of the past. For such guidelines, one needed to look no further than the classics: poetic anthologies such as the *Man'yōshū* and the *Kokinshū*, or the Heian period tales (*monogatari*), *Tales of Ise* and *The Tale of Genji*.

Chikage and Suetaka's mentor, Kamo no Mabuchi (1697–1769), who was one of the most influential *kokugaku* scholars, advocated for a return to the simplicity and direct nature of ancient Japanese poetry. As Takano Nami notes, Mabuchi criticized the Edo-era poetry contemporary to his day, as well as the medieval poetry of the *Shinkokinshū*, which he found to be "*iitsume*," both excessive in diction and overly explanatory of the poem's sentiment at the cost of its artistic resonance and emotional impact (Takano, *Kamo no Mabuchi no Kenkyū,* Tokyo: Seikansha, 2016, pp. 21–22). In his treatise, *Reflections on Poetry* (*Ka'ikō*), Mabuchi states "In ancient times, people's hearts were earnest. Their feelings and behavior were simple, thus they did not need many words. When emotion welled up in their hearts, they would put those feelings into words and sing. This was what they called poetry (*uta*)." This straightforward and concise nature of ancient poetry espoused by Mabuchi is evident in Suetaka's judgment of the Round 3 poems (it should be noted that he also composed the left poem, perhaps because of this, he evaluates both poems in this way). Suetaka praises both poems, stating "Each poem is pure in form and direct in expression such that one can easily understand them." Chikage, who judged the arrangements for Round 3, extolls the right's arrangement, for it "aspires to refinement, clearly conveying the essence of the pine cricket without explaining it outright." Tellingly, the right arrangement also alludes to the sense of longing in the *Kokinshū*'s preface, long held as the authoritative manual on the composition of *waka*. In justifying his decision to award a tie in the poetry round, he notes "that in ancient times it was not uncommon to award a 'good tie' in cases like these."

Japanese poetics have long been intertwined with philology, politics, and nostalgia for the past. For *kokugaku* scholars, a poetry event like the *Mushi-awase* is more than a form of entertainment and leisure. Rather, it is connected to a practice that is integral to accessing the essence of "authentic" Japanese identity and community. Locating moments of *kokugaku* influence in the *Mushi-awase* reinforces the profound connections that exist between ideology and aesthetics.

The Nagara Bridge

Robert Huey

In Round Six, the Left painting and poem make subtle but richly layered reference to the Nagara Bridge (*Nagara no hashi*). The name of the bridge invites a pun on the verb *nagaraeru* (to live long; to survive). According to the *Nihon Kōki*, an officially commissioned history completed in 840 (Jōwa 7), a span called the Nagara Bridge was built in 812 (Kōnin 3) in the Province of Tsu, and later records suggest it crossed over one or more of the tributaries of the Yodo River in what is now north-east Osaka. There is even one legend that human sacrifice was made to ensure the project would have the approval of the gods. If true, this adds another layer to the irony of the name "long-lived."

In poetry, the Nagara Bridge was soon linked with things "old" as in this anonymous poem from the early 10th century poetry collection *Kokinshū* (#890): *Yo no naka ni / furinuru mono wa / Tsu no kuni no / Nagara no hashi to / ware to narikeri* (In this world / there are two things that age: / the Nagara Bridge / in the Province of Tsu / and myself.) Thereafter, it also became associated with "times past" (*mukashi*). Sometime in the Tenryaku era (947–957), the poet Fujiwara no Kiyotada (d. 958) composed a poem for a screen painting, no longer extant, that apparently depicted the Nagara Bridge with its pillars almost completely rotted away (*Shūishū* 468): *Ashima yori / miyuru Nagara no / hashibashira / mukashi no ato no / shirube narikeri* (Seen through reeds / pillars of the Nagara Bridge – / signposts pointing to / a distant past.). By the 950s, then, the Nagara Bridge had already more or less disappeared, though the image of its decaying pillars lingered much longer in the literary imaginary. A three-poem sequence in the early 13th century collection *Shin Kokinshū* traces its decay and disappearance. The first, #1594, is by Mibu no Tadamine (fl. 898–920): *Toshi fureba / kuchi koso masare / hashibashira / mukashi-nagara no / na dani kawarade* (As years pass / the decay only increases / on its pillars. / All that remains from the past / is the name.) And the last in the sequence, #1596, by Tokudaiji Sanesada (1139–1192), even the reeds through which Kiyotada had viewed the pillars, are no more: *Kuchinikeru / Nagara no hashi wo / kitemireba / ashi*

no kareha ni / akikaze zo fuku (When I came to see / Nagara Bridge / now supposedly decayed / autumn winds blew / through the dried reeds.)

In Round 6, the Left poem and arrangement revive the image by mentioning "reeds" in the poem, and depicting those reeds as well as the rotting pillars in their arrangement. Furthermore, the judgment obliquely refers to a poem by Mibu no Tadami (c.950s; Tadamine's son) about meeting an old friend, or perhaps lover, in Tamasaka (a place name, it also puns on the meaning "unexpectedly"), which brings all the parts together with its reference to "times past" (*mukashi*): (Unexpectedly, today / we meet again / at Tamasaka. / The bell crickets' trill / sounds just as in times past.)

The Poetry of Things

Francesca Pizarro

The *Jūban Mushi-awase Picture Scrolls* aptly illustrate that Japanese poetry (*waka*) has a material quality. Japanese poetic practice has long had an intimate relationship with things, as evidenced by the folding screens (*byōbu*) and folding fans illustrating poetic places or serving as the surface for the inscription of poetic texts that survive to our present day. Their existence reminds us that even material objects can be poetic – that they can even be valued solely for their poetic merits – and that textuality is not the only prerequisite for engagement with the world of *waka*.

As mentioned elsewhere in this book, the occasion that ultimately produced the *Jūban Mushi-awase Picture Scrolls* was a project in "matching things" (*mono-awase*), particularly of matching the bell cricket and the pine cricket – two insects steeped in Japanese poetic allusion – against each other through the standards of *waka*. To put it in other words, the merit of one insect over the other was judged according to how well a participant could properly embed them within a poetic world. Specifically, since the main players at the event were practitioners of a Heian period revival [see "The Poetics of Nostalgia: *Kokugaku* and the *Jūban Mushi-awase*" by Tanya Barnett in this publication], the criteria for judging both poems and objects reflected the judges' affinity for a poetic time and place shaped by Heian period classics like the *Tales of Ise* and *The Tale of Genji*. All this makes the arrangements constructed for the event and later immortalized in the scroll especially enchanting to me. Here, poetic practice quite literally involves encasing real-life insects within thoughtfully arranged objects, which are then meant to stand in (like text on a page) for the poetic world its makers seek to evoke. The resulting effect of each piece is the manifestation of poetry into material – and even ecological – form!

What we have referred to as "arrangements" in our English translation of the *Mushi-awase* fall under the broad category of *tsukuri mono* (literally "things made") in Japanese [see "A Study of 'Tsukurimono' in *Jūban Mushi-awase Emaki* from the Standpoint of Art History Research" by Kadowaki Mutsumi in this publication]. Moreover, almost all of these fit the more narrow definition of a *suhama*: "a tray or short-legged table, often with a scalloped edge made to resemble the curves

and inlets of a shoreline, on which the topography, flora, and fauna of some imagined utopian space or identifiable "famous place" in the Japanese repertoire of poetic topoi (that is, *utamakura or meisho*) is depicted" (Edward Kamens, Waka and Things, Waka as Things, Yale U Press, 2018, p. 82). Of the total 20 "arrangements" in the 10 rounds, 17 of them are set on raised stands that suggest something of the conventional *suhama* as described above, while three are not set on stands. However, what struck me most about the arrangements in the *Mushi-awase* was that many were miniatures, not of landscapes (real or imagined) but of objects, laid out purposefully on a surface in relation to each other.

We might recognize that many of these objects make clever "enclosures" for the crickets they house, including among them, a book (Round 3, Right arrangement), a picture scroll (Round 5, Right), and a rolled-up blind (Round 10, Left). However, for Chikage, who provided the judgments, and plays the important role of making these poetic objects "legible" to us, they are as richly "intertextual" as the poems themselves since they follow Japanese poetry conventions by making allusions to famous lines of *waka*. Two "arrangements" stand out to me in particular, because they are neither a set of objects nor miniature landscapes, but rather, are stand-alone replicas of single things. The first is the replica of a Heian period carriage (Round 2, Left) and the other is of a Japanese lute or *biwa* (Round 10, Right arrangement). Incidentally, both the carriage and biwa, according to Chikage's "reading" are evocative of poignant scenes from *The Tale of Genji*, which consequently speak to the value of these things as poetry.

While the scroll itself is already a testament to the "thingness" (or material quality) of *waka*, the illustrations of the arrangements and the judgments documented on the scroll itself tell a rich story about the power of poetic discourse to define one's relationship to physical objects. For the participants of this event, the "arrangements" themselves – along with their construction and appreciation of them – seem to have the capacity to manifest a poetic world or experience that is as transportive as the poems they composed.

The Many 'Voices' of Crickets

Hilson Reidpath

The world of Japanese poetics is rich in tropes and symbols that have, through centuries of repetition, acquired such strong associations that in a poem they are not only the immediate object of attention, but are also vehicles to usher forth meaning and connection to hundreds of years of poetic history. Many of these tropes instantly locate the poem temporally – the mention of plum blossoms (*ume*), for example, places the poem in early spring, while a little grebe (*nio*) is most frequently seen swimming about cold waters in poems of winter. The twenty poems of the *Jūban Mushi-awase Picture Scrolls* are no exception, and the two crickets – bell cricket (*suzumushi*) and pine cricket (*matsumushi*) – present in all the poems and arrangements are illustrative representations of this tradition. The postscript of our picture scrolls indicates that the actual meeting for the *uta-awase* took place sometime after the 10th day of the Eighth month, or September 2nd in the Gregorian calendar. Regardless of which calendar hangs on the wall, we know that the *uta-awase* event occurred in the early days of autumn. Thus, it is no coincidence that one of the season's most prominent creatures – the cricket – was chosen to be the central component of the event, as the image of the cricket has traditionally expressed the forlorn loneliness of time's passing so often associated with the season.

There are of course many varieties of cricket in Japan, each with distinct calls and characteristics that allow for nuanced interpretations and intertextual connections with other poems. For example, often found in Japanese poetry is the *kirigirisu*, and while today the *kirigirisu* is translated as 'grasshopper,' as noted in our translation there is a fluidity between modern names for these bugs and their classical counterparts. Regardless of what we call it in English in the 21st century, the *kirigirisu* has a long history in autumnal poems, with examples being found in major poetry collections ranging from the imperial anthologies such as the *Kokin Wakashū* (905) and increasingly in later texts, such as the *Sarumino* (1691), a collection of *renga* (linked verse) from Bashō's school. In fact, so strong had the connection between *kirigirisu* and autumn become by Bashō's time that in the *Sarumino* it is the star of the first of the 36 verses of the section dedicated to the season: "Water

drops from the lye tub / draw to a quiet / crickets cry." (*Akuoke no / shizuku yamikeri / kirigirisu*) [*Sarumino*, Book 5, *hokku* 1]. In this short example we see many of the linked associations between autumn and the cricket being brought forth – their calls heard in idle moments are filled with a hint of sadness and loneliness found in this season of transition. Moreover, this is a scene of stillness and quiet. A cricket's song is easily drowned out by the movement and voices of others, so a poem featuring a cricket will almost always be a scene of hushed solitude and peace.

The insects featured in the *mushi-awase*, however, are not *kirigirisu*, but rather two varieties of 'true' crickets that were also popular in past eras of poetry, particularly during the Heian period, when both the *matsumushi* and *suzumushi* were more prominent than the *kirigirisu*. Thus, not only does the decision to center the contest on these two crickets hint towards the Heian revival discussed in Robert Huey's and Morita Teiko's introductions, but the two crickets also bring their own respective sets of meanings and connotations. For example, depending on context the 'matsu' in *matsumushi* can mean either 'pine (tree)' or 'to wait', and in fact several poems in the *Jūban Mushi-awase* play with both meanings simultaneously. The Right poem in Round 6, for example, presents the insect in its literal form as a pine cricket as well as figuratively as a 'waiting-for-someone cricket' (*hito matsumushi*) whose cries are unrelenting in longing. Whereas the pine cricket has a convenient homonym to facilitate multiple meanings, poems featuring bell crickets often utilize puns on the verb (*furu*), which means not only 'to ring' but also: 'to grow old' and 'to fall (as in rain)', among many other meanings. Thus, while on one level the bell cricket's voice is 'ringing', it also can express the relentless passing of time and the sorrow that this brings with it. This can be clearly seen in the Left poem of Round 2, which employs this wordplay wherein not only are the cries of the bell crickets 'ringing' out but they are simultaneously 'falling' like rain. Traditionally crickets are most abundant, and thus most audible, at the beginning of the season, and thus this poem seems to reflect the slow but persistent progress of the season.

The irony of the crickets' prominence in poetry is that they are almost always heard, and very rarely seen. Despite the many references to the crickets' cries and voices, in reality the noise they produce is made not with their mouth, but rather by the rubbing of their wings together. Crickets have no voice – they are silent singers. And yet it is these imagined voices that constitute both their presence and significance in poems. Looking at the 20 poems presented in our contest, all but

three explicitly mention the 'voice' (*koe*) or 'cry' (*naku*) of a cricket. Two of those three point towards the "sound" (*ne*) of the cricket, and the entire premise of the one poem that does not have any of these words (the Right poem from Round 8) is built on the excitement and anticipation of waiting to hear the call of the pine cricket. Here we see how even in their absence, the ringing voices of crickets have always had a strong resonance in the world of Japanese poetry.

Along the "River of Death": On the Afterimage of the Mokubo-ji in Twentieth-Century Japan

Jonathan Zwicker

"What part of Tokyo is this?"
"It's the outskirts..."
"It must be. It was quite far by car..."[1]

This exchange between an aging couple who have come to Tokyo for the first time to visit their children takes place toward the beginning of Ozu Yausjirō's 1953 masterpiece *Tokyo Story* (*Tōkyō monogatari*). In the script that Ozu wrote with Noda Kōgo, the location of their son's house is described simply as nested in "a landscape east of the Sumida River where small factories are visible."[2] But in the film, we are located much more precisely: the first shot of Tokyo is of the smokestacks of the Senju Thermal Power Station along the eastern bank of the Sumida River on the northern edge of the city; this scene is then followed by an establishing shot of two young women in *monpe* at a small train station. We are at Horikiri Station between Kanegafuchi and Ushida, on a narrow stretch of land located between the Sumida to the west and the Arakawa River to the east, roughly a fifteen-minute walk north from the grounds of the Mokubo-ji.

In the century-and-a-half that followed the *Jūban mushi awase* (1782), this area had been completely transformed from a space of seclusion, a retreat from what was already one of largest cities in the world to one of the various outskirts of the city as it recovered from World War II and entered what would become a sustained period of high economic growth. In Ozu's film, this area is not just "the outskirts" – though it is that too; it is symbolic of a much longer history of the city and its margins, of the industrialization of Tokyo that took place primarily on the city's eastern and northern edges. By the 1950s, the so called "ghost chimneys" of the

---

1 Inoue Kazuo ed., *Ozu Yasujirō zenshū* vol.2 (Tokyo: Shinshokan, 2003), p. 191.

2 Ibid., p. 186.

Senju Thermal Power Station would take on an iconic status in films such as Gosho Heinosuke's 1953 *Where the Chimneys are Seen* (*Entotsu no mieru basho*) and the opening shot of Mizoguchi Kenji's 1956 *Street of Shame* (*Akasen chitai*), locating the viewer not just geographically at the city's "outskirts" but also socially and economically at its margins.

In the decades that followed, high growth would continue to transform this area. In 1965, in the wake of the Tokyo Olympics, the novelist and essayist Yasuoka Shōtarō would suggestively call this stretch of the Sumida as it heads north and begins to curl west "the river of death":

> "The chimneys of paper mills, chemical factories, iron works, and beer factories range one after another and monstrous clanging sounds ring out; one is assaulted by various odors one after another – the smell of burnt metal, the sweetly sour odor of chemicals, timber and grease all mixed with methane gas."[3]

It is easy to see the distance, here, from the world of urbane sociability embodied in the *Jūban Mushi-awase* and described by Minamoto Kageo in his epilogue, men and women seeking refuge from the lingering heat amid the brilliant moonlight, the bush clover at full bloom, and the florid chirping of insects. Indeed, if we return to the scene of Ozu's film, it is hard not to be struck by the contrast: Shūkichi (Ryū Chishū) and Tomi (Higashiyama Chieko) fanning themselves in a cramped room on the second floor of their son's house, the only thing visible through the window the building opposite, the scene punctuated by the sounds of a nearby restaurant and a passing train. The very next shot will linger on a cloudy sky before again turning, again, to smokestacks.

In *Tokyo Story*, if this edge of the city is marked by a landscape of urban sprawl and industrial development, it is, ironically, at the very center of the city where we are introduced to greenery; as Shūkichi and Tomi pass by the Imperial Palace on a sightseeing bus with their daughter-in-law, Noriko (Hara Setsuko), the

---

3 Yasuoka Shōtarō, *Tonegawa/Sumidagawa* (Tokyo: Chūō Kōron Shinsha, 2020), p. 154.

guide notes "The elegant and serene appearance of the beautiful green of the pines reflected in the moat [of the Imperial Palace] is, amidst the bustle of the metropolis of Tokyo, the height of enchantment." Here we are subject to a strange sense of inversion as the green spaces that had once lined the city's edges are transplanted to its center just as those margins at the city's outskirts are increasingly subject to the degradations of postwar development and pollution.

But to understand this inversion as only, or primarily, a product of the postwar is to misunderstand the much longer history of industrialization of the area around the Mokubo-ji and the broader swath of land that forms a semicircle around Tokyo's eastern and northern edges, a landscape to which Ozu would himself turn repeatedly in his films ranging from the silent *An Inn in Tokyo* (*Tōkyō no yado*) (1935) and his first talkie *The Only Son* (*Hitori musuko*) (1936) to his early postwar *A Hen in the Wind* (*Kaze no naka no mendori*) (1948). And we can go further still for the development that marks the area around the Mokubo-ji really begins in the late nineteenth century with the building, in 1889, of a largescale textile mill by the Kanegafuchi Spinning Company just to the north of the temple's precincts. In the decade that followed, the Sumidagawa Freight Yard would be built on the western bank of the Sumida River directly opposite the site of the Mokubo-ji and the industrialist Nishimura Katsuzō would open the Sakuragumi Shoe Factory just to the temple's south.

One of the ironies of this development is that there are very few places in Tokyo that have as clear and as direct connection to Japan's classical literary past as the area around the Mokubo-ji. This is the site, described in *Tales of Ise*, of Ariwara Narihira's crossing of the Sumida, weeping with his companions for their loved ones back in Kyoto as they watch the capital birds from the hull of the ferry; it is also the location of the fifteenth-century nō play *The River Sumida* by Kanze Motomasa about a mother who has come from the west in search of her missing son. For the participants of the *Jūban mushi-awase*, these strands connecting this space back to the world of the classical past, and to the Heian Court in particular, no doubt made the location of the Mokubo-ji especially resonant for their project of reengaging with, perhaps even revivifying, this past embodied in the social practices surrounding poetic composition. A century and a half later, if the traces of that past still lingered in this space it is perhaps as a counterpoint to what, in 1958, the novelist Mastumoto Seichō called "the parched reality of the present," the inevitable

distance that opens between the drab reality of the early years of the second half of the twentieth century and the myriad famous places and poetic landscapes so intimately linked to the geography of Japan's literary past.[4] What interested Mastumoto was both the divergence of present from past and the distance that separated them but also the often-unconscious resonances that are bound, almost ineluctably, to lurk submerged in the landscapes of twentieth-century Japan (subsumed into a grid of points and lines) even if the passerby, lunchbox in hand as he hurries to work, is unaware of the landscape through which he passes.

The poets who gathered at the Mokubo-ji one evening in 1782 were, of course, aware of the meanings of this landscape and of other, more distant landscapes across the islands of Japan some of which they perhaps only knew of through verse. They were participating – consciously, willfully – in a chain of practices which embody a tradition; indeed, it was the very practices that they enacted which held out the promise of extending that tradition even in a new time and a new place. But they were, no less than writers and filmmakers in the twentieth century, keenly aware of their own distance from the world that gave rise to and sustained those practices and, one imagines, likely understood their own world as its own kind of "parched reality" distant from the classical world which they conjured in their minds as they took refuge on the bank of the Sumida River.

---

4 Mastumoto Seichō, *Ten to sen* (Tokyo: Shinchōsha, 1971), p. 22.

Lost and Found in Translation of the *Jūban Mushi-awase* Scrolls

Andre Haag

Myriad perils – as well as pleasures – attend the task of not simply translating into English the 18th century *Jūban Mushi-awase* scrolls discovered in the Honolulu Museum of Art's collection, but bringing their charms back to life for new audiences separated by the Pacific Ocean and a few intervening centuries of modernity. Even to a scholar of modern Japanese literature like myself, the scroll can seem at first like an alien artifact, as it is covered in *kuzushiji* cursive script that the uninitiated cannot decipher let alone read and translate. It is telling that a modern Japanese reader of the text would often require not only a typewritten transcription of the text but also a *gendaigoyaku* Japanese translation rendering its archaic language into contemporary Japanese, which our Japan-based counterparts on the project have produced.

Passing those initial material hurdles, the translator's troubles begin in earnest with the very naming of the insect-theme gathering of dilletantes and daimyo held in 1782: the *mushi-awase*. While the practice of *uta-awase*, in which opposing sides take turns presenting the most fitting verses of traditional Japanese *waka* across a set number of rounds, can be smoothly rendered in English as "poetry contest," a *mushi-awase* is a less straightforward affair. To translate this peculiar *mono-awase* ("matching things" or "object contest") as a "competition of crickets" might suggest that the bugs themselves had entered the fray like battling beetles, whereas the friendly rivalry here recorded acts of creation and creative allusion inspired by the cries of two poetic Japanese insects, the *suzumushi* (bell cricket) and *matsumushi* (pine cricket). One way to render the title would be to avoid translation entirely and simply transliterate the *Jūban Mushi-awase*, but that approach fails to offer any insight into the scrolls' rich and varied contents.

Our translation team's interpretation, *A Match of Crickets in Ten Rounds of Verse and Image*, captures the matching contest inherent in the term *awase*. This naming additionally signals the extremely heterogenous and hybrid "text"of image, verse, and commentary that the participants in that anachronistic diversion at Mokubo-ji temple left behind for us. The two scrolls, after all, present the color

paintings of the *suhama* tray arrangements and miniatures crafted to pose the competing crickets, paired with ten rounds of competing poems, each round punctuated with judges' evaluation of poetic and artistic merits of the Left and Right teams' offerings. While the sumptuous paintings, which one might assume would first draw the eyes of passersby, may not require any active linguistic intervention on the part of the translator, full appreciation of these images is only possible by referencing the paired poems and commentary. On the other hand, the English translation of *waka* poetry has a long history and is not exactly a novel task, and the short judgments on each round are superficially rather straightforward tasks for the translator – although exceedingly economical in their expression. Taken as individual elements, the scrolls are far from untranslatable, but the meaning of this monument to poetic crickets is the greater whole. Accordingly, our team's charge was not merely to translate the discrete components but instead to render meaningful the overarching cultural activity and sensibility of the *Mushi-awase* moment more than 250 years past across multiple – linguistic, cultural, and temporal – borders.

Capturing the totality of the text presented its greatest challenges for this team of translators in dominant modes of expression that often imply much more than is explicitly articulated, and demand the active participation of a specific target audience. Rather than merely mechanically translating the words on the page, a great deal of interpretative explanation is required to ensure the proper appreciation of the *Mushi-awase* among modern readers far removed from the scrolls' artists, poets, and original viewers. The creators may have hoped (as voiced in their postscript) that this record of their cultural activity would sow seeds that would later grow into "grasses of remembrance" (*shinobu no kusa*) enjoyed by later generations, much as their own circle were gazing back nostalgically on the cultural sensibilities of Japan's aristocratic age centuries before, but they could have scarcely imagined that scholars and museum patrons in Hawaiʻi and beyond would someday encounter their work. The participants in the Mokubo-ji gathering were a fairly homogenous group of similar education and tastes, whose primary audience was one another. The hybrid text that they produced, in turn, is marked by implicit expectations that any reader would share the same rich body of cultural knowledge and codes born of a close familiarity with the classical poetic canon and tale (*monogatari*) literature, which was necessary to recognize the allusions woven into each round's *waka* and embedded in the material arrangements alongside the crickets.

The poets, artists, and judges of Round 3, for example, could assume that readers would immediately be able to identify, based solely on the illustration of a carriage and the motif of "overgrown cogon grasses" (*asajiu*) the specific scene from the 11th century *Tale of Genji* (Genji monogatari) evoked, without having to spell the association out in detail. Indeed, *Genji* is never explicitly referenced even in the accompanying written judgment, which, like the other judgments, leaves much unsaid in a way characteristic of *waka* and *waka*-related discourse that value the economical use of words. Yet, this style engenders dilemmas for the translator today, for needless to say, the contemporary viewer of the scroll outside of Japan will not necessarily possess that shared cultural knowledge. More guidance is needed to unlock the subtleties of the original text – but how much intervention is appropriate?

The task of giving cross-cultural access to the *Match of Crickets* goes well beyond translation in the narrow sense, and the *Mushi-awase* scrolls offer opportunities to reflect on the meaning and purpose of translation of this sort. The way we traditionally speak of approaches to translation often leads to a flattening of the activity into polar extremes. At the one pole is "domesticating" translation, which brings the source text and culture closer to the readers; on the other, "foreignizing" approaches to translingual practice, which force readers to move closer to the source text, even at the risk of confronting them with alienating strangeness at every turn. Our translation's imagined audience would be radically different from the group that gathered in 1782, and if our translation could not transport them back in time to that autumn evening, neither did our work aim to domesticate the text to the extent that someone might forget they were encountering an artifact emblematic of a very different moment and sensibility – which hardly would have been possible in any case – and the translation team endeavored to highlight certain characteristics of the source text and its lineages.

Overall, we did not settle definitively on any one approach to rendering this rich, mixed text into English, electing instead to employ a variety of strategies to suit each round. Ultimately, this translation text is the product of a diverse team's communal interpretation and, at times, translation by committee that required carefully cross-referencing the *suhama* illustrations, original scroll manuscript, typed transcription, and contemporary Japanese translation (*gendaigoyaku*). Our team of five translators frequently debated just how much elaboration and background to provide readers, and how to unobtrusively supply what was absolutely needed to

bring to life the pleasures of the *Match of Crickets*. Arthur Waley once opined that "so much is inevitably lost" in the course of translating East Asian literature that "one must give a great deal in return," and we too were painfully aware of how many puns and allusions were slipping through our fingers, of our language's limited ability to capture the varied voices of the crickets that so enchanted the *Mushi-awase* players. It was at times necessary to interpolate matters only hinted at in the original text, and to provide translator notes locating poetic tropes and motifs in the native cultural tradition. At the same time, the minimalist preferences of our team's leading specialist in *waka*, Robert Huey, held us in check, for "every explanatory bit a translator adds is a piece denied the reader's imagination." Our interpretative annotations and elaborations aim to accentuate the pleasure of the poems and images without foreclosing on the possibility that new readers might make new discoveries of their own in this reconstruction of the *Mushi-awase* for a much more diverse international readership ranging from casual HoMA visitors to foreign scholars of Japanese literature.

What *Jūban Mushi-awase Emaki* has Brought to Education in Hawai'i

Minami Kiyoe

"That our children of many nationalities and races, born far from the centers of art, may receive an intimation of their own cultural legacy and wake to the ideals embodied in the arts of their neighbors....that Hawaiians, Americans, Chinese, Japanese, Koreans, Filipinos, Northern Europeans, South Europeans, and all other people living here, contacting through the channel of art those deep intuitions common to all, may perceive a foundation on which a new culture, enriched by all the old strains may be built in these islands."
—Anna Rice Cooke's (1853–1934) dedication statement, which she read at the opening of the Honolulu Academy of Arts (now Honolulu Museum of Art) on April 8, 1927

Since its founding, the Honolulu Museum of Art (HoMA)'s primary purpose has been to serve children and the community through the arts. This remains the museum's primary goal to this day.

In February 2017, we invited researchers from Japan to conduct a seminar on Japanese art in HoMA's collection for graduate students at the University of Hawai'i (UH). At that time, one of the graduate students approached me and remarked that it was difficult to attend conferences held in the mainland U.S. because of the expense of airfare. If they were studying at a mainland university, they could have easy access by car. Thus, students who studied in Hawai'i had no access to further knowledge conveyed at these conferences. When I heard this story, I was reminded of the words of founder Anna Rice Cook, and since then I have continued to wonder if the museum could contribute more to education in Hawai'i through the arts.

In the spring of that year, UH students and their professor, Dr. Robert Huey (now Professor Emeritus at UH), approached me to volunteer at HoMA and work with the students to catalog the Lane Collection. In 2019, when the volunteers were well underway, Huey proposed using *Jūban Mushi-awase Emaki* (picture scrolls

of *A Match of Crickets in Ten Rounds of Verse and Image*) from the Lane Collection in his classes. In May of that year, Huey began a project to transliterate the *kuzushi-ji* (characters written in cursive style) on the picture scrolls, translate them into English, and study their contents with his students. Unlike studying with images of artworks in exhibition catalogs or online, the classes must have been very special for the students who actually worked with the "real artwork" that was created 240 years ago in distant Japan. They received a further bonus. In February 2020, Professor Morita Teiko of Kyoto Sangyō University, who specializes in research on poets of the mid-to-late Edo period such as Katō Chikage (1735–1808) and Kamo no Suetaka (1754–1841), who appear in *Jūban Mushi-awase Emaki*, came to HoMA. I immediately organized a special class by Professor Morita for these UH students. I remember that while viewing the picture scrolls and listening to her lecture on the background of *mono-awase* (poetry matches), *waka* poetry, and the revival of the Heian court culture during the Edo period, I also felt like I was listening to the sound of bell cricket at Mokubo-ji temple on the banks of the Sumida River. I am sure these students must have felt the same way.

The UH project was further developed under the guidance of Professor Morita, Professor Emeritus Iikura Yōichi of Osaka University, and Professor Emeritus Huey, and it was decided to publish the research results of *Jūban Mushi-awase Emaki* as an academic publication in both English and Japanese. During monthly online study groups, students learned from Japanese and U.S. researchers not only about *Jūban Mushi-awase Emaki*, but also about specific research procedures and useful references and databases for their research. Furthermore, students were able to visually confirm the scenes depicted in the *waka* poems through images of ukiyo-e and illustrations in the woodblock-printed books in HoMA's collection.

Jūban Mushi-awase Emaki connected Hawai'i and Japan, as well as students and researchers. This is precisely what founder Anna Rice Cook advocated for in HoMA's mission statement. She would have been pleased with the students' experience and efforts. With the completion of this publication, *The Heian Cultural Revival in Edo: Reading the Jūban Mushi-awase in the Honolulu Museum of Art's Lane Collection*, I would like to make this one of the achievements that these picture scrolls of the Lane Collection have brought to education in Hawai'i. I look forward to seeing how the students grow through this project and how HoMA can further contribute to education in Hawai'i through other artwork in the collection of the Honolulu Museum of Art.

有澤知世　Arisawa Tomoyo

所属｜Institution and Title

神戸大学講師　Senior Lecturer, Kobe University

専門分野｜Area of expertise

日本近世文学　Edo-period Japanese literature

著書・論文｜Publications

「合巻は「せねばならぬせつばし業」か―十九世紀江戸の文化人“岩瀬醒”の営為を考える―」(『日本文学』72、2023年7月)「古画を模す―京伝の草双紙と元禄歌舞伎」(小林ふみ子ほか編『好古趣味の歴史　江戸東京からたどる』文学通信、2020年) など。

瓦井裕子　Kawarai Yūko

所属｜Institution and Title

就実大学准教授　Associate Professor, Shūjitsu University

専門分野｜Area of expertise

日本中古文学　Classical Japanese literature

著書・論文｜Publications

『王朝和歌史の中の源氏物語』(和泉書院　2020年)、「御子左家の『源氏物語』摂取歌と依拠本文」(『和歌文学研究』122、2021年6月) など。

山本嘉孝　Yamamoto Yoshitaka

所属｜Institution and Title

国文学研究資料館准教授　Associate Professor, National Institute of Japanese Literature

専門分野｜Area of expertise

17～19世紀の日本漢文学　Sinitic literature by 17th- to 19th-century Japanese authors

著書・論文｜Publications

『詩文と経世―幕府儒臣の十八世紀』(名古屋大学出版会、2021年)、"Japan and China in Hokusai's *Ehon Kōkyō* (*Illustrated Classic of Filial Piety*)" in Timothy Clark, ed. *Late Hokusai: Society, Thought, Technique, Legacy* (The British Museum Press, 2023) など。

ターニャ・バーネット　Tanya Barnett

所属｜Institution and Title

ハワイ大学マノア校大学院

University of Hawai'i at Mānoa, Ph.D. candidate, Department of East Asian Languages and Literatures

専門分野｜Area of expertise

日本近代文学　Modern Japanese literature

著書・論文｜Publications

"Miyazawa Kenji and the Constellation of National Politics, Regional Recovery, and Literary Legacies in the 2020 Tokyo Olympics," *Review of Japanese Culture and Society* 33, February 2024.

フランチェスカ・ピザーロ　Francesca Pizarro

所属｜Institution and Title

コロラド大学　Colorado College, Assistant Professor, Asian Studies Department

専門分野｜Area of expertise

日本近代文学　Modern Japanese literature

ヒルソン・リードパス　Hilson Reidpath

所属｜Institution and Title

ハワイ大学マノア校大学院

University of Hawaiʻi at Mānoa, Ph.D. candidate, Department of East Asian Languages and Literatures

専門分野｜Area of expertise

Modern Japanese and Okinawan literature

著書・論文｜Publications

"Medoruma Shun: An Okinawan Voice of Unrest" in *Contemporary Japanese Literature* (Critical Insights Series), Salem Press, 2017

ジョナサン・ズウィッカー　Jonathan Zwicker

所属｜Institution and Title

カリフォルニア大学バークレー校准教授　Associate Professor, University of California, Berkeley

専門分野｜Area of expertise

日本近世・近代文学　Early Modern Japanese literature・Modern Japanese literature

著書・論文｜Publications

Practices of the Sentimental Imagination: Melodrama, the Novel, and the National Imaginary in Nineteenth-Century Japan (Harvard, 2006); *Kabuki's Nineteenth Century: Stage and Print in Early Modern Edo* (Oxford, 2023)

アンドレ・ヘーグ　Andre Haag

所属｜Institution and Title

ハワイ大学マノア校助教授

University of Hawaiʻi at Mānoa, Assistant Professor, Department of East Asian Languages and Literatures

専門分野｜Area of expertise

日本近代文学（特に日本の植民地時代に関連した文学）

Modern Japanese literature (especially related to Japan's colonial period)

著書・論文｜Publications

co-editor, *Passing, Posing, Persuasion: Cultural Production and Coloniality in the Japan's East Asian Empire* (University of Hawaii Press, 2023), "Writing Back at Hate: Zainichi Fiction Between Koreaphobia, Koreaphilia, and Anti-Racism," in Angela Yiu, ed., *Literature in Heisei Japan, 1989-2019* (平成文学における様々な声 , Sophia University Press, 2024).

執筆者一覧（掲載順）｜ List of authors

盛田帝子　Morita Teiko

所属｜ Institution and Title

京都産業大学教授　Professor, Kyoto Sangyo University

専門分野｜ Area of expertise

日本近世文学、和歌文学　Japanese Early Modern literature

著書｜ Publications

『古典の再生』（編著、文学通信、2024 年）、『天皇・親王の歌』（笠間書院、2019 年）、『文化史のなかの光格天皇—朝儀復興を支えた文芸ネットワーク』（共編著、勉誠出版、2018 年）、『近世雅文壇の研究—光格天皇と賀茂季鷹を中心に』（汲古書院、2013 年）など。

ロバート・ヒューイ　Robert Huey

所属｜ Institution and Title

ハワイ大学マノア校名誉教授

University of Hawaiʻi at Mānoa, Professor Emeritus, Department of East Asian Languages and Literatures

専門分野｜ Area of expertise

中世の日本の詩、近世琉球文学　Medieval Japanese poetry; early modern Ryukyuan literature

著書・論文｜ Publications

"Okinawan Studies at the University of Hawaiʻi: Twice Born; Suggestions for Further Research," *International Journal of Okinawan Studies*, V. 4, #2, December 2013, 65-78, *The Making of Shinkokinshū* (Cambridge: Harvard University Asian Center, 2002), xx + 480 pp.

松本　大　Matsumoto Ōki

所属｜ Institution and Title

関西大学准教授　Associate Professor, Kansai University

専門分野｜ Area of expertise

日本中古文学　Classical Japanese literature

著書・論文｜ Publications

『源氏物語古注釈書の研究』（和泉書院、2018 年）、『源氏物語を読むための 25 章』（共編著。武蔵野書院、2023 年）など。

飯倉洋一　Iikura Yoichi

所属｜ Institution and Title

大阪大学名誉教授　Professor Emeritus, Osaka University

専門分野｜ Area of expertise

日本近世文学　Early Modern Japanese literature

著書・論文｜ Publications

『上田秋成―絆としての文芸』(大阪大学出版会、2012 年)、『前期読本怪談集』(編、国書刊行会、2017 年)など。

南　清恵　Minami Kiyoe

所属｜ Institution and Title

ホノルル美術館学芸部リサーチアソシエイト

Research Associate at the Curatorial Dept. of the Honolulu Museum of Art

専門分野｜ Area of expertise

日本美術　Japanese Art

著書・論文｜ Publications

"The Iconography of the Satsuma Vases in the Marignoli di Montecorona Foundation" in the Marignoli di Montecorona Foundation Notebooks, Artemide s.r.l., December 2023

門脇むつみ　Kadowaki Mutsumi

所属｜ Institution and Title

大阪大学教授　Professor, Osaka University

専門分野｜ Area of expertise

日本美術史（中近世絵画史）　Japanese Art History

著書・論文｜ Publications

『寛永文化の肖像画』（勉誠出版、2002 年）、『若冲画賛―賛を読んで知る若冲画の秘密』（編著書、朝日新聞出版、2024 年）、『雅の近世、花開く宮廷絵画 江戸時代前期（天皇の美術史 4)』（共著、吉川弘文館、2017 年）など。

加藤弓枝　Katō Yumie

所属｜ Institution and Title

名古屋市立大学准教授　Associate Professor, Nagoya City University

専門分野｜ Area of expertise

日本近世文学　Japanese Early Modern literature

著書・論文｜ Publications

「六位の書肆吉田四郎右衛門―出版活動の実態と古学の伝播に果たした役割―」(『近世文藝』102 号、日本近世文学会、2015 年 7 月)、「正保版『二十一代集』の変遷―様式にみる書物の身分―（付）八尾助左衛門・勘兵衛・甚四郎出版略年表」（『雅俗』19 号、雅俗の会、2020 年 7 月）

編 者

盛田帝子／ロバート・ヒューイ

校注訳

盛田帝子／松本　大／飯倉洋一

→プロフィールは 265 頁「執筆者一覧」参照

［執筆］

南　清恵／門脇むつみ／加藤弓枝／有澤知世／瓦井裕子／山本嘉孝／
ターニャ・バーネット／フランチェスカ・ピザーロ／ヒルソン・リードパス／
ジョナサン・ズウィッカー／アンドレ・ヘーグ

本研究は JSPS 科研費 JP20KK0006 の助成を受けたものです。

江戸の王朝文化復興

ホノルル美術館所蔵レイン文庫『十番虫合絵巻』を読む

2024（令和 6）年 3 月 31 日　第 1 版第 1 刷発行

ISBN978-4-86766-041-6　C0095　

発行所　株式会社 **文学通信**

〒 113-0022 東京都文京区千駄木 2-31-3 サンウッド文京千駄木フラッツ 1 階 101
電話 03-5939-9027　Fax 03-5939-9094
メール info@bungaku-report.com ウェブ https://bungaku-report.com

発行人　岡田圭介

印刷・製本　モリモト印刷

ご意見・ご感想はこちらからも送れます。上記のQRコードを読み取ってください。

古典の再生

未来につなぐために

The Revival of the Classics

盛田帝子 編

Teiko MORITA

総勢23名で考える現在地

盛田帝子
Edoardo Gerlini
Robert Huey
Andassova Maral
荒木　浩
楊　暁捷
佐々木孝浩
Jonathan Zwicker
佐藤　悟
山田和人
田渕句美子
松本　大
兵藤裕己
中嶋　隆
山本嘉孝
Judit Árokay
飯倉洋一
合山林太郎
有澤知世
永崎研宣
幾浦裕之
藤原静香
加藤弓枝

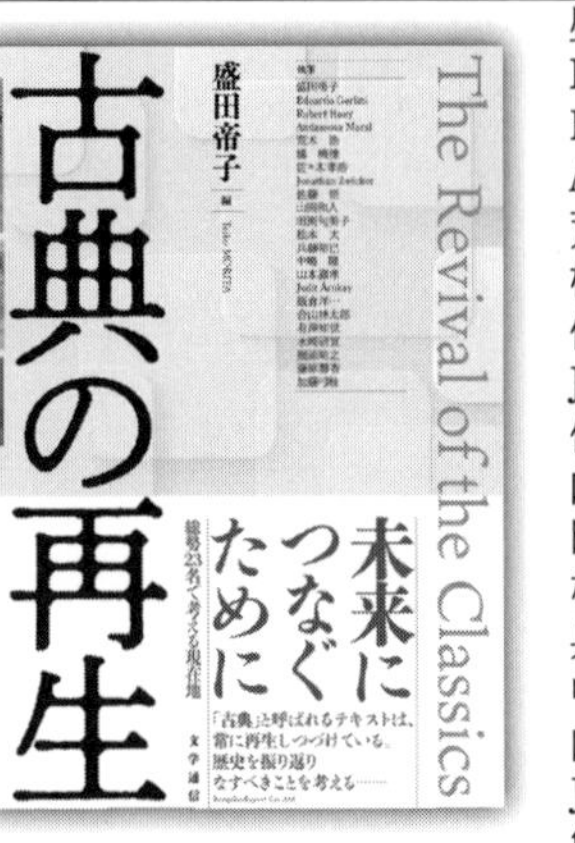

古典はいかに再生されてきたか、
古典をいかに再生すべきか。
この国際シンポジウムでは、その歴史を振り返り、
未来に向けて、わたしたちがなすべきことを、
日本の古典を学ぶ海外の人々とともに、
国際的な視野からも考えようとしたものである。

構成

I　再生する古典
II　イメージとパフォーマンス
III　源氏物語再生史
IV　江戸文学のなかの古典
V　WEBでの古典再生

ISBN978-4-86766-042-3
A5判・並製・448頁
定価：本体2,800円（税別）